UN PASSO
NEL BUIO

TONY PARSONS

UN PASSO
NEL BUIO

Traduzione di
Elena Cantoni

PIEMME

Titolo originale dell'opera: *The Slaughter Man*
Copyright © Tony Parsons 2015

Traduzione di Elena Cantoni *per* Studio Editoriale Littera.

Realizzazione editoriale: *Studio Editoriale Littera, Rescaldina (MI).*

Le citazioni riportate alle pagine 108 e 314 sono tratte da: Charles Dickens, *Le avventure di Oliver Twist*, traduzione di Ugo Dèttore, Bur, Milano 2006.

ISBN 978-88-566-5461-5

I Edizione 2016

© 2016 – EDIZIONI PIEMME Spa
www.edizpiemme.it

Anno 2016-2017-2018 - Edizione 1 2 3 4 5 6 7 8 9 10

Stampato presso: ELCOGRAF S.p.A. - Stabilimento di Cles (TN)

A Yuriko

I delitti riverberano per anni e attraverso molte persone. È raro che un omicidio distrugga una persona sola.

JOYCE CAROL OATES, After Black Rock

In genere gli zingari temono la morte.

RAYMOND BUCKLAND, Buckland's Book of Gypsy Magic. Travelers' Stories, Spells & Healings

Prologo

Sera di Capodanno

Il ragazzo si svegliò di soprassalto.

Dalla stanza in fondo al corridoio buio, suo padre aveva lanciato un urlo spaventoso.

In quel grido c'erano terrore, rabbia e dolore, e il ragazzo, ancora stordito dal sonno, si precipitò a sbirciare nel corridoio. La porta della camera dei genitori era chiusa; nella casa era di nuovo calato il silenzio.

«Papà?»

Nessuna risposta. Tutto ciò che riusciva a udire era il proprio respiro affannoso e gli schiamazzi, provenienti dalla strada, degli ubriachi che festeggiavano la morte di un altro anno.

Nel giardino sul retro, la campana del tempietto in stile giapponese, sospinta dal vento, scandiva un rintocco che sembrava annunciare la fine del mondo.

Poi, nella stanza in fondo al corridoio, la madre cominciò a gridare.

E quando infine si zittì, il padre scoppiò in singhiozzi disperati.

Il ragazzo si sentì soffocare dalla paura e dallo shock.

Il padre, un uomo sempre misurato e sorridente, che

mai in vita sua aveva alzato la voce – figurarsi le mani –, piangeva come se avesse perduto tutto ciò che amava.

Poi dalla stanza risuonò una voce sconosciuta.

Insistente.

Disumana.

Furiosa.

«Te lo ripeto per l'ultima volta» ordinò la voce. «Devi guardare.»

E poi suoni senza senso.

Simili a colpi d'ascia su un tronco. *Chunk... chunk... chunk...* E gemiti sommessi di disperazione, mentre in sottofondo non cessava il vociare allegro e sguaiato degli ubriachi che festeggiavano, in un altro mondo.

Sembrava un incubo.

Il ragazzo si accucciò contro lo stipite della porta. Aveva il fiato corto, e solo in quel momento si rese conto che il suo viso era rigato dalle lacrime: il pianto gli mozzava il respiro.

Da qualche parte nella casa, il cane cominciò ad abbaiare; quel verso familiare, il riaffacciarsi improvviso della realtà conosciuta, lo riscosse dallo stato di trance.

Sforzandosi di non fare rumore uscì dalla stanza, con il cuore in gola, le gambe pesanti, il corpo avvolto in un sudore freddo.

Si allontanò da quei suoni agghiaccianti e in punta di piedi raggiunse la stanza di sua sorella.

Seduta sul letto, con ancora indosso gli abiti della festa, gli occhi asciutti e il viso pallido per lo shock, lei afferrò il cellulare e premette il tasto 9.

Poi uno schianto costrinse entrambi ad alzare lo sguardo verso la porta. Dalla stanza in fondo al corridoio provenivano rumori sconosciuti e incomprensibili. Uno scontro di tremenda ferocia, carne e ossa che battevano sui muri e rotolavano sul pavimento. Tonfi sordi, grugniti soffocati.

Il suono di qualcuno che sta lottando per la vita.

La ragazza premette di nuovo il tasto 9.

Il ragazzo chiuse gli occhi, sopraffatto dal panico.

Non poteva durare ancora a lungo. Presto si sarebbe risvegliato nel suo letto e avrebbe capito che si era trattato soltanto di un sogno. Ma quando riaprì gli occhi, era ancora lì, e il terrore che stava provando era più reale di qualsiasi altra esperienza avesse affrontato nella sua giovane vita.

Le dita della sorella tremavano quando premette il 9 per la terza e ultima volta.

Il cane abbaiava come in preda a una furia cieca.

Poi, nel corridoio, risuonarono passi pesanti, decisi.

Venivano verso di loro.

«La porta!» sibilò sua sorella; con un gesto disperato, il ragazzo la chiuse e girò la chiave nella serratura.

Poi arretrò, restando a fissarla.

Qualcuno stava bussando.

Un tocco gentile, quasi giocoso, con la nocca dell'indice.

Il ragazzo guardò la sorella.

La porta sembrò premere contro gli stipiti, deformata dal colpo di una spallata poderosa. Poi il legno cominciò a cedere sotto una serie di calci ben assestati; schegge e detriti volavano ovunque.

«Emergenza. A chi devo inoltrare la chiamata?»

«La prego» disse la ragazza. «Ci serve aiuto.»

Il ragazzo era corso alla finestra. Appena la aprì, entrò una folata d'aria gelida, e risate, e musica in lontananza, i suoni degli ultimi minuti di un anno che se ne andava.

Quando si voltò, la porta aveva uno squarcio al centro, dal quale si intravedeva una sagoma nera. Poi un braccio si infilò nell'apertura irregolare e una mano girò la chiave nella serratura.

Non sembrava un essere umano.

Pareva la personificazione di un'oscurità profonda e sconosciuta. Quando entrò, riempì la stanza di un odore nauseabondo, un misto di sudore, sangue e secrezioni, e del tanfo rugginoso emanato dalle vecchie auto, un sentore di rottami e olio motore.

Dal cellulare della ragazza proveniva una voce metallica. «Pronto? Emergenza. Come posso aiutarla? Pronto?»

Poi, d'istinto, il ragazzo si lanciò nella notte gelida oltre la finestra, atterrando sul vialetto sottostante con un gemito di dolore.

Subito alzò lo sguardo verso il primo piano.

La sorella aveva una gamba penzoloni sul davanzale, l'altra ancora nella stanza.

La figura scura doveva averla aguantata per il collo, perché lei era sul punto di soffocare. Sì, adesso la vedeva: le sue dita tozze stringevano la catenina della ragazza, serrandola nel pugno come si fa con il collare di un cane aggressivo.

La stava strangolando.

Poi la catenina si ruppe, lo slancio in avanti della ragazza non fu più frenato e lei precipitò nel vuoto, in un istante che a lui parve lunghissimo. Senza volerlo arretrò, e lei piombò a terra.

La aiutò a rialzarsi e dovette sorreggerla mentre si allontanavano: zoppicava, le cedeva un ginocchio.

Vivevano in una zona residenziale nel punto più alto della città, sei grandi ville protette da un muro di cinta con filo spinato la cui unica apertura era il grande cancello all'ingresso.

Londra si estendeva ai loro piedi a perdita d'occhio.

Era come trovarsi sulla vetta del mondo.

Il ragazzo lasciò la sorella in mezzo alla strada, corse alla casa di fronte e prese a suonare il campanello, chiedendo aiuto e urlando che qualcuno cercava di ucciderli.

Le luci rimasero spente.

Il ragazzo si guardò intorno e notò che tutte le case erano al buio, tranne l'ultima in fondo alla via, che era illuminata e dalla quale provenivano voci e suoni. Si precipitò alla porta e la tempestò di pugni.

Non rispose nessuno: la musica era troppo alta, ormai mancava poco al brindisi di mezzanotte.

Il vociare allegro degli ospiti si sentiva anche dall'esterno, una babele di lingue straniere.

Polacco. Tagalog. Spagnolo. Italiano. Punjabi. E inglese stentato.

I padroni erano in vacanza e i domestici avevano organizzato una festa.

Non potevano sentirlo.

Sua sorella si avvicinò, trascinando la gamba ferita e caricando il peso sull'altra.

Le esplosioni dei fuochi d'artificio attirarono i loro sguardi verso il cielo, mentre le voci provenienti dalla villa aumentavano di volume, diventando d'un tratto più ubriache, più euforiche. I due ragazzi tornarono a voltarsi verso la casa da cui erano scappati.

Si sentiva il pianto di un bambino.

Il ragazzo imprecò.

«Non possiamo lasciarlo là dentro» disse la sorella. «Lo senti, l'odore?»

L'aria si era riempita di un tanfo acre di fumo e polvere da sparo, il segno di un rogo imminente.

«Sono i fuochi d'artificio» rispose lui.

Lei scosse la testa. «No. Sta dando fuoco alla casa.»

13

Aveva ragione. Una voluta di fumo nero usciva da una finestra al pianterreno.

«Corri a cercare aiuto» gli disse la ragazza. «Io vado a prendere il piccolo.»

Lui si asciugò le lacrime dal volto, ricacciò indietro un conato acido che gli era salito in gola e restò per un istante a guardare la sorella che si avviava zoppicando verso la casa in fiamme. Il fumo si era infittito, le voci della festa risuonavano sempre più forte. Lui non riusciva a muoversi.

«DIECI!»

La ragazza si girò a guardarlo un'unica volta, il viso reso ancora più pallido dal bagliore della luna.

«NOVE!»

Poi, trascinando la gamba, imboccò il vialetto. Quando sparì dietro l'angolo, lui fu certo che non l'avrebbe rivista mai più.

«OTTO!»

Tremando per il freddo e la paura, si sforzò di ragionare con calma.

«SETTE!»

La festa era quasi al culmine: il frastuono di voci e risate si era fatto assordante, eppure sembrava provenire da una distanza siderale, lasciandolo isolato come su un pianeta ignoto e inconoscibile.

«SEI!»

Sopraffatto dal panico e dalla frustrazione, gridò con tutto il fiato che aveva in corpo.

«CINQUE!»

Non ottenne risposta. A nessuno importava niente di lui. Era completamente solo.

«QUATTRO!»

Il cielo sopra Londra si accese di nuovo di luci e colori, accompagnati da scoppi e crepitii. Era uno spettacolo bellissimo, come se un dio distratto avesse rovesciato uno scrigno di gemme variopinte sul velluto della notte.

Il ragazzo capì cosa doveva fare. Avrebbe raggiunto l'alto cancello di ferro che separava le ville dal resto del mondo, sarebbe sceso di corsa dalla collina e avrebbe cercato aiuto. Poteva farcela. E a quel punto l'incubo sarebbe finito.

«TRE!»

Il cane aveva ripreso ad abbaiare e il fumo si alzava sempre più consistente e denso. La sorella era sparita. Ora il destino della sua famiglia dipendeva esclusivamente da lui.

«DUE!»

Cominciò a correre verso il cancello.

«UNO!»

Allo scoccare della mezzanotte, il cielo si illuminò a giorno. Poi qualcosa colpì il ragazzo alle spalle. Un'auto lo aveva investito in pieno.

«BUON ANNO!»

L'impatto a tutta velocità lo sollevò da terra, facendolo sbattere sul cofano. Poi l'auto inchiodò e lui fu proiettato in avanti, finendo sull'asfalto. A quel punto la macchina ripartì e gli passò sopra le gambe, schiacciandole e riducendole a una massa sanguinolenta di carne dilaniata e ossa fratturate.

In quello stesso istante, tutta Londra brindava al nuovo anno.

Il ragazzo restò inerte con lo sguardo fisso sul cielo notturno trasformato in un tripudio di colori, uno sfolgorio di gialli, rossi, bianchi e verdi che esplodeva tra le stelle e poi ricadeva, lasciandosi dietro una miriade di scie luminose. Per un attimo, provò un senso di pace davanti a quello spettacolo, poi una fitta lancinante lo riportò al presente – era quel genere di dolore che ti prende allo stomaco –, alle sue gambe inservibili, a quella realtà insopportabile.

Ora non riusciva più a distinguere i colori e le luci dei fuochi d'artificio, perché il suo cervello registrava soltanto il dolore. Sputò un denso grumo di sangue mentre una sagoma nera si chinava su di lui.

«Ti prego» disse il ragazzo. «Aiutami.»

La figura lo prese in braccio.

Aveva mani forti. Gentili.

Il ragazzo non era sicuro che fosse la cosa giusta da fare. Forse non era una buona idea spostarlo. Ma fu pervaso da un profondo senso di gratitudine e si abbandonò tra quelle braccia.

Finché non avvertì di nuovo quel tanfo insopportabile, la medesima miscela di sudore e olio motore, di umano e di meccanico.

E vide che le braccia e le mani che lo reggevano senza alcuno sforzo, come se non avesse peso, erano coperte di sangue.

Ora il cielo di Londra brillava in un tripudio di colori.

Ma mentre la figura lo riportava verso ciò che restava della sua famiglia, il ragazzo cedette serenamente alle tenebre che lo avvolgevano, e non vide gli ultimi fuochi che si accendevano sopra di lui, né li vide spegnersi.

GENNAIO

LE CASE FANTASMA DI LONDRA

1

Il primo giorno dell'anno, il cielo era limpido e azzurro, e si gelava. Poi uno sparo proveniente dal piccolo complesso di palazzine squarciò l'aria.

Mi gettai a terra dietro l'auto più vicina, ferendomi i palmi sulla ghiaia, con il volto madido di un sudore che non aveva nulla a che fare con la temperatura.

Un colpo d'arma da fuoco è sempre un grido di rabbia, ma quello era stato un ringhio furioso. Aveva lacerato il cielo terso e mi aveva svuotato di ogni sensazione, lasciandomi dentro soltanto un terrore ancestrale. Restai immobile, sforzandomi di riprendere fiato. Poi mi sollevai sulle ginocchia e mi appoggiai con la schiena a un mezzo del pronto intervento. Il cuore mi batteva nel petto come un tamburo, ma quantomeno avevo ripreso a respirare.

Mi guardai intorno.

Gli agenti della SCO19, l'unità armata della polizia metropolitana, erano già appostati, con i loro elmetti da combattimento e i fucili d'assalto Heckler & Koch stretti nelle mani coperte da guanti di pelle nera. Del gruppo facevano parte anche alcuni poliziotti in uniforme e un paio di detective in borghese come me. Tutti si proteggevano dietro i furgoni blindati e le carrozzerie variopinte delle auto del pronto intervento. Gli agenti sfilarono le Glock nove millimetri dalle fondine.

La donna accanto a me cominciò a imprecare. Era minuta, bionda, sulla trentina; ancora giovane, ma non più una ragazzina. Ispettore capo Pat Whitestone: il mio diretto superiore. Indossava un maglione con il disegno di una renna. Senz'altro un regalo di Natale. A chi verrebbe in mente di comprarsi un capo simile? Doveva trattarsi di una trovata di suo figlio: l'idea di ironia tipica di un adolescente. Con un gesto brusco, Whitestone si sistemò gli occhiali sul naso. «Agente a terra!» gridò. «Colpito al ventre!»

Sbirciando da dietro l'auto, vidi una poliziotta in uniforme riversa sulla strada che chiedeva aiuto. Si teneva lo stomaco. Gridava verso quel bellissimo cielo terso.

«Oddio... Gesù... Ti prego...»

Quanto era passato dallo sparo, trenta secondi? Un tempo infinito, se trascorso con un proiettile nel ventre. Una vita intera.

C'è un motivo per cui quasi tutte le ferite da arma da fuoco al ventre hanno un esito fatale, al contrario di quelle da arma bianca. Le lesioni inflitte da una pugnalata restano circoscritte, mentre una pallottola continua a viaggiare per la sua strada, distruggendo tutto quello che incontra. Nel primo caso, se il coltello non ha reciso un'arteria né forato l'intestino, se arrivi in sala operatoria abbastanza in fretta e se riesci a evitare un'infezione – in genere, i criminali non ti fanno la cortesia di sterilizzare il coltello, prima di ficcartelo nella pancia –, hai buone possibilità di cavartela.

Ma un proiettile nel ventre ha un impatto catastrofico. In un microsecondo, la sua traiettoria devasta una quantità incredibile di organi: le anse sovrapposte dell'intestino, il fegato, la milza e, peggio di tutti, l'aorta, cioè l'arteria principale che trasporta il sangue in ogni parte del corpo. Colpita quella, ti dissangui in un attimo.

Se ti becchi una pugnalata, a meno che tu non sia proprio sfortunato, presto o tardi te ne torni a casa. Se ti becchi un proiettile, anche se sei nato sotto una buona stella, la tua famiglia non la rivedi più.

Nel primo caso chiedi aiuto.

Nel secondo ti rivolgi a Dio.

Con un'ultima imprecazione soffocata, Whitestone scattò e si precipitò sulla strada: una donna minuta con una renna sul maglione, piegata quasi in due, un dito premuto sugli occhiali per non perderli.

Inspirai a fondo e la seguii, correndo a testa bassa, con i muscoli contratti in attesa del secondo sparo.

Ci accucciammo accanto all'agente. Whitestone le premette le mani sulla ferita, nel tentativo di tamponare l'emorragia.

Io mi sforzai di ricordare le cinque fasi cruciali del primo soccorso in caso di ferita da arma da fuoco: A, B, C, D, E. È così che te le insegnano, in accademia. Aria (controllare che le vie respiratorie non siano ostruite), Battito, Circolazione, Disabilità (verificare la presenza di possibili lesioni alla spina dorsale o al collo) ed Esposizione (individuare il foro di uscita del proiettile ed eventuali altre ferite). Ma era già troppo tardi: l'uniforme dell'agente era zuppa di sangue e la macchia non smetteva di allargarsi.

«Resisti, tesoro» le disse Whitestone in tono dolce e sommesso, come una madre che consola la sua bambina, continuando a premere con forza le mani imbrattate di sangue sulla ferita.

L'agente era molto giovane, la classica idealista che si

era arruolata in polizia pensando di riuscire a cambiare il mondo.

Era pallidissima per l'emorragia e lo shock.

Portava un piccolo anello di fidanzamento all'anulare sinistro.

Morì emettendo un ultimo rantolo, con un rivolo di sangue che le scendeva dalle labbra. Gli occhi di Whitestone si velarono di lacrime e la sua bocca si tramutò in una linea secca e sottile. Rabbia allo stato puro.

Alzammo gli occhi verso il balcone.

Lui era là.

L'uomo che aveva deciso di inaugurare il nuovo anno sterminando la sua famiglia. O almeno così aveva detto un vicino di casa al centralino del pronto intervento. Era quello, il suo piano. Il vicino lo aveva sentito urlare quelle parole da dietro il muro, aveva subito chiamato la polizia e poi aveva radunato i suoi per portarli in salvo.

L'uomo sul balcone imbracciava un fucile da caccia di ultima generazione. Il pallino luminoso del puntatore laser spiccava sul nero del metallo, verde come la spada di Luke Skywalker. Da lontano sembrava un giocattolo, ma era tutt'altro. Il puntino verde si abbassò a terra, muovendosi prima sull'erba ai piedi dell'edificio, poi sull'asfalto della strada, finché non raggiunse me e Whitestone e si arrestò su di noi.

Rimanemmo immobili. Il tempo sembrò fermarsi. Il puntatore sostò un istante su di me, prima di spostarsi su Whitestone, come se l'uomo fosse indeciso sul primo bersaglio da colpire.

«Se n'è andata, Pat» dissi.

«Lo so» replicò lei.

Si girò a guardare i nostri veicoli con i contrassegni fluorescenti, azzurri e gialli per quelli blindati, verdi e gialli

per il pronto intervento. Tra gli uni e gli altri si intravedevano le sagome scure delle Glock e delle Heckler &
Koch, le forme tondeggianti dei caschi come elmi medievali sui volti degli agenti, tesi per l'adrenalina.

Whitestone gridò qualcosa. Il puntino verde del laser
raggiunse il muso della renna e si fermò.

«Abbattetelo!» urlò Whitestone.

«Ce l'ho sotto tiro!» rispose qualcuno.

Ma non sentii sparare.

Pensai all⌐ rogne cui vanno incontro gli agenti che
usano la loro arma durante un'azione. La sospensione
automatica dal servizio e poi i rilievi balistici, le inchieste
interminabili che indagano su ogni colpo sparato. Il rischio del carcere o della disoccupazione. Non c'era da
stupirsi che ci pensassero due volte.

Quello, però, non era il momento di riflettere.

Alzai di nuovo lo sguardo e vidi che l'uomo non era
più solo. C'era una donna con lui, sul balcone. Un foulard
le copriva il capo, ma non riuscivo a capire se era per
motivi religiosi o per altro.

Lui le stava gridando contro. Le riversava addosso
tutti gli improperi che un uomo può rivolgere a una donna. Poi la allontanò con uno spintone e raccolse qualcosa
da terra. Lo sollevò in aria e cominciò a scuoterlo.

Era un bambino. Avrà avuto al massimo due anni.
Anche dalla strada, inginocchiato accanto all'agente morta, riuscivo a distinguere il suo viso paffuto, tipico di
quell'età. Si dimenava come una bestiola appena cattura-
ta mentre l'uomo tendeva il braccio e lo faceva dondola-
re oltre il parapetto del balcone.

A quattro piani da terra.

Sopra un mare di cemento.

Stava urlando qualcosa. La donna al suo fianco piangeva. Senza neanche guardarla, la centrò in pieno viso con il calcio del fucile. Lei barcollò all'indietro.

Poi il bambino cominciò la sua caduta.

La donna lanciò un grido disperato.

«Adesso!» urlò qualcuno.

Lo sparo sembrò passare vicinissimo alla mia nuca, e un attimo dopo un fiotto di sangue schizzò dalla gola dell'uomo. Lui non precipitò nel vuoto. Vacillò e sfondò il vetro della finestra alle sue spalle. Guardandolo sparire alla vista pensai a quanto siamo fragili, così facili da spezzare, sempre a un passo dal baratro.

E poi mi ritrovai a correre, con le suole delle scarpe che slittavano sull'erba coperta di brina, implorando mio malgrado l'aiuto di Dio e tendendo le braccia in avanti per afferrare il bambino.

Ma ero troppo distante e non sarei arrivato in tempo. Il piccolo continuò nella sua corsa.

2

Al mercato della carne di Smithfield regnava il silenzio. Mentre il primo giorno dell'anno si avviava alla sua morte precoce, mi incamminai rabbrividendo sotto il grande arco all'ingresso, superando la schiera di vecchie cabine telefoniche rosse e la targa commemorativa posta nel punto in cui fu ucciso William Wallace. Nemmeno le quattro del pomeriggio e il sole spariva già dietro la cupola della cattedrale di Saint Paul. Sul lato opposto della piazza, i negozi erano tutti chiusi per le festività, ma da un appartamento appena sopra uno di essi provenivano le note di violini, flauti e tamburi suonati a un ritmo indiavolato. La canzone parlava di una tale Sally MacLennane. Musica irlandese. Musica allegra. Probabilmente un pezzo dei Pogues. L'insegna dipinta a mano sopra la saracinesca abbassata al pianterreno era sbiadita dal tempo.

MURPHY & FIGLIO
IMPIANTI IDRAULICI E DI RISCALDAMENTO,
DOMESTICI E COMMERCIALI.
SERVIZIO AFFIDABILE

Raggiunsi la porta sul retro e salii le scale. Alcuni dei residenti si erano già sbarazzati dell'albero di Natale, ma i Murphy festeggiavano ancora. Tra Shane MacGowan che si sgolava su Sally MacLennane e il vociare di adulti e bambini, nell'appartamento impiegarono un po' a sentire il campanello.

Venne mia figlia Scout ad aprire – aveva cinque anni –, le guance arrossate e il fiato corto. Si stava divertendo come una matta. Al suo fianco c'erano una bambina dai capelli rossi, Shavon, forse più piccola di un anno, il suo fratellino minore, Damon, e uno spaniel dal manto fulvo, un cavalier king charles, che ansimava per l'eccitazione: il nostro cane, Stan, pedinato da un cucciolo meticcio mai visto prima, nero e con le zampe storte, che lo fiutava con aria timida.

«Non dobbiamo andarcene subito, vero?» fu il saluto di Scout.

«E questo chi è?» risposi, indicando il cucciolo.

«Si chiama Biscuit» disse mia figlia.

«Le salsicce sono pronte» annunciò la signora Murphy, comparendo alle sue spalle.

Scout filò via con la sua amichetta, trascinandosi appresso Damon e il suo seguito di cani. La padrona di casa mi fece strada nell'appartamento, dove fui salutato calorosamente dal marito Big Mikey – un uomo alto e magro, con un abito impeccabile, una chioma d'argento e baffi curatissimi, niente affatto "grosso" come lasciava intendere il soprannome – e dal figlio, Little Mikey, un gigante bruno sui trent'anni, che di "piccolo" non aveva proprio nulla. Sua moglie Siobhan allattava l'ultimo nato, avvolto in una copertina celeste. Baby Mikey.

L'albero di Natale emetteva un allegro bagliore intermittente. Kirsty MacColl e Shane MacGowan intonarono *Fairytale of New York* e io, quasi senza accorgermene, mi ritrovai in mano un piatto di salsicce e una birra. Mi soffermai a scrutare la bottiglia come se non ne avessi mai vista una in vita mia.

«Be', ormai è tardi per il caffè» si giustificò la signora Murphy. «Ti aiuterà a rilassarti.»

Annuii e farfugliai un ringraziamento alla famiglia per essersi occupata di Scout, suscitando la protesta unanime di tutti i presenti: nessun disturbo, la bambina era una delizia e poi faceva compagnia agli altri. I Murphy erano le persone più generose del mondo.

Non erano una famiglia numerosa – contrariamente a tutti gli stereotipi sui cattolici irlandesi, Little Mikey era figlio unico –, ma le tre generazioni di parenti lì riunite costituivano una vera tribù a confronto del nucleo composto da Scout, Stan e me.

La loro attività di idraulici era a conduzione famigliare, dunque Capodanno non era un giorno di vacanza. Big Mikey consultava l'iPad in cerca di un giorno libero in cui infilare il sopralluogo a casa di una tizia di Barnet e Little Mikey parlava con un tale di Camden a proposito di un boiler guasto. Poi il mio cellulare cominciò a vibrare, annunciando che neanche io ero in vacanza.

Lessi il messaggio. Pessime notizie. Un muscolo sopra il mio occhio sinistro iniziò a pulsare. Lo coprii con una mano per evitare che gli altri lo vedessero.

Big Mikey e Little Mikey mi rivolsero uno sguardo comprensivo.

«Le festività sono sempre uno stress» disse la signora Murphy.

L'indirizzo era all'interno di un quartiere privato di Highgate.

THE GARDEN, recitava la targa all'ingresso.

Si trovava nel punto più alto di Londra, all'estremo

nord della zona ricca della capitale, dove l'aria era fresca, pulita e profumata. Mi fermai al cancello automatico a mostrare il distintivo e inspirai una lunga boccata di quell'ossigeno quasi alpino.

Un poliziotto in uniforme inserì il mio nome sul modulo, poi il cancello cominciò ad aprirsi. Dall'interno mi venne incontro l'agente Edie Wren. Aveva scarpe con il tacco alto e i capelli rossi raccolti a chignon sulla nuca. La chiamata doveva averla colta mentre si preparava a uscire per un appuntamento.

Mi guardai intorno. «Tutte ville di rappresentanza?»

Londra contava un numero di miliardari superiore a qualsiasi altra città del mondo, che acquistavano immobili di lusso lasciandoli puntualmente disabitati, mentre il loro valore saliva alle stelle.

I ricchi abitano sempre altrove.

«Alcune sì, ma non quella che interessa a noi» rispose Wren. «Una famiglia intera, Max.» Esitò per un istante, come se lei stessa non riuscisse ancora a capacitarsene. «I genitori. Due figli adolescenti. Una strage perfetta. Un'esecuzione in piena regola.»

Il cancello si richiuse alle nostre spalle.

Il complesso comprendeva sei grandi ville. Uno dei giardini era cordonato dal nastro giallo della polizia. Sul vialetto, gli esperti della scientifica stavano indossando le tute protettive bianche, mentre gli agenti saltellavano sul posto per riscaldarsi. Era già sera, i lampeggianti blu delle nostre auto brillavano nel buio.

Oltre l'alto muro di cinta si estendeva quello che a prima vista poteva sembrare un bosco selvatico, ma dall'intrico dei rami e dei cespugli svettavano croci enormi, angeli di pietra e le sommità di antiche cripte. Un camposanto invaso dalla natura.

Il cimitero di Highgate.

Alcuni agenti in divisa bussavano alle porte delle ville, cominciando da quelle con le luci natalizie ancora accese. Sulla strada gremita di veicoli della polizia, una guardia di sicurezza privata rispondeva alle domande di un giovane detective di colore, Curtis Gane. Il collega mi salutò con un cenno e appoggiò una mano sulla spalla dell'uomo, che sembrava sotto shock. Ed era scalzo.

«È stato lui a dare l'allarme» disse Wren. «Stava facendo la solita ronda, ha notato la porta aperta ed è entrato.»

«E ha calpestato ogni possibile indizio» osservai.

«Ormai è fatta. La scientifica gli ha confiscato le scarpe per prendere nota di marca e numero. Non sarà difficile distinguere le sue impronte.» Indicò il cancello automatico. «Dice che da là nessuno può entrare inosservato.»

«Quindi sono entrati dal retro» risposi. «Oltre il muro c'è il settore occidentale del cimitero di Highgate.»

«C'è sepolto Karl Marx, o sbaglio?»

«La sua tomba è nel settore est, la zona aperta al pubblico sull'altro lato di Swain's Lane. Quella confinante con il muro di cinta è la ovest, che di solito è chiusa. Viene aperta soltanto per le visite guidate e per i funerali.»

Wren rivolse uno sguardo dubbioso al cimitero. Nel buio si intravedevano soltanto gli angeli di pietra a testa china. «Ci seppelliscono ancora qualcuno?»

Annuii. «Io passerei da lì, se volessi introdurmi in questo complesso» aggiunsi, infilando un paio di guanti di lattice.

Mostrammo i distintivi, superammo il nastro e firmai un altro modulo. La chiamata era arrivata da poco e, come avevamo avuto modo di vedere, gli esperti della scientifica non erano ancora entrati nella casa. Intabarrati nelle tute, le facce incorniciate dai cappucci bianchi e i guanti azzurrini sulle mani, erano pronti a iniziare i rilievi; dovevano solo aspettare che l'ufficiale incaricato dell'indagine finisse di eseguire il primo sopralluogo e che il fotografo documentasse la scena del crimine, ancora intonsa e nello stato agghiacciante in cui l'aveva lasciata il responsabile – o i responsabili – del massacro. Una volta entrati noi, non sarebbe più stata la stessa.

Tutt'intorno si sentiva il brusio delle ricetrasmittenti e, in lontananza, il rumore di veicoli in arrivo, con le sirene spiegate e i lampeggianti blu che squarciavano il buio. Anche il personale a bordo di quei mezzi avrebbe dovuto attendere la prima, cruciale ispezione dell'ispettore capo Pat Whitestone.

A pochi passi dalla porta spalancata e presidiata da due agenti in divisa, Wren si bloccò di colpo. «Guarda.»

Da una siepe spuntava una canna di bambù lunga circa tre metri e sormontata da un gancio di metallo a forma di S, simile a quelli delle macellerie. Sembrava una canna da pesca, da cui il termine con il quale, in gergo, si designava chi compiva quel genere di effrazione.

«Abbiamo un pescatore» confermò Wren. «Ecco com'è entrato.» Si girò a chiamare un collega della scientifica. «Prelevate la canna per le analisi.»

La tecnica era piuttosto semplice. Lo scassinatore infilava il bastone dalla buca delle lettere e usava il gancio da macellaio per "pescare" un mazzo di chiavi lasciato da qualche parte nell'ingresso.

«E la gente crede di essere al sicuro» commentai, scuotendo la testa.

Entrammo nell'anticamera. Nell'aria ristagnava un penetrante odore di benzina.

Un lungo corridoio bianco, illuminato da faretti, conduceva a un atrio gigantesco, un open space alto due piani con una parete vetrata sul fondo. Qualcuno aveva cercato di appiccare un rogo. Due pompieri stavano ispezionando la macchia che anneriva un'intera parete e metà del pavimento nella zona giorno, dove c'era un tavolo enorme con dodici sedie. Dietro la vetrata si vedeva solo il buio.

L'ispettore Whitestone era in piedi accanto a un corpo seminudo. Il cadavere di un ragazzino con il foro di un proiettile in piena fronte, le gambe divaricate in una postura innaturale, gli occhi ancora spalancati.

«Max» disse Whitestone a bassa voce, levandosi gli occhiali e strofinandosi le palpebre. La giornata era stata dura e la stanchezza le si leggeva in faccia, eppure il tono era calmo, professionale, operativo. «Cosa ne pensi?» domandò. «Una nove millimetri?»

Il colpo sembrava sparato a bruciapelo.

«Direi di sì» risposi. Scrutai il pavimento di parquet lucidato in cerca del cilindretto dorato rivelatore. «Però non vedo bossoli» aggiunsi.

«Non ce ne sono» disse Whitestone. Nel silenzio che seguì, provammo entrambi a riflettere su quel dettaglio.

Ci vuole un certo sangue freddo per fermarsi a recuperare i bossoli.

«Cosa gli è successo alle gambe?» domandò Gane. «Sembra che sia stato colpito con una grossa mazza.»

«Forse un'auto» intervenne Wren, chinandosi a scrutare il cadavere più da vicino. «Secondo me è stato sorpreso fuori casa. Ha i segni della ghiaia sulle mani e sulle braccia.»

C'era la cesta di un cane, in un angolo. Dalle dimensioni, doveva trattarsi di un animale piuttosto grosso. Un ricamo sul cuscino annunciava: MI CHIAMO BUDDY.

«Che fine ha fatto il cane?» domandai.

«Il cane?» sbottò Gane. «Hanno sterminato un'intera

famiglia, una strage che neanche Charles Manson, e tu ti preoccupi del *cane*?»

Inutile cercare di spiegarglielo. Anche il cane faceva parte della famiglia.

«Qualcuno ha controllato il pesce rosso?» proseguì lui. «Chissà il criceto come sta... Fammi un favore, Wolfe: verifica che sia incolume. E manda un collega a soccorrere il canarino.»

«Piantala» lo zittì Whitestone. «Andiamo di sopra a vedere il resto.»

D'un tratto, dalla parete a vetri una luce abbagliante inondò la stanza.

La squadra della scientifica aveva acceso i riflettori, illuminando il giardino sul retro.

Era in stile giapponese, con sentieri di sassolini disposti a vortice intorno a piccoli macigni, come faraglioni in un mare di pietra. Al centro svettava un tempietto con una campana, ricoperta dalla patina verdastra del tempo, che oscillava nella brezza.

Restai incantato per qualche momento alla vista di tanta inattesa bellezza. Poi vidi il cane. Era un golden retriever, raggomitolato in un angolo del giardino. Sembrava che dormisse, ma sapevo che non era così.

Quando mi voltai, Whitestone, Gane e Wren erano già spariti al primo piano.

Mi avviai a raggiungerli, salendo i gradini della scala e scorrendo con lo sguardo le foto appese alla parete. Scatti professionali, in bianco e nero, incorniciati da sottili listelli di legno scuro. I ritratti delle persone che un tempo vivevano in quella splendida casa.

I membri di una famiglia perfetta.

Mi sembrava quasi di conoscerli, mentre seguivo la loro storia su quelle foto. I genitori dovevano essersi sposati presto, erano una coppia ancora giovane e innamorata che irradiava benessere e felicità.

Lui aveva un fisico asciutto, atletico, con un sorriso divertito che gli aleggiava sulle labbra. Doveva avere circa quarantacinque anni, ben portati. Lei probabilmente ne aveva una decina di meno, era stupenda e dall'aria vagamente familiare. Somigliava a Grace Kelly, come lei era bella in modo quasi soprannaturale.

Se avevano dei problemi, non riuscivo neanche a immaginare di che genere fossero. Erano ricchi e in salute, e si amavano. E avevano due splendidi bambini, un maschio e una femmina, che vedevo crescere di foto in foto.

Ragazzini vivaci, sportivi. In uno scatto, la figlia era ritratta intorno ai dodici anni su una pista da hockey, con il paradenti arancione e il visino serio. In un altro, il fratello sollevava trionfalmente una coppa, circondato dai compagni della squadra di calcio. Era difficile collegare quel volto colmo di gioia alla maschera del cadavere al pianterreno.

Verso la fine della scala erano entrambi adolescenti, due giovani alle soglie dell'età adulta, il maschio appena più grande della sorella, forse di un anno. Una foto ritraeva la famiglia riunita sotto l'albero di Natale. In un'altra sedevano in un ristorante su una spiaggia. In quelle più recenti compariva anche il golden retriever, con lo sguardo beato di un animale baciato dalla fortuna, adottato dalla famiglia perfetta. Lo stesso cane il cui cadavere ora giaceva nel giardino giapponese. Nell'ultima foto, la donna teneva in braccio un bambino.

Un maschietto. Sui quattro anni. Doveva essere stato un imprevisto. La famiglia era già al completo, come dimostrava la parete della scala ormai interamente tappezzata, senza più spazio per altre foto. Non avevano in programma l'arrivo di un altro figlio. Invece era nato lui, e aveva coronato la loro felicità. Sì, doveva avere circa quattro anni.

Uno meno di Scout.

Il fotografo della scientifica stava per scendere al piano di sotto quando lo fermai, sfiorandogli un braccio. «Siete proprio sicuri che non sia sopravvissuto nessuno?» domandai.

«Per pronunciare i decessi bisogna aspettare il coroner. Io però li ho visti. E qui dentro ci sono solo cadaveri, signore. Mi dispiace.»

Un nodo mi artigliò la gola, ma riuscii a scacciarlo. Una famiglia intera.

Gane aveva ragione. Era un massacro degno di Charles Manson.

Sul ballatoio c'era un altro corpo. La ragazza, tutta in ghingheri per la festa di Capodanno, accasciata sul fianco. Il foro di entrata non si vedeva, ma intorno al collo aveva una collana di sangue. Sentii un brusio provenire dal fondo del corridoio. Gli altri dovevano essersi radunati nella stanza dei genitori. Mi mossi per raggiungerli, cercando di prepararmi a ciò che avrei visto.

La donna era sul letto, il viso semicoperto da una ciocca bionda. Il cuscino sotto la sua testa era macchiato, ma non vedevo il foro d'ingresso. Dovevano averla uccisa con un singolo colpo alla nuca.

«A quanto pare, il bersaglio era il padre» disse Whitestone.

L'uomo era nudo, seduto sul pavimento, con la schiena appoggiata a una cassettiera. Ci fissava con le orbite vuote: gli avevano sparato due volte, da distanza ravvicinata, un colpo per ciascun occhio. Inspirai a fondo, costringendomi a non distogliere lo sguardo. Un'aureola di sangue e materia cerebrale aveva coperto il mobile.

«Già» disse Gane. «Erano venuti ad ammazzare lui, e poi hanno eliminato i testimoni. L'omicidio della moglie e dei due figli ha l'aria di un'esecuzione. Con lui, invece, la faccenda era personale.»

Restammo tutti e quattro a testa china, come in lutto.

«E il piccolo?» domandai, infine.

Di colpo, il silenzio si caricò di tensione.

«Quale piccolo?» chiese Whitestone.

La SST, l'unità speciale per le ricerche, arrivò sul posto in quindici minuti.

Fa parte dell'SO20, il comando di sicurezza antiterrorismo. Raccoglie indizi dopo un attacco e bonifica la zona prima di una visita di stato o una cerimonia di alto profilo. E collabora con la sezione omicidi.

In quel quarto d'ora, noi avevamo frugato in ogni angolo della casa, cercando il corpo del bambino. Dopo di noi, gli uomini della SST la smontarono pezzo per pezzo.

Staccarono la moquette, divelsero il parquet, sfondarono le pareti. Passarono al setaccio il solaio, i bidoni dell'immondizia, gli scarichi delle tubature. Controllarono il forno elettrico, quello a microonde e la lavatrice. E quando ebbero finito con la casa, uscirono nel giardino e rivoltarono ogni sasso. Ispezionarono il muro di cinta, perlustrarono il cimitero di Highgate.

Alle prime luci dell'alba, intorno alle otto del mattino, gli uomini e le donne dell'unità speciale per le ricerche erano ancora intenti a setacciare millimetro per millimetro le colline verdi del cimitero. Diverse ore prima, l'ispettore Whitestone aveva diramato un allarme per la scomparsa del bambino.

Anche quando il sole fu ormai alto, gli agenti non smisero di rovistare tra le tombe, facendosi largo tra cortine di edera intrecciate da secoli e puntando le torce nelle cripte polverose, sotto lo sguardo di pietra degli angeli che vegliavano su quel groviglio di vegetazione.

3

Il bambino scomparso sorrideva con timidezza da una foto appesa alla parete della sala operativa della sezione omicidi.

Le foto dei bambini scomparsi li ritraggono sempre sorridenti. È quello a spezzarti il cuore, la gioia infantile immortalata durante una vacanza al mare o una festa di compleanno, quando nessuno poteva immaginare cosa il futuro avesse in serbo per loro.

«Conoscete la procedura» disse l'ispettore Whitestone. «Dobbiamo rintracciarlo subito...»

Lasciò la frase in sospeso, tanto il resto lo sapevamo a memoria.

Altrimenti non lo troviamo più.

Quella dura realtà ci era stata inculcata fin dall'addestramento. Le statistiche parlavano chiaro. Superato un certo lasso di tempo, la scomparsa diventava definitiva. E la finestra temporale era ridottissima, dalle prime ventiquattro ore fino e non oltre il settimo giorno. Dopodiché, eri certo che avresti recuperato un cadavere, ammesso di trovarlo. Chiuso in una valigia, abbandonato in una discarica, gettato nel letto di un fiume o sotterrato in campagna. Passati sette giorni, il lieto fine è un'eccezione molto rara.

Per questo, dopo la notte in bianco nella villa sulla collina eravamo tornati tutti direttamente in commissariato, al 27 di Savile Row.

Adesso il bambino aveva un nome.

Bradley Wood.

Aveva quattro anni e un sorriso buffo, sghembo. Durante la notte, il coroner aveva pronunciato il decesso dei genitori, della sorella e del fratello; ora, guardando il volto sorridente di Bradley, mi domandai a che razza di vita l'avremmo restituito, senza nessuno al mondo.

Buttai giù un altro triplo espresso e scacciai quel pensiero dalla mente.

Adesso la priorità era riuscire a trovarlo. Al resto avremmo pensato dopo.

Nella foto, il bambino stringeva in mano un giocattolo, un personaggio alto una quindicina di centimetri con una maglia bianca, un gilet nero e un paio di anfibi. Osservandolo meglio, riconobbi Ian Solo, il capitano ribelle del *Millennium Falcon*.

«A che punto siamo con le vittime?» domandò Whitestone, sfilandosi gli occhiali e ripulendo in fretta le lenti con un tovagliolino con la scritta CAFFÈ NERO. Sembrava esausta. Come tutti noi. La squadra omicidi aveva trascorso la notte sulla scena del crimine, all'alba si era riunita in centrale, e aveva passato la mattinata a identificare i morti. Adesso era primo pomeriggio e il pallido sole invernale cominciava già a calare sui tetti di Mayfair.

«Questa è la famiglia Wood» dissi io, premendo un pulsante sulla tastiera del portatile. «Le vittime.»

All'istante, sul megaschermo ad alta risoluzione appeso alla parete della sala operativa, apparve un ritratto di famiglia, uno dei tanti che avevo visto sul muro accanto alla scala.

La famiglia Wood sorrideva: i genitori belli e sani, i due figli adolescenti. Tutti attraenti, ricchi e atletici. Nella foto si stringevano gli uni agli altri in uno chalet di montagna, con il piccolo Bradley al centro. «Il padre si chiamava Brad» iniziai. «Era un agente sportivo. La madre Mary era casalinga. Il ragazzo, Marlon, aveva quindici anni; la sorella, Piper, quattordici. Frequentavano entrambi una scuola privata a Hampstead. E poi c'era Bradley.»

Whitestone scosse la testa. «Perché ho l'impressione di conoscerli?»

«Conosci la madre» risposi. «Il suo nome da nubile era Mary Gatling: per un breve periodo è stata molto famosa.»

Da dietro le lenti, Whitestone sgranò gli occhi per la sorpresa. «La Mary Gatling delle olimpiadi invernali del 1994?»

Annuii. «A Lillehammer, in Norvegia. L'avevano soprannominata la "Vergine delle Nevi".»

«Mary Wood era la Vergine delle Nevi?» disse l'ispettore capo, allibita. «La ragazza che annunciò che sarebbe arrivata casta al matrimonio?»

«Proprio così. Membro della nazionale inglese di sci. Non vinse nemmeno una medaglia, però si attirò un mucchio di pubblicità con quella professione di verginità. Finì sulle prime pagine di tutti i giornali. Per circa cinque minuti.»

«E il marito l'ha conosciuto a Lillehammer?»

«Esatto. Brad Wood. Americano. Figlio di operai di Chicago. La sua specialità era il biathlon: sci di fondo e tirassegno. È arrivato a un soffio dal podio e ha conosciuto Mary al villaggio olimpico.»

«Santo cielo, la Vergine delle Nevi» ripeté Whitestone, ancora incredula. «È bella come allora.»

«Mary Gatling, hai detto?» intervenne Wren. «Come la Gatling Homes? La società immobiliare?»

«Proprio loro» risposi. «Mary era la primogenita di Victor Gatling. Ricchi sfondati. Il padre si era fatto le ossa negli anni Sessanta, come galoppino dei proprietari dei casermoni nei quartieri più malfamati di Londra. Poi si era messo in proprio. Aveva comprato un bilocale a Tottenham, l'aveva ristrutturato e venduto. Il resto è storia. La sua società domina il mercato da vent'anni. Adesso Victor non è più un ragazzino, ma è ancora il leader a Londra in fatto di immobili di lusso: Kensington, Chelsea, Mayfair, Hampstead, Knightsbridge. Dicono che abbia accumulato due fortune: la prima costruendo case per gli immigrati poveri nel secolo scorso; e adesso la seconda, con le abitazioni degli stranieri ricchi. Lo chiamano il "Re di Londra", ma ha quasi ceduto lo scettro al figlio Nils.»

«E in questi vent'anni, il marito di Mary ha sempre fatto l'agente sportivo?» domandò Whitestone.

«Non sempre» risposi. «Per qualche anno, dopo le nozze, ha lavorato per il suocero. A quanto pare, non ha funzionato.»

Dalla strada salì un coro di voci e urla; istintivamente ci voltammo tutti verso la finestra. Quattro piani più sotto, il traffico ringhiava senza sosta. Savile Row è una strada stretta, chiusa tra gli edifici come un canyon, patria dei sarti di lusso e meta di pellegrinaggio dei beatlesiani incalliti, in cerca del tetto su cui il quartetto di Liverpool si esibì per l'ultima volta. E adesso era gremita di media di tutto il mondo che la occupavano per intero, da Conduit Street a nord, a Burlington Gardens a sud. Schiere di paparazzi, furgoni sormontati dai dischi satellitari e orde di reporter in attesa sotto la lanterna azzurra al numero civico 27.

«L'MLO ha chiamato di nuovo» disse Wren.

MLO, cioè Media Liaison Officer, la nostra addetta stampa.

«Motivo?» domandò Whitestone.

«Chiede quando potrà cominciare la conferenza stampa. Domattina la foto del piccolo Bradley sarà su tutti i giornali. I notiziari televisivi la diffonderanno a partire da questa sera. E su internet gira già da un pezzo. Mentre qua sotto stanno ancora aspettando.»

«Dille che parlerò quando i parenti avranno identificato i corpi» rispose l'ispettore capo, spazientita.

Wren esitò un istante. «Ha chiamato anche la sovrintendente Swire.»

«Cosa voleva?»

«Stessa cosa.»

Whitestone annuì, aggrottando la fronte. «Quindi puoi darle la stessa risposta. Non intendo parlare con i giornalisti prima che i famigliari abbiano visto i corpi.»

«Ormai ci siamo. I parenti di Mary Wood sono già allo Iain West» replicò Wren.

L'obitorio di Westminster aveva preso il nome da Iain West, il più celebre patologo forense del paese.

«Di chi stiamo parlando, esattamente?»

«La sorella di Mary Wood, accompagnata dalla FLO.»

FLO, ovvero Family Liaison Officer, l'agente di collegamento con le famiglie. Nelle stazioni di polizia gli acronimi si sprecano.

Whitestone annuì, poi tornò a scrutare la mappa di Londra che campeggiava su una parete della sala. «Curtis, come proseguono le ricerche?»

«Il problema è che la scena del crimine si trova al centro della zona più verde di Londra» rispose il detective Gane. «Una giungla di cespugli, alberi e fossati. Il cimitero di Highgate. Waterlow Park. Highgate Wood. Hampstead Heath. Un paio di campi da golf. È come cercare un cadavere in una foresta.»

«Senza contare gli specchi d'acqua» aggiunse Whitestone. «I laghetti di Highgate e Hampstead. E i tre bacini della rete idrica nel raggio di venti minuti d'auto.»

«Infatti» disse Gane. «Il bacino artificiale di Brent, a ovest; Manor House e Tottenham Hale, a est. Abbiamo chiamato la squadra sommozzatori: li stanno scandagliando uno per uno. È un lavoraccio, ma sono equipaggiati. E poi c'è l'unità cinofila, compresi i cani specializzati.»

Si riferiva a quelli addestrati in modo specifico per l'individuazione di resti umani.

Tornammo tutti a fissare la foto dei Wood finché Whitestone ruppe il silenzio. «Non ha alcun senso. Gli assassini occasionali non prendono di mira i quartieri privati. Troppi allarmi e guardie di sicurezza. E i sicari non rapiscono i bambini.» Poi tacque, si sistemò gli occhiali sul naso e aggrottò la fronte. «Chi ammazza quattro persone e poi rapisce un bambino? E a che scopo?»

«Estorsione» suggerì Gane. «Non sarebbe poi tanto strano. Per quel bambino potrebbero chiedere un riscatto di tutto rispetto. La famiglia è miliardaria.»

«Traffico di esseri umani» aggiunse Wren. «Potrebbero averlo sequestrato per venderlo: pedofili, adozioni illegali, vendita di organi...»

«Oppure l'hanno ucciso e basta» commentai.

«Chiamate il dottor Stephen» concluse l'ispettore capo. «Voglio il profilo psicologico di una persona che sarebbe in grado di commettere un crimine del genere.»

Wren prese il cellulare e chiamò Joe Stephen, lo psicologo forense del King's College di Londra.

«Abbiamo trovato l'arma del delitto?» domandò Whitestone.

Gane scosse la testa. «Non ancora.»

«Impronte, anche parziali?»

Stavolta fui io a rispondere. «Ha ripulito tutto perfettamente; secondo la scientifica il killer doveva essere un professionista. In effetti l'assenza di bossoli era già un indizio in questo senso. Si è preoccupato di recuperarli, era ovvio che si preoccupasse anche di cancellare le impronte.»

«Stai parlando al singolare» osservò Wren. «Eliminare un'intera famiglia non è una cosa semplice per un solo killer. Cosa ti fa pensare che fosse...»

Fu interrotta da un boato proveniente dalla strada.

Andai alla finestra.

«Qualcuno sta parlando con la stampa» annunciai.

Whitestone si incupì, premendosi gli occhiali sul naso. «Che *cosa?*»

Ci sporgemmo dalla finestra, ma dalla nostra posizione riuscivamo a vedere soltanto la calca dei reporter. Così accendemmo la televisione e seguimmo gli eventi sullo schermo.

Un uomo e una donna stavano in piedi sulla scalinata al 27 di Savile Row, sotto la vecchia lanterna azzurra. La donna era una versione più giovane di Mary Wood, un altro esempio di algida bellezza che sembrava sbucato da un film di Hitchcock. L'uomo aveva qualche anno in più, biondo anche lui ma già stempiato. Accanto a loro riconobbi la nostra addetta stampa e l'agente di collegamento con le famiglie, entrambe con indosso un sobrio tailleur da donne in carriera e un'espressione preoccupata in volto.

«Signore e signori... la vostra attenzione, prego» disse l'addetta stampa. «Non spingete, per favore. Calma! Sono qui con... il signor Nils Gatling e la signorina Charlotte Gatling, cioè il fratello e la sorella di una delle vittime, Mary Gatling Wood.»

43

L'orda dei reporter continuava a spingere. I poliziotti in uniforme cercavano di tenerli a bada, formando un cordone alla base della scalinata.

Whitestone imprecò. «Non penseranno davvero di rilasciare una dichiarazione!»

«Potrebbe servire per ottenere l'aiuto della cittadinanza» disse Wren.

«Non ci serve il loro aiuto» sbottò Gane.

«Ti sbagli» ribatté Whitestone. «Ci serve aiuto, ma con moderazione. E solo se del tipo giusto.»

«Se si scatenano, i volontari comprometteranno ogni indizio rimasto a Highgate» rincarò Gane. «Senza parlare della valanga di telefonate che intaseranno i nostri centralini ogni volta che qualcuno avvisterà un bimbetto biondo per strada. I fanatici, i perdigiorno e i megalomani non sono un aiuto. Per quanto benintenzionati, non ci facilitano il compito. Ci intralciano e basta.»

«In ogni caso, è troppo tardi» tagliò corto l'ispettore capo.

Nils Gatling aveva cominciato a parlare, la voce rotta dal dolore.

«Charlotte e io abbiamo appena visto i corpi della nostra amata sorella e della sua bellissima famiglia» disse, bersagliato dai flash e assediato da una selva di microfoni. «Non riusciamo ancora a capacitarci di una tragedia simile. La famiglia di mia sorella è stata sterminata, e noi siamo distrutti. Siamo pronti a prestare ogni collaborazione alle autorità affinché i responsabili siano affidati alla giustizia. Ma in questo momento, i nostri pensieri sono per il nostro nipotino...» Guardò dritto nell'obiettivo. «Bradley.»

«Vi prego» disse Charlotte, quasi sottovoce, e le videocamere si fissarono tutte su di lei. «Liberatelo.»

Non piangeva, ma il suo dolore era così tangibile che mi mozzò il respiro.

«È solo un bambino innocente» proseguì. «Non fategli del male. Vi scongiuro. Lasciate che ritorni a casa. Restituitelo all'unica famiglia che gli è rimasta. Ridateci il nostro Bradley.»

Gli obiettivi continuarono a inquadrarla.

Era attraente e magnetica.

«Ecco i titoli sui giornali di domani» commentò Gane. «"Ridateci il nostro Bradley".»

«Questa donna buca lo schermo» disse Wren. «Sembra una versione riveduta e corretta di... come si chiamava quell'attrice? Ah, sì. Michelle Pfeiffer.»

Le videocamere non riuscivano a staccarsi da quella miscela ipnotica di bellezza e dolore.

Nils aggiunse qualche parola, poi l'addetta stampa concluse con un discorsetto insipido sul diritto alla privacy della famiglia.

Ma sullo schermo campeggiava ancora il viso di Charlotte Gatling.

I cameraman se la mangiavano con gli occhi. I fotografi la fissavano, rapiti, sforzandosi di immortalare il suo volto esattamente com'era, sotto la lanterna azzurra al 27 di Savile Row, in una fredda giornata di gennaio.

E come tutti loro, nemmeno io riuscivo a distogliere lo sguardo.

Whitestone sospirò. «Ci servirà una sala più grande» disse.

Mi svegliai di soprassalto, nel cuore della notte.

Le 4.10, secondo l'orologio sul comodino.

Troppo presto per alzarmi. Troppo tardi per rimettermi a dormire.

45

Perché mi ero svegliato?

Il pensiero andò subito a Scout, ma quando entrai in camera a controllare la trovai immersa nel sonno, con i vestiti per la scuola già pronti su un vecchio appendiabiti di legno, preparati con cura dalla signora Murphy.

Guardai il volto sereno di mia figlia, meravigliandomi di avere in qualche modo contribuito a creare la bambina più bella del mondo. Lo so, è quel che crede ogni genitore, ma nel mio caso era vero: in tutto il pianeta, non esisteva una bambina bella quanto la mia.

Mi trascinai in cucina, accompagnato dal russare sommesso di Stan che dormiva da qualche parte nel buio. Il muso piatto tipico dei king charles rende la respirazione difficoltosa, e il nostro passa la notte a borbottare come un anziano. Mi preparai un caffè e accesi il cellulare. Edie Wren mi aveva lasciato un messaggio quindici minuti prima: *So perché sono morti.*

Andai alla finestra del loft, affacciata sul mercato della carne di Smithfield. Era illuminato a giorno.

Le quattro del mattino e gli operatori erano già nel pieno dell'attività. Mi sentii un po' meglio, e meno solo, constatando che non ero l'unico in piedi a quell'ora.

Chiamai Wren, che rispose al primo squillo. Dalla voce sembrava che non avesse chiuso occhio. «Erano molto presenti online» disse. «I Wood, intendo. Prova a cercarli su Google.» Io stavo già accendendo il mio MacBook Air, poggiato sul tavolo della cucina. «Sette milioni di risultati in meno di mezzo secondo.»

«È per Lillehammer» risposi. «La storia della Vergine delle Nevi aveva fatto scalpore, e di questi tempi la celebrità dura più di quindici minuti: ti resta incollata a vita.»

«Non è solo per quello. Gli articoli non riguardano soltanto le olimpiadi invernali e la Mary di allora. È roba di *adesso*. I Wood postavano i loro filmini online. Come un album di famiglia, ma in versione video. "Qui ci stiamo divertendo in Val d'Isère. Eccoci alla festa di compleanno. Questa è la nostra gita in barca alle Barbados." Della serie: "Guardateci: non siamo stupendi?".»

La pagina di Google era talmente fitta che non sapevo da dove cominciare. «In che senso?» domandai. «Intendi che condividevano la loro felicità o che la ostentavano?»

«C'è differenza?»

Un video su YouTube mostrava i Wood in vacanza a Geilo, in Norvegia. Sembravano la famiglia di una di quelle pubblicità che ti convincono a comprare un prodotto di cui non avevi mai sentito l'esigenza. Spostai il cursore dai loro volti radiosi e sorridenti per far scorrere la pagina fino ai commenti, e restai allibito: la valanga di insulti, battute invidiose e cattiverie assortite era impressionante. L'esistenza privilegiata dei Wood aveva fatto inferocire la massa anonima degli internauti.

«Come si fa a far sparire questi commenti, Edie?» le chiesi. «Mi sembra di nuotare in una fogna.»

«Non è possibile, Max. Una volta postati, restano per sempre.»

«Mmm. Spiegami la tua teoria, allora.»

«Non la definirei una teoria vera e propria. Volevo già parlarne alla riunione in sala operativa, ma mi è mancato il coraggio. Potrebbe sembrare stupida.»

«Sentiamo.»

«Leggi quei commenti, Max. È fango allo stato puro. Guarda quanto il mondo odia i belli, i ricchi, i fortunati, quelli che si sono accaparrati soldi e amore. Lo vedi quanto odio traspare verso le persone felici? Non ti sembra ovvio, Max? Hanno ammazzato i Wood perché erano felici.»

4

Ci alzammo presto per andare a vedere la sfilata dei cavalli della regina.

Nell'aria si avvertiva ancora il gelo pungente della notte quando Scout, Stan e io prendemmo posto all'angolo tra Charterhouse e Farringdon Road. Come al solito, gran parte della conversazione ruotava intorno al cane.

«Stan non ride come gli altri cani, vero?» disse Scout.

Sapevo a cosa si riferiva. Stan era un cucciolo magnifico, ma gli mancava quell'espressione estasiata del tipo "la vita è una cosa meravigliosa" tipica di altre razze: la lingua penzoloni, gli occhi luccicanti, il ritratto di felicità canina mostrato nelle pubblicità delle crocchette. Non aveva i tratti adatti a blandire gli umani. Il taglio all'ingiù del suo muso era caratteristico degli spaniel. Eppure era molto comunicativo. Dal battito insistente della coda si capiva benissimo che era entusiasta di partecipare a quell'avventura mattutina insieme alla nostra piccola famiglia; il suo manto color rubino, liscio come seta, indicava una salute di ferro; e lo sguardo trasognato, puntato su Scout, designava la padroncina come il centro indiscusso dell'universo.

«Lui ride dentro» risposi. «Eccoli che arrivano.»

Sul fondo della via erano comparse due dozzine di cavalli, tutti neri come la pece. I corpi massicci e accaldati sprigionavano nuvolette di condensa nell'aria gelida. Il reggimento della cavalleria di palazzo tornava dalla sua escursione quotidiana, una galoppata per tenere in esercizio i cavalli che quel giorno non avrebbero partecipato al cambio della guardia. I cavallerizzi non erano in alta uniforme – niente spalline, spade o pennacchi –, eppure a me la parata sembrava persino più regale di quelle ufficiali. L'apparizione di un drappello di cavalieri, con i loro semplici giubbotti di pile color cachi, in sella a quei cavalli imponenti, donava un tocco di magia alle strade della città. Stan tirò al guinzaglio, deciso a seguirli. Quando Scout lo trattenne, lui le rivolse uno sguardo desolato, gli occhioni come due grandi biglie nere incastonate nel piccolo muso.

Ti prego, sembrava dire.

Quando i cavalli furono passati e il rumore cadenzato dei loro zoccoli si allontanò sul Victoria Embankment, verso le scuderie delle Guardie della regina, andammo a fare colazione da Smiths of Smithfield.

Stan salutò con grandi feste ogni volto familiare. Era decisamente un cane socievole. Diecimila anni fa, quando i primi esemplari selvatici cominciarono ad avvicinarsi con diffidenza ai fuochi degli accampamenti, inaugurando il più grande sodalizio tra specie diverse esistente in natura – uno scambio equo tra il cibo e il riparo forniti dagli uomini e l'affetto e la protezione offerti dai cani –, gli antenati di Stan erano senz'altro in prima fila, a leccare mani, scodinzolare e sgranare gli occhi in una muta implorazione.

Al di là delle grandi vetrine del locale, i lavoratori lasciavano il mercato di Smithfield dopo il lungo turno di notte.

«Avete trovato Bradley?» domandò Scout.

«Cosa?»

«Bradley. L'avete trovato? È tornato a casa?»

«Come sai di Bradley, tesoro?»

«Dalla televisione. Ho visto quella signora che ne parlava.»

«Tesoro, sai che non devi guardare il telegiornale.» Era una delle regole di sua madre, e io facevo del mio meglio per mantenerla. «Non tutte le notizie sono adatte ai bambini della tua età.»

«Lo so. Stavo guardando i cartoni animati, ma li hanno interrotti. La signora Murphy ha subito cambiato canale, girando su un programma di cucina, ma io ho sentito che parlavano di Bradley. E mi chiedevo se l'avevate...»

«Non ancora, tesoro. Però è solo questione di tempo. Lo troveremo e lo riporteremo a casa.»

«Come fai a esserne tanto sicuro?»

«Perché è il mio mestiere.»

Il mio cellulare prese a vibrare. L'ispettore capo Whitestone.

«Max, abbiamo bisogno di te allo Iain West. C'è un problema con le salme.»

«Queste non sono ferite da arma da fuoco» disse la patologa forense, Elsa Olsen. «È comprensibile che abbiate equivocato i fori per quelli di entrata di un proiettile, ma in realtà sono fratture circolari. Sul cranio, nel caso di tre vittime, nelle orbite per la quarta. Si tratta di un omicidio, ma non è stata una pistola a ucciderli. Sono morti per l'impatto di un oggetto contundente.»

Wren mi era venuta incontro all'ingresso dello Iain West, l'ala riservata al laboratorio della scientifica nell'obitorio pubblico di Westminster, in Horseferry Road; aveva preso con sé Scout e Stan, offrendosi di intrattenerli al 27 di Savile Row. A Scout lei piaceva molto. E a Stan sono simpatici tutti.

Rimasto solo, mi ero avventurato nei recessi dello Iain West, e ora tremavo per il freddo insieme all'ispettore capo Whitestone e al detective Gane: eravamo tutti intirizziti con indosso la tenuta d'ordinanza di camice blu e cuffietta sui capelli. In quelle stanze la temperatura era sempre polare.

Le salme della famiglia Wood giacevano su una schiera ordinata di lettini d'acciaio inossidabile. Elsa Olsen passava dall'una all'altra, indicando i dettagli. I punti di sutura rivelavano la procedura con cui la patologa aveva aperto e poi ricucito i corpi dopo aver svolto gli accertamenti di rito. Dagli omeri, i due bracci dell'incisione a Y si riunivano sul torace, dove Elsa si era messa al lavoro con le cesoie – come molti suoi colleghi, prediligeva quelle da giardinaggio –, spaccando la gabbia toracica per esporre gli organi interni. Le calotte craniche, fissate alle teste con una retina, portavano il solco del seghetto chirurgico.

Whitestone annuì, chinandosi a scrutare le ferite sul corpo del padre e del figlio. Nel caso della madre e della figlia, i fori erano sulla nuca, ma quello del ragazzo era in piena fronte e, quanto alle orbite vuote del padre, non si poteva ignorarle nemmeno volendo.

«Io vedo anche un alone da ustione» commentò l'ispettore capo.

Si riferiva alle bruciature nere lasciate in genere da un proiettile sparato da distanza ravvicinata. Per questo si chiama "a bruciapelo". Sulla fronte del ragazzo e intorno alle orbite del padre l'ustione era evidentissima.

«Le bruciature sono presenti,» rispose Elsa «ma non

sono state causate da un'arma da fuoco, Pat. È stato un attrezzo. Un oggetto contundente, utilizzato con una violenza tale da aprire un foro nel cranio e spingere il frammento osseo dentro il cervello. Queste persone non sono morte per un proiettile. Sono state macellate.»

E questo spiegava l'assenza di bossoli, che non era dovuta alla professionalità del killer ma, più semplicemente, al fatto che non aveva usato una pistola.

Elsa Olsen era una donna alta, con i capelli neri e gli occhi azzurri; di origini norvegesi, era una rappresentante di quel ceppo scandinavo che parla inglese meglio dei nativi. «Avete già visto i risultati dei test tossicologici?» domandò.

Whitestone scosse la testa. «Il laboratorio non ce li ha ancora inviati.»

«Al momento del decesso, tutti e quattro i membri della famiglia avevano nell'organismo tracce di Roipnol, la "droga dello stupro". Ne ho rinvenuti alcuni residui nel tratto gastrointestinale di ciascuno di loro. Come sapete, è un farmaco inodore, quindi non potevate accorgervene sulla scena del crimine.»

«Per questo non hanno opposto resistenza» disse Whitestone. «Erano drogati.»

«Quindi, omicidio plurimo» riprese la patologa forense. «Brad Wood, maschio bianco, quarantacinque anni. Mary Wood, femmina bianca, trentacinque. Marlon Wood, maschio bianco, quindici. E Piper Wood, femmina bianca, quattordici. Quando sono arrivati qui, i corpi erano già in stato avanzato di *rigor mortis*. Il processo inizia due ore dopo il decesso. Conoscete la regola: dodici-dodici-dodici. Dodici ore per irrigidirsi, dodici di rigidità e altre dodici nelle quali il cadavere comincia a rilasciarsi, come se solo a quel punto si rassegnasse alla propria morte. Quindi posso affermare con un certo margine di sicurezza che il decesso è avvenuto diciotto ore prima che venissero scoperti i corpi la sera del 1° gennaio.»

«La notte di Capodanno» disse Whitestone.

«Come mai erano in casa e non fuori a divertirsi?» domandò Gane.

L'ispettore capo si sistemò gli occhiali sul naso. «Forse volevano festeggiare tra di loro.»

E adesso erano nudi sui lettini d'acciaio di un obitorio.

«Il ragazzo presenta abrasioni ed ecchimosi multiple su tutto il corpo» riprese Olsen.

Whitestone alzò di scatto la testa. «Cioè, quei segni non sono dovuti al *livor mortis*?»

Come molti cadaveri abbandonati a se stessi, i corpi dei Wood erano coperti di lividi. Quando il cuore non pompa più, il sangue smette di circolare e ristagna, illividendo la pelle. Tutti e quattro i corpi ne portavano i segni. Osservando meglio, però, quelli del ragazzo apparivano decisamente più estesi.

«Ha entrambi i femori fratturati» disse Olsen. «L'osso della coscia è il più resistente di tutto il corpo. Serve un colpo davvero violento per spezzarlo. E nel novantanove per cento dei casi, la causa è sempre la stessa.»

«Una macchina» conclusi io. «Qualcuno l'ha investito, poi l'ha portato di nuovo in casa.»

«Però non è stata la macchina a ucciderlo» continuò la patologa forense. «Ora vi mostro il cervello. Non ho richiuso di proposito la calotta.» Con delicatezza, scostò la parte superiore del cranio di Marlon, poi abbassò il lembo anteriore dello scalpo sul volto e quello posteriore sulla nuca. I tratti del viso furono coperti da quei lembi sanguinolenti.

Feci un respiro profondo, sbuffai una nuvoletta bianca

nel gelo della stanza e mi avvicinai con gli altri all'estremità del tavolo.

«Potrei prelevare il cervello, recidendo i collegamenti con la spina dorsale e i nervi cranici» disse la patologa. «Ma credo che sia già abbastanza evidente anche *in situ*.» Sollevò una sottile membrana, attraversata da un reticolo di striature rosse, e ci mostrò un grosso solco che si addentrava nel cervello, con un versamento di sangue talmente scuro da sembrare nero.

«È morto per un'emorragia epidurale. Il colpo è stato sferrato alla fronte, come si può vedere dalle gravi lesioni al cranio e al cervello. Mary e Piper, invece, sono morte per un'emorragia subdurale, in seguito a un trauma alla nuca. Per loro tre, la causa del decesso è l'emorragia dovuta all'impatto dell'arma contundente. Il caso del padre è diverso: lui è morto d'infarto. Credo che sia sopravvenuto in seguito allo sfondamento del primo bulbo oculare.»

«Nessuna ferita che possa indicare una colluttazione, qualche tentativo di difendersi?» domandò Whitestone.

«Piper ha lottato con tutte le sue forze» rispose Olsen. «Gli altri non hanno opposto alcuna resistenza.»

«La ragazza si è spezzata le unghie?» chiesi io.

Sarebbe stato un buon segno. Se aveva graffiato l'assassino, avremmo potuto rinvenire tracce della sua cute sotto le unghie.

«No. Un pollice fratturato» replicò la patologa forense, volgendo lo sguardo verso il corpo di Piper. «Ma ha combattuto fino allo stremo. Quella ragazza aveva un coraggio da leoni.»

«Segni di abuso sessuale?» domandò Whitestone.

«Ho trovato sperma non motile, cioè spermatozoi senza coda, nella vagina. Aveva avuto un rapporto consensuale qualche giorno prima della morte. Però ho rilevato anche segni di violenza carnale. Uno stupro c'è stato.»

«Piper oppure...?» chiese l'ispettore capo.

Olsen scosse la testa. «La madre» rispose. «Mary. Sperma motile nella bocca, nella vagina e nel retto. Gli spermatozoi sopravvivono più a lungo in un cadavere che in un corpo vivente. Quando il cuore si ferma, l'organismo smette di produrre le sostanze chimiche che li eliminano. In un corpo morto, possono resistere fino a due settimane.»

«Forse è stato questo a causare l'infarto del marito» osservai.

«È possibile» ammise Olsen.

«I famigliari lo sanno?» domandai.

«Quando Charlotte Gatling è venuta per identificare i corpi, l'ho informata dello stupro della sorella. Mi ha chiesto di non rendere pubblica l'informazione, e io ho acconsentito.»

«Tanto è inutile» obiettò Whitestone. «Al processo verrà comunque fuori. Ci sono tracce di dna. L'accusa le userà senz'altro per istruire il caso.»

«Lo so» disse la patologa forense. «E anche Charlotte Gatling lo sa. Ha solo chiesto di non divulgarlo adesso. Il padre è malato. Il fratello adorava Mary. Ritiene che la famiglia abbia già sofferto abbastanza. Almeno finché sarà possibile, vuole risparmiare agli altri la notizia dello stupro.»

«Capisco» commentò Whitestone. «D'accordo, nessun problema. Torniamo alla dinamica, Elsa. Qual è l'arma del delitto? Un martello? Un puntale di ferro?» Scosse la testa, poi riprese. «Non so perché, ma ho l'impressione di aver già visto qualcosa di simile.»

«Anch'io» rispose Olsen. «Non qui, però. Non sul lavoro.» Cominciò a suturare lo scalpo di Marlon con un ago Hagedorn. Il filo era spesso e i punti grossi come le cuciture su una palla da baseball. L'operazione non è cruenta come si potrebbe pensare. Il cuore non pompa più, quindi il corpo non sanguina.

Solo i vivi possono sanguinare.

«Io sono cresciuta in campagna, in Norvegia» proseguì Olsen. «Un anno, in primavera, ci furono piogge torrenziali, seguite da una lunga siccità durante l'estate. Non c'era abbastanza foraggio per gli animali. Così tutti gli allevatori, compreso mio padre, furono costretti a macellare il bestiame per rivenderlo. I capi venivano uccisi sparandogli un bullone di metallo nel cervello. È stato allora che ho visto ferite come queste.» Indicò i cadaveri sui lettini. «Esattamente il tipo di foro che si vede su un animale pronto per il macello.»

5

«Che razza di persona se ne va in giro con una pistola da macello?» mormorò Wren quando tornammo alla centrale. «Tutti i killer animati da una furia omicida come questo arrivano sulla scena armati tipo Rambo.»

Al caso era stata assegnata la sala operativa più grande del commissariato, ma noi quattro ci eravamo appartati in un angolo e parlavamo a bassa voce, perché a una scrivania al centro della stanza sedeva Scout, intenta a disegnare, con Stan accucciato ai suoi piedi, in attesa che la signora Murphy venisse a prenderla.

«Non si è trattato di un episodio di furia omicida» rispose Whitestone, bisbigliando. «Per cominciare, le vittime erano tutte concentrate in un unico luogo. Un pazzo mosso dal desiderio di uccidere avrebbe battuto l'intero quartiere, facendo un massacro di villa in villa finché non l'avessimo braccato; a quel punto, avremmo solo dovuto attendere che trovasse il coraggio di spararsi in testa. E poi chi vuole compiere una strage prende di mira bersagli facili: i centri commerciali, i cinema...» Lanciò uno sguardo in tralice a Scout, poi abbassò ulteriormente la voce. «E le scuole. Uno che colpisce a caso non sceglie una residenza protetta da guardie di sicurezza. E come hai detto tu stessa, Edie, non si porta appresso un attrezzo da mattatoio. Arriva armato fino ai denti e con più munizioni di quante potrebbe mai usarne. Qui abbiamo a che fare con un sicario.»

«Il *modus operandi* però non corrisponde a quello di un'esecuzione» obiettai. «Nonostante il modo in cui ha ucciso il padre.» Dopo quanto avevo visto allo Iain West, ero sempre più convinto che il bersaglio dell'assassino – o degli assassini – fosse Brad Wood. «La pistola da macellaio esclude l'ipotesi di un professionista. E un sicario avrebbe eliminato anche Bradley, oppure l'avrebbe lasciato dov'era. Un bambino di quattro anni non è un testimone pericoloso. Perché portarselo via?»

«Sicari, gangster, pazzi furiosi» commentò Gane. «Nessuno di loro ammazza con una pistola per mattazione. Chi userebbe un'arma simile?»

«Succede» rispose Whitestone. «Una volta ogni dieci anni, in qualche fattoria sperduta, un contadino ignorante perde il lume della ragione e afferra il primo oggetto contundente a portata di mano. Capita che si tratti di una pistola da bestiame. Però non avrebbe rapito un bambino...» Scosse la testa, come se non riuscisse a focalizzare un ricordo essenziale. «Sono violenze istintive più che premeditate, ma succedono. Non nel centro di Londra, però. Qui non è mai accaduto. Perché il dottor Stephen non è ancora arrivato?»

Stavamo ancora aspettando che lo psicologo forense venisse a illuminarci sulla specifica tipologia di psicopatico capace di concepire e attuare il massacro di Highgate.

«Era in vacanza negli Stati Uniti» spiegò Wren. «Non appena ha saputo la notizia, ha preso il primo volo per Londra.»

«Edie?» chiamò una vocina.

Ci voltammo tutti a guardare Scout.

«Sì, tesoro?» rispose Wren.

«Vieni a vedere» disse mia figlia. «Ho fatto un disegno.»

Wren la raggiunse. «Wow. Questa sei tu, poi ci sono il papà e il tuo cane. Stan, giusto? E questi sono i cavalli della regina?»

«Proprio così. Sono tutti neri, vedi?»

Whitestone tornò a rivolgersi a noi. «Per ora incarico Edie di seguire le ricerche del piccolo Bradley. Abbiamo già ricevuto una valanga di segnalazioni.»

«Quante?» domandai.

«L'ultima volta che ho controllato erano duecento. Serviranno rinforzi per distinguere gli abbagli dei mitomani dagli avvistamenti autentici.» Mi rivolse un cenno del capo. «Magari il tuo amico al 101 potrebbe fornirci qualche dritta sui precedenti.»

«Ricevuto.»

Si riferiva al sergente John Caine, dell'Ufficio 101 di New Scotland Yard: il Black Museum, un archivio unico al mondo dei delitti più efferati compiuti negli ultimi cento anni. Il nome ufficiale era cambiato, l'avevano ribattezzato «Museo del crimine», per non urtare la sensibilità delle minoranze etniche. E per la verità non era nemmeno un museo; i tempi in cui Sir Arthur Conan Doyle disponeva di una chiave personale ed entrava a piacimento erano tramontati da un pezzo. Ora la struttura veniva usata principalmente come supporto didattico, per impartire alle nuove reclute una lezione vitale: ogni giorno di servizio poteva essere il loro ultimo sulla terra. Più di qualsiasi altra cosa, il Black Museum era un memoriale del male.

«E tu, Curtis, inserisci il *modus operandi* nel sistema HOLMES» proseguì l'ispettore capo, rivolta a Gane. La sigla HOLMES – o HOLMES 2, nella versione aggiornata –, indicava l'Home Office Large Major Enquiry System, il database delle inchieste di rilevanza maggiore compilato dal ministero degli Interni. «Trova tutti gli altri casi di omicidio eseguito con una pistola da macello. Voglio l'incartamento completo di ogni responsabile, vivo o morto che sia. Se non sbaglio, almeno due stanno ancora scontando la loro pena. Un paio di giovani braccianti usciti dai gangheri per una delusione amorosa o perché non avevano ricevuto il bonus natalizio.» Whitestone tacque per un momento. Il ricordo che le sfuggiva era affiorato. «Ecco cos'era! Ma saranno passati trent'anni...»

«Un'altra famiglia massacrata con una pistola da macello?» domandai.

«Un uomo e i tre figli adulti. Erano presenti anche la figlia e la madre, ma l'assassino non le ha toccate.» Scosse la testa. Era stato molto tempo prima. «A questo punto, sarà morto e sepolto.»

Alzò lo sguardo verso Scout e Wren. L'agente e la bambina chiacchieravano tra loro, beatamente indifferenti ai nostri discorsi cruenti, ma l'ispettore capo tenne comunque la voce bassa.

«Il Macellaio.»

L'appuntamento con la signora Murphy era sotto l'antica lanterna azzurra all'ingresso del commissariato di West End Central, ma appena uscii con Scout e Stan dall'ascensore capii di aver scelto il posto sbagliato.

L'orda dei reporter si era decuplicata, e i furgoni delle emittenti televisive affollavano Savile Row. Gli agenti in uniforme facevano il possibile per tenere la stampa sul marciapiedi di fronte e far defluire il traffico nel poco spazio che restava libero, ma i telecronisti, riconoscibili per il cerone arancione, continuavano ad attraversare la strada per farsi riprendere dai cameraman davanti alla lanterna azzurra. Di spalle al 27 di Savile Row, almeno dieci di loro blateravano in altrettante lingue diverse.

«C'è un sacco di gente» disse Scout.

«Infatti, tesoro.»

Il freddo era pungente. Le abbottonai il cappotto fino al mento, le calcai il berretto sulle orecchie e la presi in braccio, lasciando vagare lo sguardo sulla folla alla ricerca di una signora anziana con il genere di abbigliamento – cappello, soprabito e borsetta – che avrebbe ottenuto il plauso della regina.

«Eccola là» esclamò Scout.

Con il consueto buonsenso, la signora Murphy era rimasta in disparte, accanto a un taxi nero con il motore acceso. Avvistandoci a sua volta, sorrise e sventolò una mano. Io chiamai un agente in divisa. «Vedi quella signora con il cappello e il soprabito verdi?»

«Sissignore.»

«Riesci a scortarla qui?»

Il giovane sbirro annuì e attraversò la strada, facendo cenno alla signora Murphy e al suo taxi di avvicinarsi. Di colpo il vociare della folla aumentò di volume. Due moto della polizia avevano svoltato su Savile Row da Conduit Street. Le grosse BMW avanzavano lentamente, annunciate dai lampeggianti azzurri. I fotografi partirono alla carica. Poi spuntò una macchina. Una berlina BMW Serie 7, nera, con i finestrini oscurati, si fece largo tra i paparazzi, scortata da un'altra coppia di motociclisti che insieme ai colleghi urlavano ai giornalisti di farsi indietro. I primi due accostarono dietro il taxi della signora Murphy. Notando il suo sguardo agitato, io mi affrettai a scendere i gradini, tenendo Scout in braccio e stringendola al petto.

Dalla BMW scese il capo di tutti noi, la sovrintendente di polizia Elizabeth Swire. Il boss. Rivolse un'occhiata gelida alla stampa, poi sorrise a Scout. «Buongiorno, signorina» disse. «Oggi aiuti il papà?»

«No» rispose Scout. «Ho solo cinque anni.»

«Così mi piace.» Swire si girò verso la berlina. Dal sedile posteriore scese Nils Gatling, abbottonandosi il cappotto e ignorando le domande sbraitate dai giornalisti. L'aspetto e la rasatura erano impeccabili, ma gli occhi tradivano la notte passata in bianco. «Con loro parlo dopo» disse alla sovrintendente.

Poi toccò alla sorella scendere dall'auto, e la sua apparizione scatenò l'assalto dei cronisti, che si accalcarono intorno a lei, chiamandola per ottenere una dichiarazione. I tratti di Charlotte Gatling erano di una perfezione assoluta, ma il lutto e lo shock le avevano scavato solchi profondi sul viso. Quella combinazione di bellezza e sofferenza aveva un che di ipnotico.

«Scout» disse la signora Murphy, dal sedile posteriore del taxi. «Vieni, piccola.»

Mi chinai per tenderle la bambina attraverso la portiera aperta. Quando mi rialzai, vidi Charlotte Gatling che mi fissava con un'intensità inquietante.

Come se non avesse mai visto prima un padre portare in braccio la sua bambina.

6

«Pistola da macello» disse il sergente John Caine, custode del Black Museum. «Anche nota come "pistola per mattazione" o "a proiettile captivo". Si usano per stordire le mucche prima della macellazione. Vengono utilizzate anche su capre, pecore, cavalli... e ovviamente su esseri umani.» Bevve un sorso di tè da una tazza con la scritta: IL MIGLIORE PAPÀ DEL MONDO. «Hai mai visto quel film, *Non è un paese per vecchi*?»

«Tommy Lee Jones era perfetto, nella parte dello sceriffo» risposi.

«E Javier Bardem era anche meglio, in quella dell'assassino. Il killer con la pistola da macello. Anton Chigurh. Il tipo con quella pettinatura assurda. Te la ricordi, la sua arma?»

«La usava per sfondare le serrature. In una scena ammazza anche un tizio con quell'arnese, ma in genere per uccidere le sue vittime si serviva del fucile. E poi la sua non sembrava neanche una pistola. Era una specie di tubo collegato a un contenitore di anidride carbonica, come una bombola da sub o un estintore.»

«Le pistole da macello ora sono diverse» commentò John. «Quella di Anton Chigurh è la Ford Modello T della categoria. Non so proprio dove avessero la testa, i registi. Quelle degli allevatori odierni somigliano a un trapano a mano.»

«Ne hai una da mostrarmi, John?»

Scoppiò a ridere. «Qui abbiamo tutto ciò che serve per uccidere, Max, lo sai meglio di me. Ti preparo un tè?»

«No, meglio darsi una mossa.»

Prese la chiave e aprì la porta del museo, facendomi strada in una sorta di salotto vittoriano che invece di gingilli e soprammobili esibiva armi letali.

Il Black Museum di New Scotland Yard sembra una rivendita per psicopatici. È stipato di strumenti di morte, in gran parte armi impiegate in delitti reali, per uccidere o ferire poliziotti e civili. Quella che cercavo io, però, non si vedeva.

«È sul fondo» disse John. «Ne ho solo una.»

Mi condusse in un angolo appartato del museo, una zona che non avevo mai notato prima.

La pistola da macello si trovava su un tavolino da gioco. Caine aveva ragione. Somigliava proprio a un trapano. O magari a una sparachiodi particolarmente sofisticata. Il metallo era graffiato, corroso dalla ruggine e logorato dall'uso. Sopra il tavolino, una vetrinetta polverosa custodiva un ritaglio di giornale ingiallito.

«Eccolo» dissi. «Il Macellaio.»

MASSACRO RITUALE IN UNA FATTORIA DELL'ESSEX
Il Macellaio condannato per il raptus omicida costato la vita
a un uomo e ai tre figli

Ieri il tribunale ha condannato all'ergastolo il responsabile del massacro di un uomo e dei suoi tre figli, trucidati con una pistola per abbattere il bestiame.

Peter Nawkins, di diciassette anni, era fidanzato con l'unica figlia

di Ian Burns, il proprietario della fattoria di Hawksmoor, nell'Essex.
Quando il fidanzamento è andato a monte, Nawkins ha fatto irru-
zione nella fattoria e ha ucciso Burns e i suoi tre figli maschi: Ian
Junior, di ventitré anni, Martin, di venti, e Donald, di diciassette.
Dopo la strage, ha dato alle fiamme la casa. La signora Doris Burns,
di quarantotto anni, e la figlia Carolyn, di sedici, erano presenti, ma
sono scampate alla furia del killer ribattezzato "il Macellaio" dalla
stampa.

L'articolo proseguiva, ma il mio sguardo si fermò sulle
due foto che lo illustravano. La prima mostrava un ragazzo – più un bambino troppo cresciuto, per la verità –
mentre veniva portato via in manette da un poliziotto. Il
giovane aveva il volto liscio, imberbe e privo di qualsiasi
espressione, come se avesse la mente completamente
vuota. Era di una bellezza straordinaria, di un'altra epoca, con una chioma di ricci neri a incorniciare un profilo
romano simile all'effigie di un'antica moneta che nemmeno il naso storto – dalla nascita o spaccato da un pugno –
riusciva a guastare.

La seconda foto era un ritratto di famiglia, i Burns
sorridenti intorno a un albero di Natale. Ian Burns, con
i capelli scuri e il fisico imponente, i tre figli come copie
carbone del padre e, in netto contrasto, la moglie e l'unica figlia, entrambe esili e bionde.

«Chissà perché appioppano sempre un soprannome al
killer» sbottò Caine, di colpo invaso dalla rabbia. «Il
Macellaio! Lo fanno sembrare un supereroe. Perché in-
sinuare l'idea che questi uomini spregevoli abbiano qualcosa di speciale? Questo, in particolare, era anche anal-
fabeta. Non sapeva né leggere né scrivere.»

Ripresi a scorrere l'articolo. «Qui dice che Nawkins
fu condannato all'ergastolo, con un minimo di vent'anni

da scontare prima di poter richiedere la libertà vigilata. Tutto qui? Una pena piuttosto blanda per quattro omicidi.»

«C'erano alcune attenuanti» rispose Caine. «Nawkins aveva un QI inferiore al suo numero di scarpe. In fondo, non era soltanto colpa sua. A scuola ci era andato per poco tempo. Era un rom. E poi aveva solo diciassette anni, forse nemmeno compiuti. Se fosse stato maggiorenne, il giudice sarebbe stato ben più severo. In aggiunta, l'assassino non aveva portato l'arma con sé. Quindi non c'era premeditazione, o almeno fu questa la tesi della difesa, e il giudice si lasciò convincere: Nawkins era un giovane sempliciotto che non aveva mai fatto del male a una mosca. Finché non ha ucciso quattro esseri umani.»

«Un rom, dici?»

«Già. L'erede di generazioni di viandanti gitani.»

«Condannato a un minimo di vent'anni nel 1980. È stato rilasciato? È ancora vivo?»

«Non ne ho idea. Dovresti chiederlo a HOLMES. Non penserai che sia lui, l'assassino di Highgate?»

Scrollai le spalle. «Il *modus operandi* è lo stesso.»

«Però Nawkins non aveva rapito alcun bambino, o sbaglio?»

«No, non sbagli.»

«E i suoi delitti avevano una motivazione *personale*. A Burns non andava giù che la sua unica figlia se la facesse con uno zingaro, così le ha imposto di troncare la relazione. Voglio dire, non c'è dubbio che Nawkins fosse colpevole: era sì un criminale, ma un criminale con un movente.»

«Al momento non trascuriamo nessuna pista. Ci sono altri precedenti di delitti compiuti con una pistola da macello, ma non abbastanza numerosi da farci escludere Nawkins. Questa è l'arma del delitto?»

Caine annuì. La sollevò per mostrarmela. «È alimentata a gas, non ha bisogno di elettricità. Spara migliaia di colpi con una sola carica del serbatoio, quindi ha una notevole autonomia.»

Me la porse. Era strano stringerla tra le dita, una sensazione a metà tra impugnare un'arma e un attrezzo. «Come funziona?»

«Non è complicato. L'aria pressurizzata spara un corpo acuminato che trapassa il cranio. Distrugge il cervello dell'animale, ma il suo cuore continua a battere. Questo è il modello più vecchio e devastante. A penetrazione. Adesso usano proiettili non penetranti, con la punta arrotondata. Meno efficace, ma la materia cerebrale non entra in circolo come capitava con questa, quindi c'è un minor rischio di contaminazione in caso di infezione da mucca pazza. Cos'ha usato il killer di Highgate?»

«Non ne ho idea. Comunque ha fatto un autentico macello. E dici che è facile da usare?»

«Più per ammazzare un uomo che una mucca. Bisogna posizionarla direttamente sulla pelle. Il colpo non parte se la canna non è in contatto col bersaglio. Quindi, che si tratti di mandare al Creatore un animale o il padre della tua ex, devi premergliela addosso, se no non spara. E perché il proiettile penetri il cervello con un impatto sufficiente a produrre un'immediata perdita dei sensi bisogna puntarla verso il basso, a un angolo di quarantacinque gradi. Questo, però, vale per le mucche e i maiali. Chi ammazza la gente, forse, va meno per il sottile.»

«Ma perché usarla in un omicidio? Perché non scegliere un coltello? O una pistola vera e propria?»

Caine si strinse nelle spalle. «Di regola, un assassino dilettante prende il primo oggetto che trova a portata di mano.»

Tornai a fissare la foto di Peter Nawkins. Diciassette anni nel 1980. Ormai era un uomo di mezza età, sempre che fosse ancora vivo. Al momento dell'arresto era un ragazzone alto e forte. Mi domandai cosa fosse rimasto della sua bellezza, dopo vent'anni di carcere duro.

Arretrai di un passo, con la pistola per mattazione nel pugno: non riuscivo ancora a credere che qualcuno avesse pensato di usarla per un delitto. Mi guardai intorno. Era la prima volta che mi avventuravo in quel recesso del museo e, a parte l'angolo dedicato al Macellaio, gran parte degli oggetti in mostra sembrava risalire all'anno della fondazione, il 1875.

Una vetrinetta custodiva le foto segnaletiche di criminali dell'era vittoriana, i volti di uomini morti da oltre un secolo ritratti di fronte e di profilo, come si usa ancora oggi, solo che allora quegli scatti si ottenevano grazie a uno specchio collocato accanto alla testa del detenuto. Tenevano le mani bene in vista, appoggiate sul petto, e le espressioni erano quelle dei criminali di ogni epoca. Rassegnate. Ribelli. Alcuni si sforzavano di ostentare indifferenza. Altri facevano i duri. Molti mostravano i segni e i lividi tipici di chi resiste all'arresto. Quella piccola rassegna comprendeva anche un buon numero di donne, anch'esse con lo stesso sguardo gelido e incallito dei «colleghi» di sesso maschile.

Tutte tranne una.

Una ragazza giovane e bruttina, l'unica a mostrare gli occhi di chi aveva pianto.

«Maisy Dawes» lessi sulla didascalia. «Che cos'aveva fatto?»

«Niente» rispose John. «Era l'allocco.»

«L'allocco?»

«Un'esca lasciata di proposito per depistare le indagini.

Un ignaro specchietto per le allodole. Un falso indizio. Una poveraccia usata per mettere la polizia fuori strada. Maisy Dawes era una ragazza innocente sfruttata dai colpevoli per far perdere le proprie tracce. Hai visto la data sulla foto?»

«1875. L'anno in cui fu inaugurato il Black Museum.»

«Al tempo, lavorava come domestica a Belgravia. Puliva i cessi di un lord e della sua signora a Eaton Square. Una notte ci fu una rapina. Una banda di topi d'appartamento che si faceva chiamare "Scuola di ballo londinese". Si introducevano nelle case all'ora di cena, sapendo che in quel momento famiglia e servitù erano impegnate con i pasti, al piano nobile o al pianterreno. Entravano da un solaio, facevano piazza pulita dei gioielli e sparivano dalla stessa strada. Prima di andarsene, però, lasciavano spesso un po' della refurtiva sotto il materasso di qualche povera allocca, come Maisy Dawes.»

«Così, quando la polizia perquisiva la casa, trovava una parte della refurtiva e con essa un colpevole servito su un piatto d'argento.»

«Esatto. E Maisy scontò il carcere duro. Dieci anni per il gioiello di una signora. Quando uscì di galera, finì sul marciapiedi e morì di vaiolo nei bassifondi dell'East End.»

«Come mai conosci così bene la sua storia?»

«Perché dopo la sua morte, i veri colpevoli vennero identificati e la povera Maisy diventò famosa. E perché la sua vicenda mi affascina, ragazzo mio. Persino in questo tempio dedicato alla cattiveria umana, è dura superare quella che ha subito lei.»

Ricominciai a guardarmi intorno, sempre con la pistola da macello in pugno, che di colpo era diventata pesante come un macigno. «Pensi che qualcuno stia depistando anche noi?» domandai. «Che vogliano incastrare il Macellaio?»

«Non ne ho idea, figliolo.» John Caine sospirò. «Però lascio la foto di Maisy Dawes al suo posto appunto per insegnare ai giovani diplomati dell'accademia di polizia a non fidarsi delle prime impressioni.» Mi sfilò la pistola dalla mano e la ripose sul tavolino, sistemandola con cura nella posizione originaria.

«Comunque, per tornare alla prima domanda,» proseguì «Maisy Dawes non aveva fatto proprio niente. È questa la sua tragedia, ragazzo. L'unica cosa che ha fatto è stata morire.»

7

«Non capisco perché farne un caso» diceva Mary Gatling. Era il 1994. Lei era una splendida ventenne, con la tuta della nazionale inglese e il volto arrossato dall'imbarazzo, dalla fatica dell'allenamento e dall'aria frizzante di montagna. Poi sorrise impacciata, incredula di fronte alla ressa accorsa alla conferenza stampa: le troupe di giornalisti e fotoreporter stavano per trasformare la sua promessa di verginità in uno scoop di portata internazionale. La ripresa indugiò per qualche momento sui cronisti, tutti imbacuccati per il gelo dell'inverno norvegese. Alcuni avevano in faccia un sorrisetto di... cosa? Scetticismo? Cinismo? Livore? Un pizzico di ciascuno, pensai, mentre la telecamera tornava a riprendere quella fanciulla smarrita, innervosita dalla foresta di microfoni, i capelli biondi sciolti a incorniciarle il viso.

Premetti PAUSA e mi alzai per stiracchiarmi.

Era passata la mezzanotte: da due ore guardavo video su YouTube ma ne sapevo quanto prima.

Dalla strada giungeva il rombo attutito che ogni notte accompagna il lavoro al mercato della carne di Smithfield. Stan si agitò nella sua cesta e alzò il muso per rivolgermi uno sguardo assonnato, casomai mi venisse in mente di elargirgli un biscotto extra. Una volta verificato che non sarebbe successo, si rimise a russare; io andai a controllare Scout nella sua stanza. Dormiva pacifica, ma si era scoperta. Le rimboccai la trapunta e uscii in punta di piedi. Sarei dovuto andarmene a letto anch'io, ma avevo come l'impressione che ci fosse qualcosa, un dettaglio appena fuori dal mio campo visivo, che si ostinava a sfuggirmi.

Tornai al computer e restai a fissare il volto di Mary sullo schermo. Non c'era alcun dubbio che appartenesse alla classe agiata: a una ragazzina inglese servivano parecchi soldi per crescere sulle piste da sci.

Premetti PLAY.

Alle spalle di Mary campeggiava il poster ufficiale delle olimpiadi, con la scritta LILLEHAMMER '94 sullo sfondo di un groviglio di striature bianche in campo azzurro; impiegai qualche momento per capire che dovevano rappresentare l'aurora boreale. Al tavolo accanto a lei sedeva un tizio di mezza età, forse l'allenatore, anch'egli con indosso la tuta della nazionale. L'uomo coprì il microfono con una mano e le bisbigliò qualcosa all'orecchio. Lei annuì, ritrovò il contegno e riprese a parlare.

«Sentite, ho concesso quell'intervista a *Ski Monthly* per parlare di sci e, per quanto minima, della probabilità che vincessi una medaglia. Alla fine il giornalista mi ha chiesto se fossi fidanzata, e io ho risposto con sincerità. Non sono fidanzata e non intendo fidanzarmi finché non avrò trovato... l'uomo giusto.»

«L'uomo della tua vita, Mary?» urlò una giornalista, in tono sardonico.

Lei le rivolse un'occhiata gelida. Il sorriso era forzato e rivelava un inatteso spirito combattivo.

«L'uomo della mia vita? Perché no? Nessuno dovrebbe accontentarsi, in amore. Comunque sia, adesso ho altro a cui pensare.»

Poi lo schermo inquadrò una presentatrice della CNN. «Nonostante queste parole, abbiamo il sospetto che Mary Gatling, la Vergine delle Nevi, abbia trovato l'uomo giusto proprio qui, sulle piste di Lillehammer.» Seguì la ripresa di una clamorosa caduta di Mary in allenamento, poi un video registrato nel villaggio olimpico, dove un uomo con un sorriso radioso spingeva la sedia a rotelle dell'atleta infortunata. Brad Wood non era giovane quanto lei. Aveva dieci anni di più e li dimostrava tutti. La presentatrice non stava nella pelle dall'entusiasmo.

«L'avvenente sciatrice inglese si è giocata la gara con quella brutta caduta, ma si è consolata con il biatleta americano Brad Wood. Nemmeno lui è arrivato sul podio nella sua specialità. Forse è stato più fortunato in amore.»

Poi la ripresa passava alla cerimonia di chiusura. C'erano atleti ovunque. Il sindaco di Lillehammer consegnava la bandiera olimpica al collega di Nagano. Ed ecco Mary, non più in sedia a rotelle ma appoggiata a un bastone con una mano e l'altra affidata alla presa robusta di Brad.

«Pare proprio che la Vergine delle Nevi di Lillehammer abbia incontrato il suo principe azzurro.»

Il filmato si chiudeva con un primo piano dei due atleti che assistevano insieme allo spettacolo di fuochi d'artificio, stretti l'uno all'altra e incantati come due bambini davanti a un falò. Il video aveva registrato oltre un milione di visualizzazioni su YouTube. E l'elenco ne comprendeva altri mille. *Mary Gatling, olimpiadi 1994*; *Mary Gatling, '94*; *Mary Gatling, Vergine delle Nevi*; *Mary Gatling e Brad Wood, 1994*; *La Vergine delle Nevi alle olimpiadi invernali, XVII edizione*...

Io però restai a fissare il fermo-immagine davanti a me. Le mani forti di Brad Wood che stringevano Mary, come per proteggerla. E lo sguardo di entrambi, lo stesso che un tempo avevo avuto anch'io. L'espressione sorpresa e felice negli occhi di un uomo e di una donna ancora increduli di fronte alla fortuna di essersi incontrati.

Può darsi che fosse a causa di tutti quegli strati di abbigliamento sportivo che aveva addosso.

Però avrei giurato che la Vergine delle Nevi a quel punto fosse già incinta.

Il Garden era ancora avvolto dalla foschia mattutina.

Sul fondo del quartiere residenziale, due agenti in uniforme stavano accanto al nastro della polizia che delimitava la scena del crimine. Alcuni colleghi bussavano alle porte delle altre cinque ville. Se ne aprì una sola, ma dietro lo spiraglio comparve una domestica filippina con cui avevamo già parlato.

Wren imprecò. «L'indagine porta a porta è una perdita di tempo. Tutte cameriere e cuochi che la sera di Capodanno si trovavano altrove.»

«Il momento ideale per ammazzare qualcuno» commentai.

«Sei ville e un'unica famiglia presente sul posto? Non ha alcun senso.»

«Sono ricchi» risposi. «Gente piena di soldi. Quelli come loro hanno sempre qualche altro posto dove andare. Solo i poveri se ne restano a casa.»

La vacanza, però, sembrava finita. Dai cancelli aperti del Garden entrava un flusso continuo di gente. L'addetto alle piscine. I furgoni bianchi delle consegne. Donne delle pulizie e domestici che arrivavano a piedi dalla fermata dell'autobus sull'altro lato di Waterlow Park.

«La guardia di sicurezza sostiene che il cancello fosse chiuso la sera di Capodanno» dissi a Wren.

«Perché dovrebbe mentire?» ribatté.

«Per lo stesso motivo per cui lo fanno sempre. Per paura. Magari si era addormentato in servizio, o se n'era andato di soppiatto a festeggiare la mezzanotte con la famiglia. Oppure si è reso complice del delitto, sia pure soltanto aprendo il cancello. In ogni caso, se il cancello era chiuso, l'assassino è passato dal muro di cinta.»

«Certo adesso c'è un bell'andirivieni» osservò Wren. «Personale di servizio. Fattorini. Giardinieri. Operai.»

«Serve un mucchio di gente per badare ai ricchi.»

«Stiamo compilando un elenco di tutte le persone che hanno avuto accesso al Garden negli ultimi sei mesi. Non è facile, con tutti i lavoratori saltuari che preferiscono il pagamento in contanti.»

«Già. Si risparmia sulle scartoffie.» Ci incamminammo verso il muro di cinta. Era alto quasi quattro metri e circondava l'intero quartiere. Il bosco dall'altro lato era occupato in gran parte dal cimitero di Highgate, che si estendeva a perdita d'occhio nella nebbia. Le squadre di ricerca se n'erano andate. Tra gli alberi erano rimasti soltanto gli angeli di pietra.

«Se lui o loro sono passati superando il muro... quando sono usciti, devono aver preso un'altra strada» dissi. «Non potevano scalarlo con un bambino di quattro anni al seguito.»

«Non se era vivo.»

«Ma se era morto, perché portarlo via?»

Una grossa Lexus oltrepassò il cancello automatico. Sui sedili anteriori sedevano un uomo e una donna sulla cinquantina, abbronzatissimi. Quasi sdraiata sul sedile posteriore c'era una ragazzina, con il volto nascosto dietro i lunghi capelli da hippie e le cuffiette dell'iPod nelle orecchie. Il conducente abbassò il finestrino.

«Miles Compton» disse. «Abitiamo nella casa accanto a quella dei Wood. Abbiamo sentito la notizia appena partiti da Saint Lucia.» Distolse lo sguardo, per fissare inorridito il nastro intorno alla scena del crimine. «Dunque è tutto vero.»

«Temo di sì, signore» rispose Wren.

La donna al suo fianco si coprì la bocca con una mano. L'uomo annuì con un'espressione truce. «Ho sempre saputo che avrebbe fatto una brutta fine.»

«A chi si riferisce?» gli domandai.

«Il ragazzo. Marlon. Quello stronzetto arrogante.» Scosse la testa con aria di sincero rimpianto. «Però, per gli altri della famiglia è un peccato. Mi dispiace davvero.» Riavviò il motore e parcheggiò sul vialetto della casa accanto.

«Vado a parlargli» disse Wren, allontanandosi.

Io tornai verso il muro di cinta e cominciai a seguirne il perimetro. Dietro la villa accanto a quella dei Compton, un gruppo di operai stava smontando un'impalcatura.

«Fermi!» gridai.

Gli uomini mi fissarono interdetti per un momento, poi si rimisero al lavoro.

«*Zatrzymać!*» urlai: la mia infarinatura di polacco bastò a bloccarli all'istante. «*Policja*» aggiunsi. «Voglio tentare una cosa. *Jing kweer.*»

Mentre parlottavano tra loro, mi arrampicai sulla prima scala dell'impalcatura e poi sulla seconda. La struttura superava di poco il muro di cinta. Un albero del cimitero era cresciuto lì in prossimità del muro, un grosso ramo pendeva sopra l'impalcatura. Gli altri erano stati potati, ma non di recente. Scrutai il ramo, poi spiccai un balzo e mi ci appesi, dondolando su e giù per verificarne la resistenza. Quando fui sicuro che avrebbe retto il mio peso, con un colpo di reni mi agganciai anche con le gambe.

Gli operai si erano accesi una sigaretta e si godevano lo spettacolo. Sudando per lo sforzo, cominciai a muovermi lungo il ramo, superando il muro di cinta e proseguendo finché toccai il tronco dell'albero con la punta delle scarpe. Adesso gli operai non li vedevo più, ma li sentii applaudire. Scendere fu più facile, ma gli ultimi tre metri erano privi di rami e dovetti saltare. Nessuno poteva riuscirci, trasportando un bambino.

A meno che non si trattasse del *cadavere* di un bambino.

Quando fui a terra, ripresi fiato e mi guardai intorno, scrutando il fitto degli alberi. C'era un angelo di pietra al mio fianco, con i tratti del volto cancellati dal tempo e dalle intemperie. In lontananza intravedevo croci giganTesche e cappelle funerarie. Alcune erano decorate con animali enormi. Un leone. Un cane. Tutti accucciati e con gli occhi chiusi dell'eterno riposo. Avevo l'impressione di essermi lasciato il mondo alle spalle e di essere entrato in un sogno. La quiete era assoluta. Non sembrava proprio di trovarsi nel cuore della città. Mi sentivo come atterrato su un altro pianeta.

Poi, d'un tratto, Mary Wood emerse dalla foschia e mi venne incontro. L'incedere era lento, gli occhi immobili, puntati nei miei. C'eravamo soltanto noi due in quel silenzio di tomba.

Ricordai l'ultima volta in cui l'avevo vista, stesa sul lettino in acciaio inossidabile dello Iain West, e poi la prima, quando avevo osservato il suo cadavere, inerte sul letto coniugale.

Mi resi conto che non era Mary Wood.

Era la sorella, Charlotte Gatling. Mi stava fissando con lo stesso sguardo intenso e penetrante che aveva quando ci eravamo incrociati in Savile Row, mentre reggevo Scout tra le braccia.

«Non dovete smettere di cercarlo» disse. «Non potete rassegnarvi alla scomparsa di Bradley. Mio nipote.»

Scossi la testa. «Non lo faremo» risposi.

«So che lo credete morto» continuò, alzando una mano per zittire la mia obiezione. «E conosco le statistiche. Se un bambino non si trova subito, significa che l'hanno ammazzato. Lui però non è morto, ispettore. Non m'importa delle statistiche. Mio nipote è ancora vivo. Me lo sento.»

Stringeva qualcosa in una mano.

Un giocattolo. Un cowboy? Un pupazzetto alto una quindicina di centimetri. Stivali, gilet, maglia bianca. No, non era un cowboy. Era Ian Solo. Apparteneva a suo nipote. Il giocattolo preferito di Bradley.

Poi altre persone sbucarono da dietro gli alberi e la situazione diventò ancora più surreale. C'erano suo fratello e una troupe televisiva. L'agente di collegamento con le famiglie e la nostra addetta stampa si sforzavano di tenere il passo, trafelate e ignorate da tutti, con i tacchi alti inadatti a camminare sul terriccio del cimitero di Highgate reso infido dalla brina di gennaio.

«Cosa ci fate qui?» domandai.

«Stiamo girando una ricostruzione» rispose Charlotte. «Per *Crimewatch*. Mi hanno chiesto di interpretare il ruolo di mia sorella. Potrebbe far venire in mente qualcosa a qualche testimone.»

«Siamo stati noi a organizzarlo?»

«No. È stato mio fratello. Però è una buona idea, non crede? Nils dice che la pubblicità è la chiave di tutto.»

«A volte può rivelarsi controproducente» replicai, con tutta la delicatezza di cui fui capace. «Si rischia di richiamare l'attenzione di tutti i mitomani del paese. Ci ritroveremmo con così tante false piste da non riuscire a distinguerle da quelle reali. Questo genere di operazioni va gestito con grande attenzione.»

Un lampo di irritazione le brillò negli occhi: mi ricordò l'espressione di sua sorella, il suo sguardo di sfida rivolto alla reporter sarcastica a Lillehammer.

«Comunque, meglio che restarsene con le mani in mano» ribatté. «Come fanno quasi tutte le famiglie dei bambini rapiti.»

«Sì» risposi sottovoce. «È meglio di niente.»

Poi qualcosa in lei cominciò a cedere. «Dove l'hanno portato?» mi chiese, e le mancò la voce, come se un nodo in gola volesse soffocare le domande terribili che le affioravano alle labbra. «Cosa ne è stato di Bradley? Cosa gli stanno facendo?»

Sapevo che rimuginarci era inutile. Pensieri simili servivano solo a paralizzarti, impedendoti di agire. A lei però non potevo dirlo.

«Lo troverò» promisi. «Le do la mia parola.»

Lei mi guardò come se potesse scrutarmi l'anima. «Davvero ho la sua parola?»

«Sì.»

Il fratello si avvicinò. «Noi siamo pronti, Charlotte.»

«Mio fratello, Nils Gatling» lo presentò.

«Ispettore Wolfe, della centrale di West End» feci io. «Le mie sentite condoglianze per...»

Ma Gatling ne aveva abbastanza del cordoglio degli estranei, e distolse lo sguardo prima ancora che ritraessi la mano dopo avergli stretto la sua, con un'espressione dura in volto e gli occhi freddi.

«A me basta che iniziate a fare il vostro lavoro» disse.

«Ho estratto dal database di HOLMES tutti i casi di omicidio con una pistola da bestiame» spiegò Wren. «Sei in trent'anni. Un club molto esclusivo. Tre dei condannati sono deceduti, due sono in carcere. E poi c'è il Macellaio.» Premette un tasto sul laptop.

Il megaschermo al plasma sulla parete della sala operativa riprodusse la foto di un bell'uomo di mezza età, con due borse della spesa nelle mani robuste. Oltre l'aspetto dimesso, gli abiti sdruciti e il taglio raffazzonato dei capelli, s'intravedeva un lontano riflesso del ragazzo rinchiuso a Belmarsh nel 1980. Ma più ancora dei lineamenti o della corporatura, era l'espressione a rivelare la parentela con il diciassettenne di allora: Peter Nawkins conservava lo stesso sguardo vacuo, come se non pensasse proprio a niente.

«*Quello* è Peter Nawkins?» domandai, incredulo. «Sarebbe lui il Macellaio?»

«Gran bella canaglia» commentò Wren. «La foto è della Reuters, risale ai tempi della scarcerazione. Non sono riuscita a trovarne di più recenti. A questo punto, non sarà più tanto attraente.»

«Gli anni passano per tutti» osservò Whitestone.

La porta della sala si aprì, rivelando la figura di un sessantenne alto con un trolley. Rispose al nostro applauso con un sorriso timido, passandosi una mano tra i capelli candidi.

«Dottor Stephen!» lo accolse l'ispettore capo, sistemandosi gli occhiali sul naso. «Fresco dallo shuttle di Heathrow, mi dicono. Grazie per essere venuto!»

Sfinito dal jet-lag, il dottor Joe Stephen, psicologo forense del King's College, si lasciò cadere su una poltroncina. Gane gli porse una tazza di caffè nero e lui la accettò con gratitudine.

«Quattro morti e un bambino scomparso» disse, con l'accento californiano quasi impercettibile dopo trent'anni di vita londinese. «Non volevo perdere tempo.» Sfilò una cartelletta dalla valigia e la aprì sul tavolo. Foto scattate dalla scientifica sulla scena del crimine, immagini delle autopsie. La solita galleria degli orrori.

«Si è già fatto un'idea del profilo del killer?» domandò Whitestone. «I sequestratori di bambini non compiono stragi per raggiungere i loro obiettivi, mentre gli psicopatici abbattono chiunque si trovino di fronte, ma non rapiscono nessuno. Noi non sappiamo proprio cosa pensare.»

Il dottor Stephen sembrava sfinito, e non solo per il volo notturno dal JFK. «L'impressione è quella di una distruzione intenzionale della felicità» disse.

Wren mi rivolse un'occhiata in tralice. Era stata la sua teoria fin dal principio. I Wood erano stati uccisi perché erano una famiglia felice.

«E il bambino scomparso?» domandai. «C'è la possibilità che sia ancora vivo?»

Lo psicologo si passò una mano sul volto stanco. «In base alle statistiche, abbiamo una finestra di sette giorni, e ne sono passati già quattro. Quindi, sì: una possibilità c'è ancora, ma il tempo stringe. Avete qualche pista?»

L'ispettore capo si girò verso un agente in divisa, seduto a un computer in un angolo della sala. Con la zazzera color carota e il fisico dinoccolato, sembrava un adolescente travestito da sbirro. Dall'aspetto, nessuno avrebbe mai immaginato che fosse stato insignito della Queen's Police Medal, il massimo riconoscimento della polizia per gli atti di valore in servizio.

«A che punto sei, Billy?» gli domandò Whitestone.

L'agente Billy Greene alzò le mani. Le cicatrici da ustione che gli ricoprivano i palmi l'avrebbero incatenato a una scrivania per il resto della sua carriera.

«Bradley Wood è stato visto in un grande magazzino

di Oxford Street, insieme a un uomo e a una donna» disse. «Stava piangendo. L'uomo era arrabbiato. Secondo un'altra segnalazione, sarebbe passato da un autogrill sulla M1, accompagnato da un uomo che gli stava comprando un sandwich. Un ulteriore avvistamento lo colloca sulle giostre di un parco alla periferia di Leeds. Sembrava sereno. Era con una giovane donna. E pare che sia stato visto anche al bar di Legoland...»

«Tante segnalazioni soltanto da ieri sera?» domandò Gane.

«No. Nell'ultima ora» rispose Billy. «E sarà molto peggio quando stasera trasmetteranno l'episodio di *Crimewatch*.»

«L'addetta stampa non riesce proprio a tenere a bada Nils Gatling?» chiese Gane. «Non potrebbe intervenire il sovrintendente capo?»

«A quanto pare, no» replicò Whitestone. «Semmai è il signor Gatling a impartire ordini all'addetta stampa, come se fosse la più giovane e inesperta dei suoi dipendenti.» Scosse la testa. «A volte, le famiglie non sanno come comportarsi con i media. Altre, invece, sono brave nelle pubbliche relazioni. Ed è la seconda categoria a renderci la vita davvero difficile.» Prese un mazzo di chiavi dal tavolo e me lo porse. «Le ha trovate la squadra delle indagini finanziarie» disse. «Le chiavi di un immobile di proprietà di Brad Wood. È dalle tue parti, Max. Un appartamento al Barbican.»

«La famiglia aveva un appartamento al Barbican?»

«Non la famiglia. Solo il padre.»

«Gli agenti sono riusciti a risalire all'indirizzo spulciando tra i movimenti sui conti bancari di Brad Wood» spiegò Wren.

«Lo affittava?» domandai.

Lei scosse la testa. «Per quanto abbiamo potuto capire, pare che lo tenesse per uso personale. I consumi indicati dalle bollette sono pressoché nulli. Non sembra che ci abitasse nessuno.»

Mi presi qualche istante per riflettere.

«La scientifica lo ha già perquisito, quindi non farti scrupoli a frugare in giro» proseguì Wren. «Chissà, magari avvertirai una vibrazione della Forza.»

Infilai le chiavi in tasca.

Whitestone tornò a rivolgersi al dottor Stephen. «Qual è la sua ipotesi in merito allo stupro di Mary Wood? È rilevante? È il caso di estendere le indagini ai pregiudicati per violenza sessuale?»

Lo psicologo strinse le labbra in un'espressione insondabile. «Non presterei troppa attenzione a quell'aspetto dell'aggressione» disse. «Nella mente di uno psicopatico, sesso e violenza sono quasi sempre intercambiabili. A mio avviso, la scelta dell'arma è l'elemento più significativo. L'uso di una pistola da macello indica il desiderio di negare umanità alle vittime, di ridurle al livello di bestiame.»

«Scoperto niente dai vicini di casa?» domandò l'ispettore capo a Wren.

«Il signor Compton sostiene che moglie e figlia sono ancora troppo sconvolte per affrontare un interrogatorio della polizia» rispose. «Quanto a lui, non sembra rimpiangere la morte di Marlon Wood. Lo ha definito "un bastardello degenerato", ma si è rifiutato di entrare nel dettaglio. A dirla tutta, mi ha proprio sbattuto la porta in faccia.»

«Torna da loro» ordinò Whitestone. «E stavolta, costringilo a spiegarsi. Se non parla a casa sua, allora dovrà farlo qui al commissariato. Prima, però, bisogna rintracciare Peter Nawkins.»

Di riflesso, voltammo tutti lo sguardo sullo schermo.

«Lo so, sembra una perdita di tempo» aggiunse l'ispettore capo. «Ma quell'uomo è unico nel suo genere. È il solo tra i killer armati di pistola da bestiame che è ancora vivo e fuori dal carcere. Quindi, in base al protocollo TIE, dobbiamo parlargli. Non c'è alternativa.»

TIE significa Trova, Interroga ed Elimina: in un'indagine di questo tipo è necessario cercare, incontrare ed eventualmente depennare dalla lista dei sospettati chiunque abbia avuto una realistica possibilità di commettere il crimine. Non si trattava di inserire il Macellaio nel registro degli indagati. Semmai, l'idea era di escluderlo.

«Sappiamo dove cercarlo?» domandò Gane. «Il penitenziario di Belmarsh aveva un indirizzo, al momento della scarcerazione?»

«Oak Hill Farm. Al confine tra l'East End e l'Essex.»

«Il campo nomadi?»

«Quello di Oak Hill Farm è più di un semplice campo» spiegò Whitestone. «È il più grande insediamento rom d'Europa. Molti di quelli che vivono lì sono residenti stanziali, anche se non sempre legali.»

«Non crederai sul serio che sia stato lui, vero?» obiettò Gane. «Insomma, guardalo: sembra un pensionato, con quell'aria dimessa, le borse della spesa...»

Whitestone scrollò le spalle. «È fuori da dieci anni. E sarei pronta a scommettere che in tutto questo tempo qualcuno è andato a cercarlo. Può darsi che quelle persone ci tornino utili.»

«Giornalisti?» domandai.

«Ammiratori. Emulatori. Devo ancora incontrare un pluriomicida che non possa vantare un nutrito fan club.»

Il dottor Stephen si era alzato e stava osservando una foto della famiglia Wood appesa alla lavagna bianca della sala.

«Era davvero una donna splendida» mormorò, come tra sé. Ci voltammo tutti a guardarlo e lui scosse la testa, imbarazzato. «Intendevo Mary. E non mi riferivo alla bellezza esteriore, per quanto fosse innegabile. Sprigionava luce. Era bella fuori e dentro. Una rarità.»

«Siamo in tanti, credo, ad avere l'impressione di averla conosciuta» osservò Whitestone.

Lo psicologo sorrise. Dietro le lenti degli occhiali, gli occhi erano lucidi. «Certo» rispose. «Ma la personalità di Mary era più complicata di quanto la sua immagine pubblica lasciasse trapelare.» Esitò per un momento. «È stata a lungo mia paziente.»

Ci zittimmo, cercando di assimilare la notizia.

Poi Whitestone si avvicinò allo psicologo. «Di recente?»

Lui fece cenno di no. «Una decina di anni fa interruppe la terapia. Quando i bambini erano piccoli. I primi due, intendo: Marlon e Piper.» Tornò a fissare il ritratto di famiglia.

«Mi sta dicendo che abbiamo un conflitto d'interessi?» domandò l'ispettore capo. «Dobbiamo preoccuparci del segreto professionale?»

«Assolutamente no» rispose lui. «Non intendo comunque rivelare nulla di quanto abbiamo discusso nel corso delle sedute. Non è rilevante. E il fatto di averla conosciuta mi rende ancora più determinato a inchiodare il suo assassino.»

La voce tradiva una rabbia profonda, una reazione che mi stupì: non l'avevo mai visto così alterato.

«Quel maledetto bastardo non può sfuggirci» concluse.

L'indomani mattina io e Curtis Gane andammo a parlare con il Macellaio.

8

Oak Hill Farm sorgeva sul confine incerto tra Londra e l'Essex, un'area di campi e capannoni, antiche fattorie e nuove costruzioni, cemento e prati, una distesa in cui gli unici colori erano il grigio e il verde.

Al volante della mia BMW X5, uscii dall'autostrada A127 appena dopo Gallows Corner, e subito apparve il campo in lontananza.

«Qual è la storia di questo posto?» domandò Gane.

«Per anni è stata una discarica illegale. La "fattoria" del nome esisteva davvero, anzi, credo che sia ancora in piedi. Negli anni Ottanta il proprietario cedette due lotti del terreno a un paio di famiglie nomadi. Loro ci costruirono qualche abitazione, ma il municipio ne ordinò immediatamente la demolizione. Al che le famiglie si rivolsero al tribunale e vinsero la causa. Arrivarono altri nomadi, poi altri ancora. Adesso su quei quattro ettari vivono più di cento famiglie.»

«Sembra una cittadina costruita su un immondezzaio» commentò Gane.

«La descrizione è calzante. Ma per circa cinquecento persone questo posto è la loro casa.»

Oak Hill Farm era delimitata da un muro, con le roulotte bianche addossate l'una all'altra su un lato del perimetro, senza soluzione di continuità. Al di sopra dell'unico ingresso del campo, un'enorme impalcatura sosteneva cartelli di protesta – NON CE NE ANDREMO, QUESTA È CASA NOSTRA e NO ALLA PULIZIA ETNICA –, le cui scritte erano decorate da disegni infantili di caravan multicolore.

Superato il cancello, rallentai a passo d'uomo. La gente ci squadrava.

Una schiera di bungalow ordinati, con tanto di tendine alle finestre, si alternava a lavatrici, frigoriferi e televisori rotti. Un malconcio cavallo bianco brucava l'erba su un fazzoletto di prato. Un cane defecava accanto a un'Audi nuova di zecca. Oak Hill Farm era una strana miscela di decoro da sobborgo e squallore assoluto.

«Mi piace come l'hanno sistemato» commentò Gane.

Non c'era segnaletica a indicare il nome delle strade, così accostai vicino a una donna che teneva per mano una ragazzina, forse la figlia. Gane abbassò il finestrino.

«Cerchiamo il signor Nawkins» disse.

Le due restarono impalate a fissarlo, come se vedessero un nero per la prima volta in vita loro, poi indicarono con un gesto vago una giovane che passeggiava in fondo al campo, attorniata da un branco di cani. La ragazza aveva lunghi capelli scuri e, nonostante la temperatura appena sopra lo zero, indossava un paio di hot pants rosa shocking. Doveva avere al massimo quindici anni, ma l'atteggiamento era quello di chi ha una gran fretta di crescere. La pelle sopra uno zigomo recava le striature gialle e violacee di un grosso livido in via di guarigione. Nel branco di cani – un'accozzaglia di bulldog e meticci –, svettava un maestoso akita che camminava al suo fianco.

Si fermò a leccarsi i testicoli.

«Potessi farlo io» disse Gane.

«Non pensi che prima dovresti almeno invitarlo a cena?»

L'akita era senza alcun dubbio il maschio alfa, così, una volta sceso dall'auto, io restai immobile per dargli il tempo di studiarmi con gli occhi azzurro chiaro e di fiutarmi da lontano.

«Di solito le persone tendono il dorso della mano per farglielo annusare» commentò la ragazza.

Io risi. «In realtà non ce n'è bisogno. Sente il mio odore anche da lì.»

«Infatti. A questo punto ormai sa anche cos'hai mangiato a colazione.»

«È un esemplare magnifico. Come si chiama?»

«Smoky» rispose lei, passandosi una mano tra i capelli. Aveva un tatuaggio all'interno del polso. Sembrava un pastore tedesco, ma forse era solo che il tatuatore non sapeva disegnare un akita.

«Conosci il signor Nawkins?» le chiesi.

«È mio padre. Io sono Echo Nawkins. Ti faccio vedere dove abitiamo.» Poi ci guardò con aria incerta, come se non riuscisse a inquadrarci. Gane ostentava uno dei suoi completi di Savile Row.

«Siete gli avvocati del comune?» domandò lei.

«Siamo la legge» rispose Gane.

Lei annuì, di colpo più fredda.

«E tu sei una nomade» aggiunsi, provando a ristabilire la comunicazione. Non funzionò.

«Anche nostro Signore era un nomade» replicò, come se avessi cercato di insultarla.

Risalimmo in macchina, lei ci fece strada insieme al suo branco di cani.

«Credi che alla gente risulterebbero più simpatici se raccattassero la loro spazzatura invece che limitarsi a buttarla dalle finestre?» domandò Gane.

«Siamo arrivati.»

La ragazza si era fermata davanti a una roulotte e a un bungalow, entrambi grandi il doppio di tutte le altre abitazioni del campo. Da un cassonetto stracolmo, una colonna di fumo nero diffondeva un odore acre di plastica bruciata; sul prato incolto di fronte al bungalow, un uomo sedeva a leggere il «Guardian»: sul tavolino da campeggio accanto a lui era apparecchiata la colazione. Era alto, magro, sui cinquant'anni. Portava un paio di occhiali senza montatura che gli davano un'aria da intellettuale. Prese una scodella di cereali e ci versò il latte da una bottiglia con la scritta CASEIFICIO OAK HILL. Io e Gane restammo a guardare il cassonetto in fiamme, poi ci scambiammo un'occhiata. A quanto pareva, da quelle parti non si usava fare la raccolta differenziata. Scendemmo dall'auto.

«Io sono Sean Nawkins» si presentò il tizio. «E voi chi siete?»

Gli mostrammo i distintivi.

«Io sono il detective Gane, questo è l'ispettore Wolfe» precisò il mio socio. «Ma il Nawkins che cerchiamo è un altro: si chiama Peter.»

«È mio fratello» ribatté l'uomo, scuotendo la testa e guardandoci come se volesse saltarci alla gola. «Non volete proprio saperne di smetterla, eh? Non gli permetterete mai di rifarsi una vita. La pena l'ha scontata. E lunga, anche. Ci è ammuffito, in quel carcere. Che altro volete adesso? Scommetto che siete qui per quegli omicidi a Londra.»

«Soltanto qualche domanda di routine» rispose Gane, senza scomporsi. «Dov'è suo fratello?»

Ma Sean Nawkins proseguì sulla stessa linea. «Perché non lo lasciate morire in pace?»

Questa mi giungeva nuova. «È malato?» domandai.

«Un cancro. Al pancreas.»

«Terminale?»

«La prognosi è di mesi, non di anni.»

«Sta facendo la chemioterapia?»

Gane mi guardò in cagnesco. Di certo non eravamo venuti a informarci sullo stato di salute di Peter Nawkins. «Non ne ha voluto sapere» rispose il fratello. «Ha visto gli effetti della chemio sui nostri genitori. Vuole solo godersi il tempo che gli resta.» Si addolcì. «Dico sul serio: perché non lo lasciate in pace? Dovete proprio continuare a tormentarlo?»

«Già» disse una voce alle nostre spalle, dall'alto. «Piantatela di perseguitarlo.»

Mi voltai: di fronte a me c'era un grosso cavallo bianco. Poi alzai gli occhi e vidi il cavallerizzo, un tizio massiccio, con i capelli scuri e la barba folta. L'animale mi sembrò lo stesso che avevo visto brucare l'erba all'ingresso, ma potevo sbagliarmi. Non ero un esperto in materia.

«Racconta di tua moglie a questi bastardi, Sean» disse lo sconosciuto.

«Se ne fregano, di mia moglie» rispose lui.

«Cosa le è successo, signore?» gli domandai.

«Vuoi proprio sapere com'è morta?» replicò.

«Papà...» disse la ragazza.

«Non t'immischiare, Echo» la zittì lui, senza neppure guardarla. «I *gagé* hanno appiccato il fuoco alla nostra roulotte. Dieci anni fa. A Gunnersbury Park. Ve la ricordate, quella protesta?»

«C'era un campo nomadi illegale» disse Gane. «E alcuni abitanti della zona decisero di procedere allo sgombero a modo loro.»

«Già» rispose Nawkins. «E com'è che quelli non li avete mai identificati? Perché siamo sempre noi a beccarci il braccio duro della legge?»

Un rumore di zoccoli richiamò la mia attenzione. Il tizio barbuto aveva spronato il cavallo ad avanzare, di traverso, ma non riuscivo a capire come. L'animale non era sellato, non aveva né redini né staffe. Forse comunicavano per telepatia.

Tornai a concentrarmi su Sean Nawkins. «Non vogliamo creare problemi, signore. Siamo qui solo per rivolgere qualche domanda a suo fratello.»

«O per incastrarlo.» Il tizio barbuto era smontato dal cavallo e fissava Gane con aria ostile. «Ma guarda» disse. «Tutto elegante. E non cammini neanche a quattro zampe. Ce ne sono parecchi tutti neri come te, nel tuo commissariato?»

Gane non raccolse la provocazione. Succedeva di continuo. La gente non lo sa, ma in polizia si passa la vita a ignorare insulti. E per gli agenti di colore è anche peggio. Squadrai il tizio, poi guardai di nuovo Sean Nawkins. «Come ho detto, non è nostra intenzione crearvi problemi» ripetei. «Ma potremmo farlo, se ci intralciate. Dipende da voi. Noi vogliamo solo escludere suo fratello dall'inchiesta.»

«Volete fregarlo!» sbraitò il tizio con la barba. «Addossargli la colpa di quegli omicidi! Hanno ammazzato una famiglia intera, e a voialtri serve sempre un capro espiatorio quando il caso fa scalpore.»

«Dan» disse Nawkins, quasi sottovoce. «Va' a chiamare mio fratello.»

Il tizio sbuffò, ma obbedì.

«Sembrate piuttosto sedentari» commentò Gane. «Per essere dei nomadi, intendo.» Si guardò intorno, indicando con un cenno le dozzine di bungalow. «Pare vi siate ambientati.»

Sean Nawkins ripiegò la copia del «Guardian» e gli

rispose con il tono che si usa con un bambino un po'
zuccone. «Gli spostamenti continui non sono mai stati una
consuetudine del nostro popolo» disse. «Non in questo
paese. Per la nostra famiglia, l'anno cominciava con la
semina delle patate e finiva con il raccolto del luppolo. Si
viaggiava solo d'inverno. Lo sapete cosa gli hanno fatto?»
«A suo fratello?» chiesi.
Lui rise di gusto. «Già. Peter. Mio fratello. Lo sapete
cosa volevano fargli, quel contadino e i suoi tre figli?
Tagliargli le palle, ecco cosa. Come si fa con i cavalli. E
lui si è difeso.»
«Cioè volevano... castrarlo?»
«È quello che ho detto, ispettore. La punizione per aver
messo le mani sulla ragazza. Lei era incinta, e quel vecchio
bifolco non tollerava l'idea di avere un nipote mezzosangue. Un bastardo. La gente li chiama così i rom stanziali: "mezzosangue". Nostra madre non era una nomade.
Loro odiavano Peter, ma lui non era nemmeno un vero
gitano. Sono andati a cercarlo un giorno in cui la ragazza
era uscita con la madre e l'hanno trascinato in un sentiero tra i campi. Gli hanno abbassato i calzoni. Volevano
tagliargli le palle, quegli animali. Ma lui era grosso e
forte, e si è difeso. Poi è tornato da loro. E si è assicurato
che non ci provassero un'altra volta. Non siete detective,
voialtri? Allora spiegatemi cosa cazzo c'entra tutto questo
con gli omicidi di Londra.»
Restammo in silenzio per qualche momento.
«Capita che venga gente per parlare con suo fratello?»
domandò Gane.
«Ti riferisci ai *gagé*, i non rom fissati col suo delitto?
Ammiratori, stalker, mitomani: gente così?»
Gane annuì. «Sì, gente così.»
Sean Nawkins scosse la testa. «Non più. È passato un

mucchio di tempo. Il mondo l'ha dimenticato. Siete rimasti soltanto voi a chiamarlo ancora "il Macellaio", quando in realtà non era altro che un ragazzo con gravi problemi di apprendimento che reagì nel modo sbagliato a una provocazione spaventosa, orripilante. Per voi è un vecchio pregiudicato. Per me è... mio fratello.» Stava fissando un punto indefinito all'orizzonte, dietro di noi. Abbassò la voce. «Ha commesso un crimine, ma il suo debito con la società l'ha pagato: adesso ha il diritto di morire in pace.»

Di colpo, al nostro fianco comparve Peter Nawkins. Il Macellaio.

Mi girai a osservarlo, cercando segni di un'indole violenta, l'ombra oscura del passato. A guardarlo adesso, però, non sembrava un uomo capace di ammazzare quattro persone. Era grosso, molto più del tizio barbuto accanto a lui, e il suo volto mostrava ancora qualche traccia della bellezza che aveva in gioventù. Gli anni, però, se li portava male. Colpa del carcere, e del cancro. Osservandolo mentre si puliva le mani enormi sulla tuta, mi resi conto che era evidente che stava morendo.

«Eri nell'orto?» gli chiese il fratello, in tono dolce.

«C'è molto da seminare, in gennaio» rispose lui, guardando me e Gane. «Melanzane. Porri. E cavolfiori, naturalmente.»

«Peter Nawkins?» domandò il mio socio. Gli mostrammo i distintivi e ci presentammo un'altra volta.

Lui guardò il fratello. «Non ho fatto niente di male, Sean.»

«Non preoccuparti, Peter. Vogliono solo farti qualche domanda; poi se ne torneranno nelle loro tane, a Londra, e tu potrai rimetterti al lavoro.»

Nel frattempo si era radunata una piccola folla. Il numero di persone alle nostre spalle e intorno all'auto era sufficiente a impensierirmi.

«Dov'era la sera di Capodanno, signor Nawkins?» domandò Gane.

Peter Nawkins guardò il fratello.

«Diglielo, Peter» lo incitò lui, con una punta di irritazione.

«Non lo so.»

Una pausa di silenzio.

«Non sa dove si trovava la vigilia di Capodanno?» insistette Gane.

«Era qui» rispose Sean Nawkins. «Ho dei testimoni.»

«Ci scommetto» ribatté Gane. «Cinquecento, come minimo.»

Un uomo magrolino con una faccia da topo aveva affiancato il tizio barbuto alle nostre spalle. «Bada a come parli, *negro*» disse.

Io gli rivolsi un sorriso conciliante, ma quello continuò a fissare la nuca rasata del mio collega, borbottando tra sé e parlottando con il tipo barbuto; la sua rabbia stava montando a vista d'occhio. Se non sei drogato o ubriaco, la violenza non ti viene spontanea: devi sforzarti, farla crescere di proposito. Intanto continuava ad arrivare altra gente. Ci squadravano, confabulavano, commentavano ad alta voce. Una donna con un bambino in braccio sputò a terra, a qualche centimetro dalle scarpe italiane – e infangate – di Gane. «Sono io a pagarvi lo stipendio» disse.

«Era qui al campo, la sera di Capodanno, signor Nawkins?» gli domandai.

Lui annuì. «Mi pare di sì. Quand'è stato? La settimana scorsa, giusto?»

«Conosceva la famiglia Wood?» gli chiese Gane.

«Non li aveva mai visti in vita sua» si inserì il fratello.

94

«Per favore, signore, preferirei che fosse lui a rispondere» disse Gane.

«E lui preferirebbe parlare con l'organista invece che con la scimmietta» intervenne di nuovo il tizio con la faccia da topo.

Gli astanti risero di gusto. La polizia non li metteva proprio in soggezione.

«No» disse Peter Nawkins. «No a tutte le domande. Non ero a Londra, quei tizi non li conosco e non ho fatto niente di male.» Il suo respiro era diventato affannoso. Era vecchio e malato, ma ancora abbastanza grosso da combinare danni, se avesse perso le staffe. «E in prigione non ci torno.»

Io e Gane ci scambiammo un'occhiata, comunicando in silenzio: era ora di levarci di torno.

A quel punto la ressa era notevole, e ci sbarrava la strada verso la macchina. Se doveva finire male, sarebbe successo nei prossimi sessanta secondi. Ringraziammo Peter e Sean Nawkins per la disponibilità. Girammo sui tacchi. E poi accadde.

«Negro di...»

Era Faccia-di-topo.

Senza lasciargli il tempo di finire la frase, Gane lo agguantò per il colletto della tuta e lo mandò a sbattere contro la roulotte di Sean Nawkins.

Non credo che avesse mirato di proposito la finestra, ma il tizio la centrò in pieno, sfondando il vetro con il suo muso da topo. Io afferrai la bottiglia del latte, la spaccai sul bordo del tavolino e rivolsi il collo scheggiato verso gli uomini che avanzavano.

«Se cercate guai, li avete trovati» dissi.

Si fermarono. Faccia-di-topo era in ginocchio, il viso ridotto a una maschera di sangue.

Restammo immobili per dar loro il tempo di riflettere a fondo. Poi, visto che nessuno si faceva avanti, cominciammo ad avviarci alla macchina. Il tizio barbuto non sembrava ancora aver preso una decisione. Io lasciai cadere la bottiglia rotta nel cassonetto stracolmo.

«Sarà per un'altra volta» gli dissi.

Non ci affrettammo a salire in macchina.

Ma nemmeno perdemmo tempo a filarcela.

«Metti in moto» mi incitò Gane.

Girai la chiave e schiacciai a tavoletta.

Restammo in silenzio per molti minuti, mentre sfrecciavamo tra i campi verdi dell'Essex.

«Accosta» disse infine Gane.

Lo feci. Stava ancora tremando per la scarica di adrenalina.

«È andata bene, direi» commentai.

«Non volevo centrare la finestra, Max.»

«L'avevo immaginato.»

«A volte superano proprio il limite.»

«Lo so. Ti capisco. La gente crede che i poliziotti siano razzisti, ma in realtà reagiamo solo alle provocazioni. Non siamo razzisti. Siamo esseri umani.»

Ci zittimmo di nuovo, smaltendo la tensione mentre il traffico ci superava, diretto a Londra.

«Che impressione ti ha fatto Peter Nawkins?» mi domandò il mio socio.

«Non mi sembra tipo da ammazzare senza un movente personale.»

«Infatti. Nel caso dei Burns, un movente c'era eccome. Insomma, avevano cercato di tagliargli le palle.»

Chiusi gli occhi, rallentai il respiro. La mattinata era stata impegnativa. «Più personale di così...»

«Roba da matti. Cercare di castrarlo perché si era innamorato della ragazza sbagliata... Davanti a una cosa del genere, è comprensibile che abbia afferrato la pistola da bestiame. È solo un poveraccio lento di comprendonio. Non è un sicario. Non lo è mai stato.»

«E adesso è tardi per imparare il mestiere» conclusi io, riavviando l'auto. «È troppo impegnato a morire.»

9

L'appartamento era magnifico. Un piccolo attico al settimo piano nella zona di Barbican. Luminoso, arioso, moderno. Pareti bianche, arredo minimale. Un tavolo per due, un divano bianco in pelle, impianto stereo ed ellittica, una di quelle macchine multifunzione per allenarsi. Solo l'essenziale, ma tutto di ottimo gusto. Controllai le altre camere. Una sola stanza da letto. Niente male come *garçonnière*. Brad Wood doveva aver sborsato almeno un milione di sterline, e secondo Wren aveva pagato sull'unghia: niente mutuo.

L'unica macchia di colore era costituita da una coppia di quadri alle pareti del salotto. Mi avvicinai per guardarli meglio. Entrambi firmati da Patrick Caulfield, raffiguravano interni moderni e minimali, molto simili a quello in cui erano appesi. Il rapporto della scientifica documentava la presenza di un computer, ora confiscato.

Uscii sul balcone, affacciato a sud. Sette piani sotto c'era un giardino con un laghetto privato. La cupola di Saint Paul era così vicina che sembrava di toccarla, e sull'altra sponda del fiume si vedevano la Tate Modern e il London Eye. Il sole del tardo pomeriggio calava in un cielo terso e gelido, striandone di rosso acceso l'azzurro nitido.

Dal balcone non riuscivo a vederli, ma il mercato della carne di Smithfield e il nostro loft erano a pochi passi di distanza, appena oltre Aldersgate. Brad Wood e io eravamo stati quasi vicini di casa.

Qualcuno suonò il campanello. Andai ad aprire: una ragazza che dimostrava poco più di vent'anni, esile e carina, con i capelli biondi di una sfumatura troppo chiara per essere naturale. Mi rivolse un sorriso complice, come se condividessimo un segreto.

«Salve» disse.

«Salve» risposi.

«Posso entrare?»

Il suo inglese era ottimo, ma non aveva perso l'accento esotico. Mi spostai per farla passare e lei avanzò con lentezza, incerta sulla direzione da prendere. Decisamente non era mai stata prima in quella casa. Indossava un paio di scarpe nere, con le suole rosse e vertiginosi tacchi a spillo. Christian Louboutin. Piacevano anche a mia moglie. Alla mia *ex* moglie.

«È una bellissima zona» disse.

«Un tempo si chiamava Cripplegate» commentai. «Uno dei quartieri più antichi di Londra.»

Lei sembrò sorpresa. «Cripplegate? Strano nome.»

«Risale ai tempi dei romani. C'era una porta nelle mura. Distrutta dalle bombe tedesche, durante la guerra.»

«Oh. Mi dispiace.»

«Dubito che sia stata tu.»

«Magari mio nonno sì, però. Entrambi i miei nonni. È tanto che abita da queste parti?»

Riflettei un momento. Avevo vissuto in quel quartiere da single, da sposato e poi da divorziato. Da solo e poi con una figlia. Con e senza un cane.

«Da anni» risposi, ma lei si era già allontanata.

Si stava ambientando. La sentii aprire il rubinetto in bagno e tornai sul balcone. Visti da un'altezza adeguata, i tramonti di Londra sono i più belli del mondo.

«Signore?» disse una voce, alle mie spalle.

Indossava ancora le Christian Louboutin, ma nient'altro. Aveva un fisico da ballerina: seni piccoli e statura minuta, cosce muscolose e ventre piatto e scolpito, di quelli che si ottengono solo con un allenamento estenuante.

Mi stavo ancora chiedendo che genere di danza avesse praticato in una vita passata quando alzò le mani, con i palmi rivolti in su, come se ci fosse una decisione impellente da prendere.

«Le scarpe devo tenerle, signor Wood?» domandò.

Claudia, la mia nuova amica, rischiò di scoppiare in singhiozzi per tutto il tragitto dal Barbican alla Chinatown di Gerrard Street. Parcheggiai la X5 nel silos dietro la caserma dei pompieri e mi girai verso di lei. Di colpo, sembrava una bambina.

«Ehi» dissi. «Claudia.» Si voltò, fissandomi con occhi lucidi e asciugandosi il naso con il dorso della mano. «Non hai fatto niente di male. Non devi avere paura di me.»

«Lo so» rispose. «Ma non è di lei che ho paura.»

Superammo il grande portale all'imboccatura di Gerrard Street. Mancava poco al Capodanno cinese e migliaia di lanterne rosse punteggiavano le vie già buie. L'odore di anatra arrosto che impregnava l'aria mi aprì un buco nello stomaco.

«Eri una ballerina?» domandai.

«Come lo sa?»

«Ho tirato a indovinare. Che genere di ballerina?»

Scoppiò quasi a ridere. «Tutti i generi al mondo» rispose. «Ecco, siamo arrivati.»

Indicò un portone a metà di Gerrard Street, tra un ristorante cinese – all'esterno del quale si snodava una lunga fila di giovani in attesa di entrare – e un'erboristeria in cui due donne di mezza età in camice bianco giocavano a Mah Jong. Per aprire la porta potevi digitare un codice, o suonare un citofono. Claudia tese la mano verso il citofono, accanto al portone.

La fermai. «Conosci il codice?»

Sembrò tentata di mentire, poi ci ripensò. «Sì.»

«Allora usalo.»

Lei digitò quattro cifre e la serratura scattò. Salimmo una stretta rampa di gradini. Sul pianerottolo un giovane di colore si dondolava su una sedia e trafficava con il cellulare. Mi rivolse uno sguardo incredulo e si alzò di colpo.

«Claudia» disse. «Cosa ci fa lui qui?» Mi appoggiò una mano sul petto. «Non un altro passo» mi intimò. «Se non vuoi grane.»

Gli sorrisi con garbo. «Le grane le porto io.»

Ebbe abbastanza cervello da lasciarmi passare.

Aprii l'unica porta del pianerottolo ed entrai in una stanzetta bianca. Una donna sulla trentina era seduta a una scrivania, davanti all'iMac più grosso che avessi mai visto. Non era cinese, ma aveva un aspetto orientale; mi scrutava da dietro un paio di occhiali con la montatura nera. Nell'aria aleggiava l'aroma di una candela profumata, forse un tentativo di mascherare quello di anatra arrosto che saliva dal pianterreno.

«Ispettore Max Wolfe» le dissi, mostrando il distintivo. «Claudia pensava di far visita al signor Wood, e invece ha trovato me.»

«L'appuntamento era *annullato*, Claudia» la rimproverò la donna. L'accento era americano, mescolato però con qualcos'altro. Trasse un respiro profondo. «Ti avevo detto di non andare al Barbican. Non hai sentito la segreteria?»

«No.»

«E non hai visto l'sms? L'email? Il mio messaggio su Twitter?»

Claudia tirò su col naso. «Ho perso il cellulare.»

La donna alla scrivania scosse la testa, poi si concentrò su di me: mi guardava con un'aria tra il preoccupato e lo spavaldo, come se da anni aspettasse proprio quel momento, o qualcosa di molto simile.

«Chi è il capo, qui?» domandai.

«Ce l'ha davanti.»

«Il tuo nome?»

«Ginger Gonzalez. E questa è la mia azienda. Sampaguita Ltd.»

«Sampaguita?»

«Il fiore nazionale delle Filippine.»

«Sei filippina?»

«Non più. Mio padre era un militare americano, di stanza nelle Filippine. Mia madre era una ballerina.»

«Come Claudia.»

«Sì. Quel tipo di ballerina. Stessa professione. Ad Angeles. La base americana era là. Poi hanno levato le tende. Compiuti i sedici anni, sono andata a cercarlo.»

«E l'hai trovato?»

«No. Ma nel giro di qualche anno ho ottenuto qualcosa di meglio: un passaporto americano.»

Mi guardai intorno nella stanzetta spoglia. «E di cosa si occupa la tua azienda, Ginger?»

«La Sampaguita è un'agenzia di intermediazione sociale» rispose, senza ombra di ironia.

«Intermediazione sociale?» Sorrisi. «Si dice così, adesso?» Indicai il giovane nero con un cenno. «E l'aspirante Al Capone chi sarebbe?»

«È il mio capo della sicurezza.»

Scossi la testa. «Con voialtri è tutto un eufemismo. Che te ne fai di un buttafuori – chiedo scusa: un capo della sicurezza – in un'agenzia di intermediazione sociale?»

«Serve a trattare con i locali. Le bande di Chinatown. Capita che chiedano l'affitto anche quando è già stato pagato.»

Annuii. Per aprire bottega da quelle parti bisognava vedersela con le Triadi. Anche se in genere la mafia cinese preferiva sventolare i machete in faccia ai membri della sua stessa comunità.

«Informa il tuo capo della sicurezza che ha la serata libera» le dissi. «E anche Claudia. Io e te dobbiamo fare due chiacchiere.»

Gonzalez li congedò entrambi con un cenno sbrigativo della testa e io mi accomodai sull'unica sedia, quella davanti alla scrivania. «Allora, Ginger, spiegami un po' come funziona.»

Lei respirò a fondo. «Presento ragazze giovani e di bella presenza a uomini facoltosi e di successo.»

«E quegli uomini come fanno a trovarti? Cercano "Sampaguita" su Google?»

«Passaparola. Operiamo solo dietro raccomandazione personale. Non siamo online. Discrezione garantita. Oggigiorno lasciare tracce su internet non conviene a nessuno.»

«Finché una delle tue ragazze non perde l'iPhone.»

Gonzalez si morse un labbro.

«In questo paese abbiamo leggi piuttosto interessanti sulla prostituzione» proseguii.

«Ne ho sentito parlare» rispose lei. «Parecchio intransigenti sull'istigazione, a quanto mi risulta.»

«Infatti. Offrire sesso in cambio di denaro è legale. Ma con le tenutarie e i magnaccia, quelli che sfruttano la prostituzione... Be', con loro la legge usa la mano pesante. Almeno in base alla mia esperienza.»

Gonzalez attese il seguito.

«Non sono venuto per arrestarti» aggiunsi.

«Grazie.»

«Ma lo farò, se non collabori. Sto cercando un assassino, Ginger. E un bambino scomparso. Se solo proverai a intralciarmi, ti farò chiudere baracca nel tempo che impiego a bere una tazza di tè. E non avrò scrupoli a sbatterti in galera.»

«Capisco.» Pausa. «È spaventoso quanto è accaduto a quella famiglia. E a quel bambino.»

«Parlami di Brad Wood.»

«Il signor Wood era un cliente abituale.»

«Con quale frequenza si avvaleva dei vostri servizi?»

«Una volta alla settimana. Da due anni. Sempre una ragazza diversa.»

«Fa un bel po' di ragazze.»

«Sì, un buon numero.»

«Ne hai più di cento sul libro paga?»

Scosse la testa. «Non mi ci avvicino neanche. In genere vanno e vengono. Si sposano. Tornano in patria. Riprendono gli studi. Cambiano mestiere. Però le nuove non mancano mai. In città il ricambio è a getto continuo.»

«Quanto duravano gli appuntamenti?»

«Mai più di qualche ora. Le ragazze non passavano la notte da lui. Il signor Wood doveva tornare a casa.»

Mi presi un momento per riflettere. «E lasciava che fossi tu a scegliere le candidate?»

«Si fidava del mio giudizio. E comunque aveva gusti piuttosto convenzionali. Giovane. Bionda. Non fumatrice,

104

naturalmente: era stato un atleta olimpionico, come sa. Niente tatuaggi né piercing.» Inarcò le sopracciglia. «Io preferisco non assumere ragazze tatuate o con i piercing, ma oggi è dura trovarne, mi creda. La verità è che la maggioranza dei clienti desidera una versione più giovane della propria moglie. E il signor Wood non faceva eccezione. Controfigure della signora Wood da giovane.»

«Ma allora perché cambiare ragazza ogni volta?»

«Immagino che temesse di attaccarsi troppo. Non voleva affezionarsi. Niente complicazioni sentimentali. E poi c'è l'elemento erotico della novità. Gli piacevano... come dire? Sconosciute. Carne fresca, se vogliamo, anche se il termine mi disgusta. Lo trovo offensivo sia per il cliente sia per la ragazza.»

«E tu come l'hai conosciuto?»

«Al bar del Connaught.»

«Quindi, quando parli di passaparola e di raccomandazioni personali, intendi dire che adeschi uomini ricchi nei locali di lusso.»

«Si esprime in modo molto volgare, ispettore. Comunque, sì: spesso il primo contatto con i clienti avviene così.»

«Vai sempre al Connaught per i... colloqui?»

Sorrise. «Non sempre. Il Coburg Bar del Connaught è un buon posto, ma ce ne sono anche altri. L'American Bar del Savoy. Il Rivoli del Ritz. Il Fumoir del Claridges. Il Promenade del Dorchester. Per quanto da quest'ultimo tenda a tenermi alla larga: è frequentato soprattutto dai nostri amici arabi, e io evito di fare affari con quelli più devoti. D'altronde, abbiamo tutti i nostri pregiudizi. O forse "pregiudizio" è una parola troppo forte. "Preferenze", diciamo.»

«Dunque non solo il Connaught, ma sempre alberghi a cinque stelle.»

«Sì.»

«E com'era andata con Brad Wood?»

«Mi aveva offerto da bere, e siamo usciti a cena un paio di volte. Soffriva di solitudine, così gli ho suggerito un modo per rimediare al problema.»

«La Sampaguita.»

«Esatto.»

«Ci sei andata a letto?»

Gonzalez fece segno di no con la testa. «L'ho visto tre volte in tutto. Non una di più. Ed è stato due anni fa. In seguito, i nostri contatti si sono limitati agli sms scambiati su due BlackBerry acquistati esclusivamente per quello scopo. Fine delle comunicazioni. Tenevamo entrambi alla discrezione. Al nostro terzo e ultimo incontro, l'avevo già convinto del fatto che non ero io ciò di cui aveva bisogno. La soluzione ai suoi problemi non era una relazione con una donna che gli piaceva davvero. Intrattenere una storia clandestina è sempre un disastro, ispettore. Sono quelle a distruggere i matrimoni, la vita delle persone. Non valgono mai la scia di dolore che si lasciano dietro. La Sampaguita offre un'alternativa sana e sicura, e il signor Wood ne approfittò. Era un uomo saggio e pragmatico. E generoso. Una brava persona.» Le lacrime che le brillavano negli occhi sembravano sincere. «E non so dirle quanto stia soffrendo per la sua morte» proseguì. «Era buono. E tutti i miei clienti hanno soldi, successo, case splendide a cui tornare, ma ce ne sono pochi di cui mi sentirei di dire la stessa cosa.»

Mi chiesi fino a che punto potessi crederle.

«E le dirò un'altra cosa di Brad Wood, ispettore» aggiunse.

«E sarebbe?»

«Amava sua moglie.»

10

Scout camminava al mio fianco nel viavai mattutino di Smithfield, portando Stan al guinzaglio e sbuffando nuvolette bianche nell'aria gelida. La cattedrale di Saint Paul si stagliava nel cielo grigio che minacciava neve. Scout era imbacuccata negli abiti invernali, con il faccino perfetto, incorniciato dal berretto di lana e dalla sciarpa, che spuntava sopra la giacca imbottita abbottonata fino al mento. Con Stan era bravissima.

Rispondeva con un sorriso quando un ragazzo assonnato, reduce da una nottata al Fabric, o un facchino sfinito dal turno di notte al mercato si complimentava per il suo piccolo spaniel, ma non distoglieva mai l'attenzione dal traffico: al minimo segno di pericolo, bloccava il guinzaglio con uno scatto secco del polso. Stan le trottava allegramente accanto, con il pennacchio della coda ritto verso il cielo e il musetto alzato a sondare i profumi nell'aria.

Attraversammo Charterhouse Street, superammo il mercato e sbucammo nei giardini di West Smithfield, dove Stan si dedicò a ispezionare le tracce lasciate dagli altri cani prima di aggiungere le proprie, fiutando le pozze scure alla base delle panchine in pietra disposte intorno alla statua al centro della piazza.

Mentre lui sbrigava le sue incombenze canine, controllai la posta elettronica. Era raro che la mia ex moglie si facesse viva, e come sempre provai un tuffo al cuore trovando un suo messaggio.

Voglio vederla.

Alzai lo sguardo su Scout, intenta a sillabare lentamente le parole incise sulle panchine di pietra. Stan si accucciò per fare i suoi bisogni, rivolgendomi un'occhiata contrita prima di voltarsi dall'altra parte, come se si vergognasse. Io riposi il cellulare in tasca e ne sfilai un piccolo sacchetto di cellophane.

Scout si girò a guardarmi con un'espressione estatica. «È una storia!» esclamò. «Le parole nella pietra raccontano una storia. Vedi?»

«E scommetto che sei capace di leggerla, non è così?»

Annuì. «Però leggimela tu, papà.»

Usai il sacchetto per fare pulizia, poi lo annodai e lo depositai in un cestino. Quando hai un cane, il gesto diventa automatico. Infine mi chinai a leggere l'iscrizione.

«"Era un mattino di mercato. Il terreno era coperto di fango..."»

«Fango?» domandò Scout.

«Sì, fango» risposi. La scritta proseguiva tutt'intorno alle panchine e ne seguii il percorso, leggendo ad alta voce. «"... di fango e di sudiciume fin quasi alle caviglie; un denso vapore che continuamente esalava dai corpi fumanti del bestiame e si mischiava con la nebbia che sembrava impigliarsi tra i comignoli, ondeggiava pesantemente nell'aria."» Mi raddrizzai. «È tratto dalle *Avventure di Oliver Twist*, il romanzo di Charles Dickens.» Indicai la piazza. «Dickens parlava di Smithfield, Scout.» Le risparmiai il racconto di Bill Sikes che trascina il giovane Oliver attraverso il mercato per costringerlo a commettere un furto. «Ha descritto il quartiere in cui abitiamo noi. Com'era una volta. Quando ancora portavano il bestiame per venderlo al mercato.»

«Tanto tanto tempo fa?»

«Sì. Tanto tanto.» Mi sedetti sui talloni per guardarla in viso. «Scout» dissi. «Tua mamma vorrebbe vederti.»

Lei sgranò gli occhi. Forse le altre famiglie riescono a gestire con maggiore disinvoltura un divorzio, ma nel nostro caso lo strappo era stato brutale ed eravamo ancora sotto shock. Ciononostante, ci sforzavamo di riprendere le nostre vite: Scout e io nel loft di Smithfield, Anne nella sua casa di Richmond, con il nuovo marito, un figlio e un altro in arrivo. I suoi contatti con Scout erano sporadici. Era dura trovare un momento libero, diceva. A quanto pareva, però, era riuscita a ritagliarsene uno, giusto prima del termine della gravidanza.

«Ma oggi è il primo giorno di scuola!» protestò Scout, in ansia.

«Credo intendesse nel prossimo weekend. Potresti dormire da lei venerdì notte, e fermarti anche il sabato, se ti va. Ti accompagno io. Poi domenica ti vengo a prendere.»

«E le mie cose? Non ho niente a casa della mamma!»

Le poggiai una mano sulla spalla, cercando di rassicurarla. «Scout, porteremo dal loft tutto quello che ti serve. Si tratterà soltanto di un paio di giorni. La mamma ti vuole bene. Questo lo sai, vero?»

«E Stan?» ribatté lei, stringendosi le mani, ormai sul punto di scoppiare a piangere. «Nel weekend lo porto a passeggio senza il guinzaglio, papà!»

Nei fine settimana in cui ero libero, avevamo preso l'abitudine di portarlo a correre a Hampstead Heath. Non era un'impresa da poco insegnare al nostro piccolo cavalier a obbedire ai richiami. In genere era ben contento di restarsene incollato a noi, ma solo finché non avvistava qualcosa di più interessante: un coniglio, un piccione o – come accadeva sempre più spesso – una femmina approssimativamente della sua taglia. In quest'ultimo caso, era disposto a giocarsi la vita e la famiglia per un'annusatina di paradiso. Era rischioso, ma era importante che imparasse a essere libero. E noi a lasciarlo andare. Allo stesso modo, avrei dovuto imparare a staccarmi da Scout.

«Me ne occuperò io» risposi. «Ma se non ti senti tranquilla all'idea che stia senza guinzaglio quando non ci sei, allora ci accontenteremo di un giretto nel bosco dietro Jack Straw's Castle. Per Hampstead Heath, aspetteremo il tuo ritorno, così potremo andarci insieme. Che ne dici, tesoro?»

Sospirò con aria di profonda rassegnazione. «D'accordo, papà.» Poi mi girò le spalle e s'incamminò, subito seguita da Stan.

Ma prima che si voltasse, lo vidi chiaramente nei suoi occhi di bambina.

Un lampo di gioia.

«Dunque ruota tutto attorno al padre» disse l'ispettore capo Whitestone. «Era lui, il bersaglio.»

Continuavamo a studiare le foto appese alla lavagna bianca della sala operativa. Brad Wood, con il viso coperto di sangue, seduto sul pavimento della camera da letto, poi steso sul lettino dell'obitorio, le orbite ripulite con cura dalla patologa, ma ancora intente a fissare la morte. Sembrava così diverso dal resto della sua famiglia.

«Mary, Marlon e Piper sono stati assassinati» commentai. «Ma con Brad Wood hanno fatto qualcosa di più. L'hanno scannato.»

«Una prostituta diversa ogni settimana, per due anni di fila» riassunse Gane. «Anche escludendo le pause natalizie e le altre festività, stiamo comunque parlando di almeno un centinaio di puttane.»

«E ognuna di loro con un fidanzato» proseguì Wren. «Ognuna di loro con i suoi bei motivi per ricattare un uomo ricco come Wood. E al di là di quello che dice la tenutaria, dubito che le sue escort siano tutte laureate e con un cuore d'oro.»

«E senza tatuaggi, non dimentichiamolo» aggiunse Gane. «Secondo me, di tatuate ce ne sono eccome.»

«Cosa sappiamo di Marlon e Piper?» domandò Whitestone.

«Piper aveva un fidanzatino fisso» rispose Wren. «Ashley Cooper. Abita con i genitori in un villone in Winnington Road. I suoi sono medici. E lui è distrutto, povero ragazzo. A quanto sembra, Piper gli piaceva proprio. E questo spiegherebbe le tracce di sperma rilevate da Elsa.»

«Che significa "fisso", al giorno d'oggi?» chiese l'ispettore capo.

«Stavano insieme da sei mesi» proseguì Wren. «Lui frequentava la stessa scuola di Marlon, ed era coetaneo della sorella.» Consultò i suoi appunti. «La sera di Capodanno erano a una festicciola, ma avevano litigato. Una ex fidanzata gli aveva scritto un sms di auguri, e Piper se n'era andata in anticipo. È il caso che torni a parlare con lui?»

«Non subito. Passiamo a Marlon. Sbaglio o il vicino di casa – Miles Compton, giusto? – lo detestava?»

«Il ragazzo era una specie di dongiovanni in erba» commentò Wren. «Doveva aver preso dal padre. Nessuna fidanzata fissa, ma le ragazze gli piacevano, e sembra che avesse dimostrato un interesse un po' troppo evidente per la figlia adolescente di Compton. La mia impressione è che l'astio del vicino fosse causato da un istinto di protezione. Torno a farci quattro chiacchiere?»

111

Whitestone scosse la testa. «Per ora limitiamoci a tenerli d'occhio» rispose. «Sia il vicino di casa sia il fidanzatino di Piper.»

Ci zittimmo per qualche istante, sorseggiando i nostri caffè. Tutti e quattro ci eravamo alzati presto, ma al nostro arrivo nella sala operativa avevamo trovato l'agente Billy Greene già al lavoro, intento a passare in rassegna foto segnaletiche sul computer e a rispondere alle segnalazioni dei cittadini, nel tentativo di eliminare le false piste e individuare quelle utili a rintracciare il bambino scomparso.

«Pensa a tutte le menzogne che si era inventato quel bastardo di Brad Wood» osservò Whitestone. «Ai rischi che correva. Ogni settimana.» Scosse la testa. L'espressione era incredula, ma lasciava trapelare un antico rancore. Sapevo che stava crescendo da sola il figlio adolescente, ma soltanto allora mi domandai che fine avesse fatto il marito.

«Ehi, Billy» disse Wren. «Che ne diresti di interrogare un centinaio di escort per escluderle dall'indagine? Potrebbe dare una scossa alla tua vita sociale.»

Ridemmo tutti, tranne lui. Aveva la faccia di chi non chiude occhio da una settimana. Intanto lo schermo del suo computer continuava a rimandare le foto segnaletiche di uomini dall'espressione imperscrutabile, un rosario infinito di ritratti in bianco e nero, di fronte e di profilo, con gli occhi spenti, il numero del fascicolo subito sotto l'immagine.

Il vasto club dei pregiudicati per pedofilia, il cosiddetto «elenco recidivi».

«È sparito un altro bambino» disse Greene, e la risata ci si spense in gola. «Stamattina. Maschio. Quattro anni. Proprio come Bradley. Prelevato dal suo lettino di notte.» Controllò gli appunti. «Electric Avenue, a Brixton.»

Whitestone imprecò. Si girò a guardarmi e io annuii. Il sequestro di un bambino della stessa età, avvenuto nel cuore della notte, aveva sufficienti analogie con il nostro caso da giustificare una capatina oltre il fiume per andare a indagare di persona.

«Ci sono vittime?» domandò l'ispettore capo.

«Nessuna» rispose l'agente Greene. Poi fece una smorfia, come se si fosse reso conto in quell'istante che non sapevamo se il bambino rapito fosse ancora vivo.

Ci voltammo verso l'enorme televisore al plasma: il telegiornale trasmetteva una ripresa girata all'ingresso del Garden.

Una bambina sui tre anni, tenuta per mano dalla madre, si chinava a deporre un piccolo bouquet accanto alla massa di tributi floreali e corone disposta ai due lati del cancello: sembrava che il funerale di Bradley Wood fosse già in corso.

«Spegni quell'affare» disse Whitestone a Greene prima di rivolgersi a me: «C'è niente per cui potremmo arrestare la tenutaria?».

Mi strinsi nelle spalle. «Incitazione o sfruttamento della prostituzione.» Esitai. «Al massimo si becca sei mesi. E a che scopo? Non sarebbe meglio lasciarla a piede libero? Ci sarebbe più utile come informatrice, invece che chiusa in carcere.»

L'ispettore capo sembrò riflettere sulle alternative. E forse, per un momento, anche sull'uomo che un tempo era stato suo marito.

«No» rispose. «Sbattiamola dentro, quella stronza.»

Ma la Sampaguita si era volatilizzata.

La stanza sopra il ristorante cinese di Gerrard Street era vuota. Le uniche tracce di Ginger Gonzalez e della sua agenzia di intermediazione sociale erano i cavi dell'adsl che penzolavano dal muro e un rettangolo impolverato di pavimento al posto della scrivania. In un angolo c'era un bicchiere con i resti di una candela profumata. Whitestone lo prese in mano, portandoselo al naso, quando dalla porta entrò un anziano cinese con un grosso aspirapolvere.

«Cerchiamo la donna che lavorava qui» gli dissi. «*Nggoy bawng bawng mawng.*» Il mio cantonese era arrugginito, e comunque non era mai stato un granché. «Può aiutarci a trovarla?»

«Sparita» rispose il vecchio. «Sono sparite tutte.»

Due cinesi molto più giovani passarono a fatica dalla porta, reggendo un lettino da massaggi. Il vecchio ringhiò qualcosa in cantonese, e loro addossarono il lettino alla parete. Mentre lui accendeva l'aspirapolvere, sulla porta comparve Gane.

«Li mando via, capo?» domandò, alzando la voce per farsi sentire sopra il fracasso.

Whitestone scosse la testa, spazientita, poi mi raggiunse davanti alla finestra. Le lanterne rosse del Capodanno cinese oscillavano nell'aria livida della tarda mattinata.

«Hai qualche suggerimento, Max?»

Ripensai ai luoghi che Gonzalez mi aveva detto di frequentare in cerca di clienti. Il Coburg Bar del Connaught. L'American Bar del Savoy. Il Rivoli del Ritz. Il Fumoir del Claridges. Il Promenade del Dorchester.

«Potrebbe essere ovunque» risposi.

Electric Avenue, Brixton. Wren e io attraversammo il mercato, passando tra i banchi carichi di frutta e verdura tropicale. Guava, cirimoia, manioca, igname, platano, papaya. E manghi, ananas, noci moscate. Oltre a una profusione di varietà di frutta mai vista prima: banane rosse, ciliegie giganti, peperoni dalle forme più strane.

Svoltammo su Coldharbour Lane e seguimmo il bagliore dei lampeggianti della polizia fino a un isolato di palazzine grigie e spoglie, detto Southwyck House ma più noto in zona come «la Barriera». Un paio di ragazzini che avrebbero dovuto essere a scuola sedevano sulle biciclette, in attesa che un imprevisto qualsiasi interrompesse la noia.

C'era qualcos'altro in quella scena che non quadrava, ma sul momento non riuscii a capire di cosa si trattasse.

La Barriera somigliava a un penitenziario di massima sicurezza, con minuscole finestrelle scavate nelle alte mura di cemento. Mostrammo i distintivi al giovane in divisa che piantonava il nastro sul perimetro e firmammo il modulo.

«Cosa sappiamo, finora?» gli domandò Wren.

«Michael McCarthy, maschio nero, quattro anni» disse l'agente. «Stamattina la madre si è svegliata e ha trovato il lettino vuoto. Abitano al secondo piano.»

Dopo aver salito i due piani di scale, entrammo in un appartamentino angusto. Dalla porta socchiusa della stanza sul fondo, intravidi una donna che sembrava in preda a una crisi isterica. Era una ragazza di colore, sovrappeso e non più che ventenne, seduta su un lettino; una poliziotta era inginocchiata davanti a lei e le teneva una mano.

«Il mio bambino... il mio bambino...»

Un detective venne verso di noi e ci presentammo. Il collega aveva l'aria di lavorare a Brixton da troppo tempo.

«West End Central?» Sorrise. «Cosa ci fate quaggiù?»

«Bradley Wood» risposi. «Anche qui hanno rapito un bambino di quattro anni, giusto?»

«Dio, ti prego... ti prego... ti prego...» continuava a gemere la donna, sopraffatta dallo shock e dal dolore.

Il detective abbassò la voce. «Questo caso è diverso. La famiglia è nota ai servizi sociali. La madre ha precedenti di tossicodipendenza. Il figlio, Michael, era stato preso in custodia dai servizi sociali già due volte.»

«E il padre?» domandai.

Il suo sorriso si allargò. «Il padre? Qui siamo molto, molto lontani dal West End, amico mio. Potrai pensare che ci separino pochi chilometri e il fiume, ma la distanza reale è di centinaia di anni luce. Dalle nostre parti, un padre non sanno neanche cosa sia. Restate pure, se volete. Stavamo giusto per preparare un tè. Detto tra noi, però, state perdendo tempo.»

Annuii, e di colpo misi a fuoco l'elemento che mi era parso fuori posto. Non una presenza, ma un'assenza. Non c'era neanche un giornalista alla Barriera.

Nel mondo esterno, nessuno sapeva della scomparsa di Michael McCarthy.

Ripensai a Nils e a Charlotte Gatling, a quanto si stavano prodigando affinché l'opinione pubblica non dimenticasse il nipote. Mi domandai se qualcuno si sarebbe interessato alla sorte di Michael McCarthy.

«Qui ci siamo già noi» concluse il detective, soffocando uno sbadiglio.

11

Sabato mattina. Accostai sull'altro lato della strada, di fronte alla casa di Anne, poi mi voltai a guardare Scout sul sedile posteriore: stava grattando Stan dietro le orecchie, con il faccino smorto e l'espressione assorta.

«Ti divertirai un mondo» le dissi, in un tono talmente gioviale che provai disgusto per me stesso. Poi, rinunciando a recitare: «La mamma ti vuole bene, Scout. Questo non è cambiato. Lo sai, vero?».

Lei annuì e scendemmo dall'auto. Stan rimase al suo posto. La mia ex moglie non subiva il fascino dell'universo canino: lui doveva aspettare in macchina.

«A cuccia, Stan» gli disse Scout. «Da bravo.»

Lo spaniel aveva già cominciato a guaire, indovinando che qualcosa non andava dallo zaino della bambina e dalla zona sconosciuta, verde e alberata in cui ci trovavamo adesso.

Venne ad aprirci la famiglia al gran completo. L'altro... No: Oliver. Dovevo imparare a chiamarlo con il suo nome. Ormai non era più «l'altro». Era suo marito. Comunque, oltre a lui, il bambino, intimidito e un po' in disparte, e Anne, all'ottavo mese di gravidanza. Accolse la piccola a braccia spalancate.

«Scout! Quanto sei cresciuta!»

Lei le corse incontro, lanciandosi sul suo pancione.

Temevo sempre di essere sopraffatto dalla tristezza quando vedevo Anne nella sua nuova vita, ma il passaggio delle consegne quel giorno avvenne in modo indolore: non provai quasi niente guardando Scout che si avventurava in quella casa, con il visetto teso e un po' imbarazzata per le tante smancerie. Non era abituata a quel trattamento da capo di stato in visita ufficiale.

Poi, quando Anne richiuse piano la porta, salutandomi con un sorriso amichevole ma distaccato, capii che la tristezza era rimasta in agguato. Avrei pianto la morte del mio matrimonio ancora a lungo, ma non lì, non in quel momento. Il senso di abbandono mi avrebbe colto alle spalle quando meno me lo aspettavo. Risalii in macchina e sistemai Stan sul sedile anteriore. Sbadigliava a ripetizione, come fanno i cani quando sono agitati e cercano di confortarsi.

«Va tutto bene, Stan» lo tranquillizzai. «Le famiglie normali sono così.»

Arrivò la mezzanotte, passò, e io ero ancora sveglio.

Mi aggirai per il loft, di colpo grande come un pianeta disabitato senza Scout, poi mi fermai alla finestra a guardare le luci sfolgoranti di Smithfield. Al mercato della carne il turno era appena cominciato, e osservare gli scaricatori al lavoro mi rendeva più facile rassegnarmi alla prospettiva di una notte insonne.

Andai nella stanza di Scout. Stan era raggomitolato sul suo cuscino, gli occhi sproporzionati che luccicavano nel buio.

«Esco a fare due passi» dissi.

Lui drizzò le orecchie, interessato.

Dove si va di bello?

«No, tu resti qui.»

Tornai nella mia stanza e cominciai a vestirmi. Camicia. Cravatta. Stan si era piantato sulla soglia e mi fissava con uno sguardo implorante.

«I cani non sono ammessi nel posto in cui sto andando. Mi dispiace. Stavolta non puoi venire, okay?»

Lui inclinò di lato la testa, con aria scettica.

Sabato sera al West End. Pensai al Coburg Bar del Connaught. All'American Bar del Savoy. Al Rivoli del Ritz. Al Fumoir del Claridges. Al Promenade del Dorchester. E a tutti gli sconosciuti che in quel momento si stavano incontrando nei locali. Il gioco di sguardi. I cocktail. Gli accordi stabiliti. Avrei cominciato dal Connaught, dove Ginger Gonzalez aveva conosciuto Brad Wood.

Stan continuava a fissarmi con trepidazione. Impossibile lasciarlo a casa.

«E va bene, hai vinto. Però dovrai restare in macchina, d'accordo?»

Lui si stiracchiò, appagato, mentre io indossavo il completo del mio matrimonio.

Gonzalez non era al Connaught di Carlos Place e nemmeno al Ritz, in Piccadilly. Alla fine, la scovai a un tavolino appartato all'American Bar del Savoy. Insieme a lei c'era un tizio sulla cinquantina, tirato a lustro, benestante, un po' troppo brillo. Le stava leggendo la mano, approfittandone per carezzarle il polso con un dito. Presi uno sgabello dal tavolo accanto e mi accomodai con loro. Lui si girò a fissarmi. «E tu che diavolo vuoi?» chiese.

Senza degnarlo di uno sguardo, mi rivolsi a Ginger. «Cara, stasera non toccava a te badare ai bambini?»

Il tizio scattò in piedi. Quando se ne fu andato, lei mi sorrise.

«È bello quando mi chiami "cara"» disse. «Mi fa sperare che tu non sia qui per arrestarmi.»

«Fossi in te, non ci conterei troppo. Non ci hai messo molto a sparire da Chinatown.»

«Mi è sembrata la decisione più saggia. Ho l'impressione di non piacerti molto.»

Un cameriere si avvicinò al tavolo, lo congedai con un cenno.

«Non mi piace il tuo mestiere. Puoi girarla come vuoi – spacciarti per una donna d'affari, atteggiarti a imprenditrice –, ma la sostanza non cambia. E ho visto troppe ragazzine ingenue arrivare in questo paese convinte di diventare baby-sitter, ballerine o cameriere, per poi ritrovarsi su un lurido materasso a farsi sbattere da venti uomini a notte.»

Lei strinse le labbra. «Non le mie ragazze.»

«E ne ho viste troppe drogate, con i denti rotti a furia di pugni e senza la minima idea di cosa ne sia stato del loro passaporto... e della loro vita.»

«Io non le tratto così.»

«Comunque, io non do la caccia ai papponi, c'è altra gente che se ne occupa. Il mio compito è braccare gli assassini. Non sono io a volerti arrestare: è il mio capo.»

Ginger bevve un sorso dal suo bicchiere. Acqua minerale con ghiaccio e uno spicchio di limone. Era in servizio. «Posso fare qualcosa per impedire che accada?» mi domandò.

«Aiutarmi» risposi.

Scosse la testa. «Quello che so di Brad Wood te l'ho già detto.»

«E degli altri?» replicai. «Adesso sono loro a interessarmi. Hai detto che non tutti sono brave persone.»

«No. Non tutti.»

«Non sono convinto che le contrattazioni siano asettiche e trasparenti come racconti. Un incontro tra adulti consenzienti, una conversazione stimolante, sesso senza strascichi né coercizione. E cos'altro? Ah, sì: niente tatuaggi, nemmeno una lacrima... No, non ci credo.»

«Cosa vuoi sapere?»

«Riceverai anche delle richieste particolari, suppongo.» Si guardò intorno. «A volte capita.»

«Che genere di richieste? Cosa devi fare per accontentarli? Quali fantasie vogliono soddisfare?»

«Non puoi neanche immaginarlo.»

«Io scommetto di sì. Qualche forma di violenza, magari. O un incontro con più ragazze. Vivere ciò che hanno visto su internet. Minorenni. E bambini.»

Per la prima volta, Ginger Gonzalez sembrò scossa. «Non mi occupo di certe cose» disse.

Lasciai un biglietto da visita sul tavolo. «Lo so» risposi. «Se ne avessi avuto anche solo il sentore, questa conversazione sarebbe avvenuta in commissariato.»

Prese il biglietto. «Ho sentito che è scomparso un altro bambino» disse.

«Infatti.»

Il cameriere tornò. «Se non ordina niente, signore, dovrò chiederle di lasciare il tavolo.»

Avrei potuto estrarre il distintivo e mandarlo a quel paese, invece ordinai una birra. La *maîtresse* scrutava il mio biglietto da visita. Il cameriere arrivò con la birra, e io presi a sorseggiarla piano.

Lei mi sorrise. «A casa non ti aspetta nessuno, vero?»

«A casa, no» risposi. «Però ho il cane in macchina.»

«Non credo che quello conti.»

«Per me sì.»

«Cos'è successo? Hai litigato con la fidanzata?»

Esitai. Era il caso di parlare della mia vita privata con la tenutaria di un bordello? «Con mia moglie» replicai.

«E sei proprio sicuro che io non possa aiutarti?» Adesso il tono era ammiccante.

«Credi che abbia bisogno di una versione più giovane della mia ex?»

«Credo che tu soffra di solitudine, ispettore.»

«A chi non succede?» le risposi, alzandomi.

Lei si fece seria. «Sai, c'è qualcosa di molto peggio di quello che vedono su internet.»

«E sarebbe?»

«Quello che vedono nella loro testa.»

Domenica mattina alla palestra di Fred.

Con i miei guantoni Lonsdale assestavo al sacco un gancio dopo l'altro – *bam, bam, bam* – sentendo l'acido lattico che si accumulava nei muscoli delle braccia, sempre più pesanti e indolenzite. Dovevo sfinirmi, se non volevo passare un'altra notte in bianco.

«Porta il colpo con la spalla, non con il braccio» disse Fred al ragazzo sul ring insieme a lui. Quando il gong suonò la fine dei tre minuti, mi voltai a guardarli. Anche altri avevano interrotto l'allenamento per assistere allo spettacolo.

Con quel ragazzo ne valeva sempre la pena.

Fred reggeva il colpitore imbottito e dettava il ritmo.

«Doppio jab. Ancora. Forza, Rocky! Doppio diretto, montante destro, gancio sinistro. Bravo, così. Non preoccuparti della potenza. Pensa alla velocità. Comincia dai piedi, mettici tutto il corpo! E adesso, la combinazione a sette.» I pugni si susseguirono come in un mulinello. «Ottimo» concluse Fred, con un sorrisone stampato sulla faccia da pirata.

Il ragazzo era asciutto e veloce, con il fisico di chi è giovane e determinato. Se vuoi farti chiamare «Rocky», devi essere all'altezza. I suoi jab partivano come fulmini e finivano sul colpitore con il tonfo sordo del cuoio sul cuoio. C'era qualcosa di mediterraneo nel suo aspetto, nei capelli scuri e nella pelle olivastra: forse era italiano o spagnolo. Se non era già un pugile professionista, ci mancava poco.

Fred lasciò a terra il colpitore, si infilò il paradenti, il caschetto e i guantoni. Fecero qualche round. Fred sparava diretti fulminei, poi si appoggiava al piede arretrato per scansare il potente destro del ragazzo. Mi sorprese notare che Rocky non portava il caschetto. Dopo tre round di tre minuti ciascuno, scesero dal ring.

«Non metti la protezione?» domandai al ragazzo.

Lui sorrise. «Mai usata. Senza, mi impegno di più a non incassare.»

«Ai nomadi piace lo scontro» commentò Fred, scoppiando a ridere. «Ce l'hanno nel sangue.»

Era un rom, dunque.

«Sei un professionista?» gli chiesi.

«Ci sto pensando, ma... tra poco mi sposo.» Dimostrava al massimo diciotto anni. «Al momento, per lavoro stendo il catrame. Sai, quello che si usa per asfaltare i vialetti.»

Annuii. «Auguri, allora.»

«Grazie, amico.»

Avvicinammo i guantoni in segno di saluto.

Avevo ripreso l'allenamento al sacco quando il notiziario alla televisione trasmise un filmato del Garden. Nils e Charlotte Gatling osservavano i fiori deposti ai lati del cancello. Lui teneva le mani intrecciate dietro la schiena, sussiegoso come un sovrano in visita. Lei si rigirava un polso tra le dita, come se il gesto le desse conforto, quasi la sensazione di tenersi per mano da sola. Lessero i messaggi e scambiarono qualche parola, sotto gli occhi delle videocamere, collocate a rispettosa distanza, e dei telespettatori dell'intera nazione. Aspettai il servizio successivo. Forse c'erano novità da Brixton, sul conto di Michael McCarthy.

Invece passarono allo sport. L'altro bambino scomparso sembrava già dimenticato.

Dopo la palestra tornai a casa per una doccia e un pieno di caffeina. Poi andai a Hampstead Heath, con Stan sovraeccitato sul sedile accanto al mio, ansimante per la trepidazione. Aveva già indovinato quale fosse la meta.

Il terreno era duro come la pietra e coperto da uno strato di brina. Sotto un cielo rosso sangue corremmo intorno agli stagni, superando le tende in cui i pescatori dormivano ancora, percorremmo i sentieri sotto lo sguardo sdegnoso delle volpi, ci inoltrammo tra macchie di alberi spogli sbucando su radure inattese che non avremmo mai più ritrovato.

Eravamo fermi sulla sommità di Kite Hill, a guardare Londra distesa ai nostri piedi, quando il mio cellulare squillò. Numero sconosciuto.

«Sono Oliver» disse la voce. «Siamo in ospedale.»

I festeggiamenti erano già cominciati.

Oliver aveva l'aspetto di un uomo che ha passato una notte insonne ma che al mattino ha trovato un lieto fine ad attenderlo. Parlava a raffica, rivolto a una coppia di eleganti anziani: dovevano senz'altro essere i suoi genitori. La donna reggeva due mazzi di fiori, le infermiere ne stavano portando altri.

In mezzo a tanta agitazione, Scout sedeva tranquilla e disegnava sul suo iPad.

Strinsi le mani ai presenti. «Congratulazioni» dissi. «La mamma e il bambino stanno bene?»

«Hanno solo anticipato un po' i tempi» rispose Oliver, e per la prima volta tra noi ci fu qualcosa di autentico. Sapevo esattamente cosa stava provando in quel momento – un misto di sollievo, orgoglio e gioia pura e semplice –, e avvertii una stretta al cuore. Quelle emozioni le ricordavo fin troppo bene.

Tesi la mano verso Scout.

I genitori di Oliver si scambiarono un'occhiata impaziente. Nonostante la cordialità generale, la realtà innegabile era che io e Scout appartenevamo a un passato già archiviato. E, per un istante, mi sembrò di capire meglio anche la mia ex moglie. È tutto molto più facile, se riesci a fingere di non aver mai amato nessun altro, prima.

«Anne?» domandò la madre di Oliver.

«Sta dormendo» rispose lui.

«Sarà esausta» commentò il padre.

«È normale» aggiunsi. Un'ottima scusa per filarcela.

Oliver mi rivolse un sorriso che non riuscii a decifrare fino in fondo. Forse anche lui mi vedeva davvero per la prima volta.

Ricambiai il sorriso. Inutile prolungare il supplizio: meglio sgomberare il campo e lasciarli liberi di godersi senza remore la loro felicità.

Sentii la manina minuscola di Scout nella mia.

Il traffico domenicale era scorrevole e presto superammo il Blackfriars Bridge, diretti a casa.

«Quando la mamma uscirà dall'ospedale,» dissi «e sarà a casa con il bambino...»

Scout mi interruppe. «Non è un problema, papà.» Di colpo sembrava cresciuta. Si voltò a guardare il fiume, le strade di Farringdon Market, la vecchia Londra chiusa nel suo giorno di riposo. «Io preferisco stare qui» disse.

Era notte fonda quando Scout mi chiamò: barcollando per il sonno, mi alzai e andai in camera sua.

«Il lato fresco del cuscino» mormorò, a occhi chiusi. «Mettimi il lato fresco.»

La aiutai a sedersi, girai il cuscino e la feci sdraiare nuovamente, rimboccandole le coperte. Nel giro di pochi istanti si riaddormentò, con la testa appoggiata su quello che chiamava "il lato fresco del cuscino".

12

Nell'Ufficio 101 di New Scotland Yard, il sergente John Caine aprì la porta del Black Museum a un gruppo di cadetti dell'accademia di polizia.

Erano una dozzina di ragazzi appena arrivati dal Peel Centre, il principale centro di addestramento della polizia metropolitana di Londra e rimasto «Hendon» per noi veterani, abituati al vecchio nome: Hendon Police College. I cadetti entrarono ridendo e scherzando tra loro, con un atteggiamento da scolaretti in gita, ma l'allegria si spense fin dalla vista della prima vetrinetta, quella che esponeva armi usate per uccidere agenti in servizio.

John e io li seguimmo da una certa distanza, reggendo rispettivamente un tè macchiato nella tazza con la scritta IL MIGLIORE PAPÀ DEL MONDO e un triplo espresso del Bar Italia. Alla tappa successiva, i cadetti sostarono davanti alla batteria di pentole in cui Dennis Nilsen aveva bollito e scarnificato le teste, le mani e i piedi delle sue vittime. A quel punto, non rideva più nessuno. I cadetti si erano ammutoliti. Cominciavano a capire che, in una mattinata qualsiasi, sarebbero potuti uscire per andare al lavoro e non tornare a casa mai più.

«Quanti saranno, John?» domandai.

«Quelli ammazzati da Nilsen? Nemmeno lui li ricordava tutti. Quindici o sedici, secondo le stime. Più che sufficienti a ingolfare le tubature dei vicini.»

«No. Intendevo: quanti uccidono per mestiere? Non gli psicopatici come Nilsen, i dilettanti o i gangster di quart'ordine, disposti a tutto per un migliaio di sterline. E nemmeno quelli che ammazzano colti da un raptus di follia, che afferrano un coltello da cucina quando scoprono un sms compromettente sul cellulare della moglie. Mi riferisco ai professionisti, ai sicari. Quanti ce ne saranno, là fuori?»

«In grado di passarla liscia?»

Annuii.

«Se non li becchiamo, come facciamo a saperlo? Per definizione, sfuggono al nostro radar. Se vuoi il mio parere, però, il "genio del male" è un mito. Non esistono killer seriali dalla mente fredda e con un QI superiore. Gli assassini sono feccia, uomini spregevoli e psichicamente menomati, colmi di rabbia e in cerca di soldi facili. Sono tutti uguali, che lo facciano per denaro o per un movente personale. Quindi la risposta alla tua domanda è: zero.»

Soppesai il senso di quelle parole.

I cadetti avevano raggiunto la vetrinetta con la foto di Maisy Dawes, la vittima della banda di rapinatori, la povera innocente che aveva pagato per un crimine altrui. Non la degnarono neanche di uno sguardo.

Maisy Dawes non aveva fatto proprio niente. È questa la sua tragedia, ragazzo.

«Stavolta non sono d'accordo, John» dissi. «Forse non saranno molti, ma nemmeno zero.»

Il mio cellulare cominciò a vibrare e mi rifugiai nel suo ufficio per rispondere. Era Wren.

«Abbiamo trovato l'arma del delitto.»

Faceva freddo nelle catacombe della zona ovest del cimitero di Highgate.

«Là in fondo, signore» disse l'agente di guardia al perimetro. Mi chinai per superare il nastro e mi avviai verso alcune sagome scure più avanti. Sentivo un brusio di voci e il crepitare delle ricetrasmittenti in sottofondo.

Le gallerie sono lunghe un centinaio di metri e contengono quasi mille nicchie individuali, ciascuna larga abbastanza per ospitare una bara. Non sono scavate sottoterra, come le catacombe vere e proprie, ma nel fianco della collina; ciononostante, la temperatura lì dentro era gelida.

Si accese un riflettore, il cui alone illuminò le tute bianche degli esperti della scientifica. Whitestone parlava con il capo della squadra. Gane era in ginocchio, impegnato a scrutare una nicchia ancora occupata da una bara. Wren prendeva appunti mentre interrogava un paio di ragazzini terrorizzati, scuotendo la testa per la loro stupidità, con i capelli rossi che le scendevano sul volto.

«Sono stati loro a trovarla» mi disse, quando la raggiunsi. «Avevano scavalcato il muro per ficcanasare dove non dovevano.» Rivolse ai ragazzini un'occhiata di fuoco. «E non è nemmeno Halloween.»

«Non avevamo intenzione di rubare nulla» rispose uno di loro, trattenendo a stento le lacrime.

«Sì, volevamo solo dare un'occhiata» aggiunse il compagno, meno intimorito. «E abbiamo fatto bene, no? Abbiamo trovato un indizio importante.»

Mi inginocchiai accanto a Gane. Lui puntò la torcia, illuminando la bara e il ghigno di un teschio.

«A quanto sembra, i vittoriani preferivano seppellire il defunto con la testa rivolta verso l'esterno» disse. «Così potevano farci una bella chiacchierata, quando venivano in visita.»

L'arma però non si vedeva. «Dov'è?»

«Dentro la gabbia toracica. O almeno, così sostengono quei teppistelli.» Indicò i ragazzi con un cenno del capo. «Avevano tirato fuori i resti del corpo, ma poi si sono affrettati a rimetterli a posto quando l'hanno vista. Hanno avvertito una delle mamme: è stata lei a chiamarci.»

«Se non fossimo entrati noi...» disse il secondo ragazzo.

«Non un'altra parola» lo zittì Wren.

Gane e io ci facemmo da parte per lasciare spazio alla fotografa della scientifica. Quando finì di documentare la scena, l'ispettore capo Whitestone ci rivolse un cenno.

«Chi di voi ha le braccia più lunghe?» domandò.

«Io» rispose Wren.

«Pensaci tu, Max.»

Infilai i guanti di lattice azzurri e tesi una mano all'interno della bara. A tentoni, passai le dita sulla superficie liscia del teschio, sulle protuberanze delle vertebre cervicali, e sull'inizio della spina dorsale. Mi sporsi in avanti, stringendo le labbra e cercando di non respirare la polvere stantia della tomba. Sentii la curva delle costole, rese fragili dal tempo. Alcune erano spezzate: il danno sembrava recente.

Frugando dentro la gabbia toracica avvertii il metallo gelido di un oggetto. I miei polpastrelli identificarono il calcio tozzo, il corpo dell'arma, le tre lettere in rilievo del marchio di produzione. La pistola da bestiame.

La impugnai e poi, con estrema lentezza, cominciai a estrarla.

«Come hanno fatto a nasconderla lì dentro?» domandò Wren.

«Spaccando la gabbia toracica» risposi. Lo spuntone aguzzo di una costola fratturata mi perforò il guanto, tagliandomi il pollice. Un rivolo di sangue mi colò sul polso.

Passai le nocche sul bordo della bara: il legno era marcio. Qualcosa di ignoto e viscido mi sfiorò la mano. Estrassi l'arma.

Il capo della squadra della scientifica aspettava con una busta di cellophane già aperta. Mentre infilavo la pistola da macello all'interno, notai un capello biondo rimasto impigliato all'estremità della canna. La fotografa riprese a scattare.

«Tenendola in mano, se ne capiscono i vantaggi» considerai. «Leggera. Maneggevole. Legale.» Ripensai all'effetto che mi aveva fatto impugnare quella custodita al Black Museum.

Illuminata dal flash della macchina fotografica, l'arma appariva argentata, più simile a un utensile – un trapano elettrico o una sparachiodi – che a una pistola. Al tempo stesso aveva qualcosa di brutale. Un efficace strumento di morte.

«Resta comunque una scelta atipica, per un delitto» commentò Wren. «Voglio dire, è piuttosto rischioso decidere di sterminare un'intera famiglia con quella.»

«Be', non se li imbottisci di Roipnol» osservai.

«Forse il killer l'ha usata per incastrare qualcuno» aggiunse Gane.

«Okay, io qui ho finito» annunciò la fotografa. Il responsabile della scientifica porse la busta all'ispettore Whitestone, che la soppesò con le mani.

«Oppure l'ha usata perché è uno strumento che conosce bene» conclusi.

Per tornare al Garden, Wren e io attraversammo il cimitero di Highgate, aprendoci un varco tra la vegetazione fitta e inselvatichita. I grandi alberi incombevano su di noi, coprendoci con la loro ombra nonostante i rami fossero spogli. Non ne conoscevo il nome, ma sapevo che le foglie erano collose in estate e viscide quando cadevano, in autunno. Piante cittadine, per quanto la città sembrasse lontana mille chilometri.

Poi lo vidi.

Si aggirava nell'intrico dei cespugli, salì per un sentiero tortuoso e sparì dietro una collinetta, con il cappuccio della felpa calato sugli occhi.

«Questa parte del cimitero non è aperta al pubblico, giusto?» domandai a Wren.

Lei annuì. «Solo visite guidate. Me l'hai detto tu, ricordi? A parte quelle, il settore ovest è chiuso.»

«E allora, chi diavolo era quel tizio?»

Lo trovammo seduto accanto alla lapide di una tomba antica, assediata dal sottobosco, con una mano sulla statua gigantesca di un cane addormentato. La tomba in sé era semplice, ma l'animale di pietra era enorme, dieci volte le dimensioni naturali.

L'uomo mi sorrise da sotto il cappuccio. Rocky.

«Che cosa ci fai qui?» gli domandai.

«Rendo omaggio al mio eroe» disse, accarezzando la testa del cane. «Mai sentito parlare di Tom Sayers? È una leggenda, nella storia del pugilato. La star della boxe a mani nude, alla metà del XIX secolo. Questa è la sua tomba. È stato il Floyd Mayweather della sua epoca. Il Muhammad Ali. Lo Sugar Ray Leonard. Era piccolo, come me, ma mandò al tappeto avversari molto più grossi. Allora non c'erano ancora le categorie di peso.»

Wren lo fissava con aria diffidente.

«Lo conosci?» mi chiese.

«Ci alleniamo nella stessa palestra» risposi. «È un pugile. Come sai di questo posto, Rocky?»

«Ho lavorato in zona. Per un amico di mio padre. Abbiamo asfaltato qualche vialetto. Non ti avevo parlato del mio lavoro? Mi sembrava di sì.»

«Come si chiama l'amico di tuo padre?»

«Sean Nawkins.»

Wren e io ci scambiammo un'occhiata. Quella notizia mi aveva sorpreso, ma cercai di non darlo a vedere. Ripensai alle roulotte e ai bungalow di Oak Hill Farm tra i campi dell'Essex e poi alle splendide ville in cima alla collina più alta di Londra.

Mi erano sembrati due mondi diversi.

Invece mi sbagliavo.

«Mai lavorato al Garden?» domandai, più brusco.

Lui sgranò gli occhi con aria candida. «Il giardino? Quale giardino?» chiese.

«Il quartiere residenziale dietro questo muro di cinta» precisai, pur avendo il sospetto che stesse fingendo. «Ci sono sei ville.»

Scosse la testa. «No, il nostro cantiere era più distante. A Hadley Wood. Comunque, qualcuno mi ha detto che Tom Sayers è sepolto qui, così ogni tanto vengo a fargli visita. Sai quanti parteciparono al suo funerale? Centomila persone. La processione seguì il feretro fin quassù, da Camden Town. Te lo immagini?»

«Non dovresti essere qui. Lo sai, vero?»

Rocky si limitò a rivolgermi un sorriso serafico, come se quelle regole meschine non valessero per lui e la sua gente.

La campana nel giardino giapponese di Mary Wood risuonò, sospinta dal vento gelido.

Ero fermo al centro del quartiere, intento a ripassare con i colleghi l'elenco di tutti i non residenti che avevano avuto accesso al Garden negli ultimi sei mesi – individuando quelli ancora da rintracciare, interrogare ed escludere dall'inchiesta –, quando il rintocco richiamò la mia attenzione.

Un sergente e due agenti presidiavano il vialetto dei Wood. Il nastro con la scritta POLIZIA – INGRESSO VIETATO appariva già logoro. E intanto la campana suonava.

Quella casa mi stava parlando.

Cercava di comunicarmi qualcosa.

Il freddo era pungente nell'imbrunire del tardo pomeriggio, e sui parabrezza delle auto parcheggiate davanti alle ville – Range Rover, Porsche, BMW – si stava formando uno strato di brina.

Cominciai a correre, precipitandomi verso la villa. Ora il rintocco era nitido, filtrava cristallino dal luogo in cui i Wood erano stati felici.

«Signore?» Il sergente mi raggiunse, con il fiato corto che si addensava nell'aria ghiacciata, ma io scossi la testa. Non sapevo ancora cosa stessi cercando, quale fosse il messaggio che la casa intendeva inviarmi.

Ero immobile sul vialetto ad ascoltare i rintocchi, quando Wren mi affiancò.

«Che succede, Max?»

La fissai. «Non lo so.»

Restammo là impalati mentre gli ultimi, pallidi raggi di sole sparivano all'orizzonte. Appena fu calato il buio, il terreno sotto i nostri piedi si illuminò. Due dozzine di faretti incassati nel cemento del vialetto si accesero, dalla strada fino alla porta.

Mi chinai a sfiorare l'asfalto. Feci vagare lo sguardo sui vialetti delle altre ville, poi tastai di nuovo quello dei Wood. Il manto era nero e uniforme. Gli altri mostravano macchie d'olio, le tracce nere delle gomme, le fessure prodotte dall'usura e dalle intemperie.

Ma non quello sotto i miei piedi. Passai di nuovo le dita sulla superficie liscia e omogenea.

«È stato steso da poco» riflettei.

«Cosa?»

«L'asfalto. Fine estate, direi, o inizio autunno: è ancora impeccabile.» Ricordai le parole del giovane pugile, in palestra. *Al momento, per lavoro stendo il catrame. Sai, quello che si usa per asfaltare i vialetti.* E poi quelle di poco prima, davanti alla tomba di Tom Sayers: *Il nostro cantiere era più distante. A Hadley Wood.*

Rocky. Stronzetto bugiardo che non sei altro, pensai.

Chi voleva proteggere con le sue bugie?

Sean Nawkins? Peter? Se stesso?

Il sergente e i suoi due uomini erano rimasti a fissarmi mentre continuavo a sfiorare l'asfalto nero e liscio. Alzai lo sguardo su Wren.

«Sul nostro elenco non risulta un'impresa di asfaltatori, giusto?» le domandai.

Lei guardò prima me, poi il vialetto. Si voltò per osservare quelli delle altre case, e infine comprese.

Solo quello dei Wood era intatto. L'unico appena riasfaltato in tutto il quartiere.

Consultò la lista che teneva in mano, mentre il vento scuoteva i rami degli alberi dietro il muro di cinta e faceva risuonare la campana. Soffocando un'imprecazione, accartocciò l'elenco e cominciò a correre verso Whitestone e Gane, i capelli rossi che ondeggiavano nel buio sempre più fitto.

13

«Il rifacimento di un vialetto come quello dei Wood richiede due giorni di lavoro» disse Wren. All'indomani del sopralluogo al Garden, in tarda mattinata, la squadra si era riunita nella sala operativa. «L'impresa arriva sul posto con l'asfalto ancora liquido. Una miscela di sabbia e pietrisco tenuti insieme dal bitume. La versa. La livella. Fa gli ultimi ritocchi. In quarantotto ore, il lavoro è finito.»

«Le guardie di sicurezza del Garden non dovrebbero registrare ogni ingresso e uscita?» osservò Whitestone.

Wren annuì. «Infatti. La mattina presto, però, il cancello resta aperto per facilitare il passaggio dei residenti che vanno al lavoro o accompagnano i figli a scuola. E, a quanto pare, il nome dell'impresa che ha steso l'asfalto sul vialetto dei Wood non è stato registrato.»

«Nessuna pista cartacea?» domandò l'ispettore capo. «Fatture? Pagamenti?»

«Non siamo riusciti a trovare niente» rispose Wren. «E nemmeno in digitale. Ho controllato la cronologia di navigazione sui computer dei Wood.»

«Con i contanti, ti risparmi la burocrazia» commentò Gane.

Fissavo la gigantesca cartina di Londra appesa alla parete. Il Garden si trovava sul lato ovest del settore occidentale del cimitero di Highgate, nel punto più alto della città. Ci si arrivava da Finchley, a nord; da Kentish Town, a sud; da Hampstead, a ovest; e da Holloway, a est. Se gli operai avevano preso una delle circonvallazioni londinesi, la North Circular o la M25, erano arrivati da nord.

«E non li ha visti nessuno?» insistette Whitestone. «Le guardie di sicurezza, i vicini di casa?»

Wren consultò il suo taccuino. «La guardia ricorda che per un paio di giorni, a fine estate, i Wood avevano parcheggiato le loro auto sulla strada. Fine agosto o inizio settembre, gli sembra. E al Garden nessuno lascia la macchina sulla strada. L'unico motivo plausibile per farlo era che il vialetto non fosse agibile. Dunque il periodo che ci interessa è la fine dell'estate.»

«Le videocamere» dissi. «Dev'esserci un filmato, da qualche parte.»

Gane rise. «Sai quante videocamere di sorveglianza ci sono nel raggio di due chilometri dalla scena del crimine?»

«Non mi riferivo a quelle» risposi. «Pensavo alle ANPR.»

La ANPR – Automatic Number Plate Recognition – è una tecnologia di rilevamento e identificazione delle targhe. La gente crede che serva solo ad appioppare multe per eccesso di velocità, ma quello è solo una parte. Lo scopo primario del sistema è un altro: risalire alle identità.

«Le videocamere di sorveglianza ordinaria non possono aiutarci» proseguii. «Non conservano riprese tanto vecchie. Le ANPR sono un altro paio di maniche. I dati restano registrati molto più a lungo.»

Wren avviò subito una ricerca al computer. «Ce n'è una posizionata sulla collina davanti al cimitero di Highgate» disse. «E un'altra al Grove, appena prima della curva che porta al Garden. E due... anzi, tre su Spaniards Road, venendo da ovest.»

«Non sono arrivati da là» dissi. «Sono venuti da nord, dalla North Circular o dalla M25.»

«Come lo sai?» chiese Whitestone.

«Asfaltare vialetti privati è un'attività da azienda di periferia» risposi. «L'impresa veniva da fuori città.»

«E per quanto tempo la motorizzazione conserva i dati rilevati dalle videocamere?»

«Dipende. Se l'auto non ha il bollo di assicurazione, se il titolare è indagato o commette un'infrazione, la motorizzazione li inoltra alle autorità competenti, ma in genere li conserva anche nel suo database.»

«Per quanto tempo?» domandò Whitestone, rivolgendomi uno sguardo penetrante da dietro gli occhiali. «In teoria, almeno.»

«Per sempre» risposi.

Quando il lavoro ci costringeva a passare la notte in commissariato, la prima cosa da fare era ordinare una cena da asporto, finché ne avevamo ancora la possibilità. A una certa ora persino i locali di Soho chiudono i battenti. Poi ciascuno telefonava a casa.

Dal loft mi rispose la signora Murphy. Nessun disturbo, disse. Scout dormiva già, e lei si sarebbe sistemata sul divano fino al mio ritorno.

Seduti alle rispettive scrivanie, gli altri avvertivano le famiglie. L'ispettore capo Whitestone parlava via Skype con il figlio adolescente; Wren bisbigliava al cellulare con l'amante, un tizio sposato; Gane disdiceva l'appuntamento con la ragazza di turno. Lasciai che le loro voci risuonassero in sottofondo, astraendomi per un momento dall'ambiente del commissariato per concentrarmi sul tono irlandese cantilenante della signora Murphy, che mi stava aggiornando sulle imprese scolastiche di Scout.

Di riflesso, il mio sguardo tornò a vagare sull'ispettore capo Whitestone e sul volto magro di suo figlio – la chioma di ricci ribelli, gli occhiali –, inquadrato sul computer davanti a lei. Le parole non riuscivo a distinguerle, ma avvertivo chiaramente la forza del loro legame, il rapporto privilegiato che si crea tra un genitore rimasto solo e il suo bambino. Percepivo – o così mi sembrava – un vincolo indissolubile di amore e sangue, la solidarietà di quando si è uniti contro il mondo.

E per la prima volta, osservando il mio capo, quella donna occhialuta, riservata e modesta, con dieci anni di esperienza nella omicidi e un figlio a carico, ebbi l'impressione di vedere me stesso.

Passammo la notte a visionare le immagini in bianco e nero delle videocamere ANPR.

Le facce dei conducenti non si vedevano. Questo permette alla gente di negare le proprie responsabilità, di sostenere che «no, Vostro onore, io ero a casa con l'influenza, c'era mia moglie al volante».

Perché il sistema riprende solo le targhe.

Sedevo alla postazione di Gane mentre sullo schermo scorrevano le riprese della videocamera posizionata sulla collina, le immagini del traffico di Londra che, nell'abbacinante riverbero estivo, saliva lento sulla sommità della città. Lavoravamo in silenzio; io avevo i nervi a fior di pelle per i troppi espressi tripli del Bar Italia. Quando finalmente aprii bocca, il sole era già alto sui tetti di Mayfair, e la mia voce roca per le lunghe ore insonni.

«Fermo» dissi.

Il fotogramma inquadrava un grosso furgone bianco con il cassone scoperto, diretto verso la collina.

Riconoscevo la marca. Ford Mustang. Il carico sul cas-

139

sone non si vedeva, e nemmeno il conducente, ma il nome dell'impresa era stampato nero su bianco sulle portiere: PREMIUM ASFALTI.

Mi girai verso Billy Greene.

«Controllami la Premium Asfalti, Billy» dissi, aggiungendo la marca del furgone e la targa.

«Ma non dovrebbero avere una betoniera?» osservò Gane. «Un rullo compressore? Macchine più pesanti?»

«L'obiezione è sensata. Ma se l'immagine è rimasta registrata, significa che qualcosa non quadrava.»

Billy Greene ruotò sulla sua poltroncina. «Il veicolo non ha il tagliando della revisione, per questo è ancora nel database. La Premium Asfalti non ha un sito web, una pagina Facebook o un account su Twitter. Nessuna presenza online, per quanto ho visto finora. L'impresa è dell'Essex. La sede registrata è a Oak Hill Farm. È intestata a un tale Sean Nawkins.»

Il tono si era fatto cauto. Si capiva che Billy stava scegliendo con cura le parole, per non contravvenire alle regole del politicamente corretto. «Un campo nomadi» concluse.

14

Un'ora dopo, al volante della BMW X5, uscii dalla A127 a Gallows Corner e rividi Oak Hill Farm comparire in lontananza, con le roulotte bianche parcheggiate in fila lungo il perimetro come un cerchio di carri in attesa di un attacco degli apache.

«Mi sentirei più tranquillo con una pattuglia antisommossa» disse Gane.

Nell'auto eravamo in quattro. Io alla guida, Whitestone al mio fianco, Gane e Wren sul sedile posteriore.

«Non era il caso di presentarsi con caschi, scudi e manganelli» rispose l'ispettore capo. «Siamo qui solo per una chiacchierata.»

Ci zittimmo, avvicinandoci al campo. Bandiere sbrindellate pendevano sopra l'impalcatura all'ingresso, insieme ai cartelli di protesta: NON CE NE ANDREMO, QUESTA È CASA NOSTRA e NO ALLA PULIZIA ETNICA.

E poi eccoci di nuovo in quel luogo di squallore rurale e decoro da sobborgo, con i piccoli bungalow ordinati che facevano a pugni con i rifiuti abbandonati nel campo: frigoriferi e lavatrici fuori uso, televisori rotti, computer con lo schermo crepato.

Rallentai sulla via brulicante di bambini e cani; una quindicenne emerse dal mucchio.

«Ciao, Echo» le dissi. «Come mai non sei a scuola?»

«Pensavo che fosse domenica.»

«Tuo padre è in casa?»

Lei guardò nell'auto e individuò Gane sul sedile posteriore.

«Non sarebbe dovuto tornare qui» sibilò. «E neanche voialtri.»

Scortato da cani e bambini, rimisi in moto, fermandomi davanti al grande bungalow e alla roulotte parcheggiati fianco a fianco. Seduto sul prato di casa, Sean Nawkins ci guardò accigliato da dietro gli occhiali, appoggiò il «Guardian» sul tavolino da campeggio e si alzò. Quando scendemmo dall'auto, puntò il dito verso Gane.

«Ti farò denunciare dal mio avvocato» disse.

La finestra della roulotte era ancora sfondata da quando Gane ci aveva infilato Faccia-di-topo.

«Gane, tu e Wren andate a cercare quel veicolo» ordinò Whitestone. Poi, rivolta a Nawkins: «Sono l'ispettore capo Pat Whitestone». Gli mostrò il distintivo. «L'ispettore Wolfe lo conosce già.»

Mentre i bambini che ci avevano seguiti fin lì si scansavano per far passare Gane e Wren, Echo uscì dal piccolo assembramento, raggiunse il padre e si strinse al suo braccio, ma non era chiaro se il gesto indicasse un bisogno di protezione o un tentativo di trattenerlo.

«I suoi sbirri non le hanno riferito cos'era successo a mio fratello?» disse Nawkins all'ispettore capo. «Quei bifolchi l'avevano spogliato e bloccato a terra per tagliargli le palle. Facevano sul serio. Il padre della ragazza non era abbastanza uomo da affrontarlo da solo, così si era portato i figli. E io sono contento che Peter li abbia ammazzati. Se lo meritavano. Lui, però, non c'entra con nessun altro omicidio, è chiaro?»

«È proprietario di un furgone Ford Mustang, signor Nawkins?» gli domandò Whitestone a bruciapelo. Gli recitò il numero di targa, leggendolo dai suoi appunti, e restò a fissarlo in attesa di una risposta.

«Macchine ne ho parecchie» disse lui. «Ford Mustang, ha detto? Ne ho avuti più di uno. Sono ottimi per i lavori edili. Asfaltature, cose così.»

«E ha svolto lavori di questo genere dalle parti di North London? A Highgate, magari?»

«Un sacco di volte» rispose Nawkins, con aria di sufficienza. «Che c'è, pensate di addossare gli omicidi del Garden a mio fratello solo perché ho lavorato lì? È stato sei mesi fa!»

Peter Nawkins comparve sulla porta della roulotte: restò impalato a guardarci, poi si voltò verso Sean. «Sono tornati!» protestò. «Avevi promesso che non li avrei più visti, e invece sono di nuovo qui!»

Adesso ai cani e ai bambini si erano uniti gli adulti, una dozzina tra uomini e donne, immobili a fissarci e a confabulare a braccia conserte. Poi il numero salì a venti e continuò a crescere al punto che smisi di contarli. Uscivano dai bungalow e dalle roulotte, e tra loro riconobbi il grosso tizio barbuto e Faccia-di-topo, quest'ultimo con la fronte ancora bendata per lo scambio di vedute con Gane.

«Quindi lei non nega di aver lavorato per i Wood al Garden?» domandò Whitestone.

Nawkins scoppiò a ridere. «E perché dovrei negarlo? I Wood non so neanche che faccia avessero. Col padrone di casa avevo parlato al telefono; a lavoro ultimato la domestica mi ha consegnato la busta con i contanti, insieme a una bottiglia come premio extra.» La sua disinvoltura sembrava sincera. «Non mi pare sufficiente per un'accusa di omicidio.»

L'ispettore capo si voltò a guardarmi. Io tenevo d'occhio la folla. «Siamo qui perché un furgone di una ditta con sede a Oak Hill Farm è stato visto nel quartiere» disse. «E dobbiamo escludere dall'indagine il proprietario del veicolo.»

«E il proprietario sarei io, giusto? Cristo santo, siamo stati lì sei mesi prima che li ammazzassero! È questo, il meglio che riuscite a fare?»

La folla scoppiò in una risata. *Bene*, pensai io, *se ridono, è meno probabile che decidano di linciarci.* Whitestone però aveva il viso arrossato dalla rabbia. Con le labbra serrate, si aggiustò gli occhiali sul naso. Era straordinario quante emozioni riuscisse a comunicare con quel semplice gesto.

Puntò lo sguardo severo su Sean Nawkins. «Dove si trovava la vigilia di Capodanno?»

«Gliel'avete già chiesto» intervenne Echo.

«Quella volta volevamo sapere dell'altro signor Nawkins» la corresse Whitestone, senza guardarla. «Ora lo sto chiedendo a lui. E non ho ancora ottenuto risposta.»

«Ci avete già interrogati» ribatté Sean Nawkins. «Adesso piantatela di farmi perdere tempo. Andate a tormentare qualcun altro. A Capodanno ero all'estero per lavoro. In Irlanda. Posso fornirvi tutti i testimoni che volete. E mio fratello era qui. Che vi piaccia o no, è la verità. Quindi, levatevi dai piedi. E tu, rientra in casa» urlò al fratello. «E datti una calmata.»

Peter Nawkins scomparve nella roulotte. A un cenno di Whitestone, io lo seguii.

All'interno, lo spazio era organizzato come quello della cabina di una barca, ogni centimetro sfruttato al meglio, tutto il necessario pronto alla partenza. Peter era appoggiato al lavandino dell'angolo cucina, con le spalle ampie che tremavano per la paura. «Volete sbattermi dentro...» disse.

«Non se sei innocente.»

«Invece è proprio questo che volete! Un innocente da rinchiudere in carcere, per poi dire che avete risolto il caso. A voi interessa soltanto salvarvi la faccia, e io sono il colpevole perfetto, dopo quei delitti di tanti anni fa!» Si voltò a guardarmi, gli occhi pieni di rabbia. «Non è così che funziona?»

«A volte» risposi. «In passato è successo che un innocente venisse incolpato di un crimine perché bisognava pur prendersela con qualcuno. Ma non questa volta. Non stiamo cercando un capro espiatorio, ma il vero responsabile. Quindi, se hai la coscienza pulita, non hai nulla da temere. Però devi aiutarci. Hanno sterminato una famiglia. E rapito un bambino.»

«Io sono *malato*.»

«Lo so.»

«Ho il cancro. Di quelli che non si curano.»

«So anche questo. E mi dispiace.»

Annuì, di colpo pacificato. Dall'esterno provenivano delle voci. Non mi piaceva molto il fatto che Whitestone fosse rimasta sola, là fuori.

«Capisci perché siamo qui, vero?» domandai a Peter. «Lo sai cos'è successo a quella famiglia. Li hanno uccisi con una pistola da bestiame, come Burns e i suoi tre figli. E quella volta eri stato tu, no?»

«Perché volevano *castrarmi*!»

Avanzai di un passo. «La Premium Asfalti è la ditta di tuo fratello?»

Esitò per un istante. Poi annuì.

«E tu lo aiuti?»

«A volte.»

«Eri con lui l'estate scorsa, al Garden?»

«Non sono stato io. Quella famiglia non l'ho mai vista. Nessuno di noi la conosceva. Mi credi, vero?»

Lo fissai per un momento, infine annuii.

Aveva ragione il fratello.

Ci stavamo arrampicando sugli specchi.

Peter Nawkins mi voltò le spalle, andò in camera e si lasciò cadere sul letto. Era un matrimoniale enorme – occupava quasi per intero lo spazio disponibile –, eppure bastava a malapena a contenere il suo fisico da colosso.

Io restai sulla soglia a fissarlo.

Poi seguii il suo sguardo fino al soffitto, da dove un volto di donna mi sorrideva, moltiplicato per mille: era tappezzato di foto di Mary Wood.

Erano stampate da internet, e in gran parte sembravano risalire alle olimpiadi di Lillehammer, l'inverno della sua celebrità.

Mary in tenuta da sci. Mary che firmava autografi per i fan. Mary davanti ai giornalisti, con la tuta della nazionale e un'espressione preoccupata. Mary sorridente al braccio di qualcuno che era stato accuratamente ritagliato via dalla foto: di sicuro, doveva trattarsi del suo futuro marito.

Non riuscivo a respirare.

«Peter?» domandai.

«Sì.»

«Cosa diavolo è successo al Garden?»

Adesso aveva chiuso gli occhi, come se si rifiutasse di guardare la donna morta in mia presenza. Come se non volesse condividere Mary Wood con nessuno.

«Non è successo niente» rispose. «Mi piaceva, tutto qui. Era bella. E sembrava gentile. Una brava persona. Non ti è mai capitato di innamorarti di qualcuno che non conosci?»

«Invece l'hai conosciuta, al Garden, non è così? Smettila di mentirmi!»

«Non l'ho conosciuta! Non le ho mai rivolto la parola. Mica potevo parlarci, con una signora come quella. Però l'ho vista.» Riaprì gli occhi e mi fissò. «Era perfetta. Perfetta e bellissima.»

Un istante dopo, ero sulla porta della roulotte e respiravo a pieni polmoni. Whitestone era circondata da almeno un centinaio di persone. Sean Nawkins stava improvvisando un comizio sulla brutalità della polizia.

Di Gane e Wren, nemmeno l'ombra.

«Capo, c'è qualcosa che dovresti vedere.»

Whitestone mi seguì all'interno della roulotte e la accompagnai nella stanza. Peter Nawkins non si era mosso. Le indicai il soffitto. L'ispettore capo fissò a lungo le foto, poi guardò il gigante inerte sul letto.

«Cerca Gane e Wren» disse, infine.

Da una busta di nylon nero appesa alla cintura sfilò un paio di manette di colore grigio e nero, unite da una catenella d'acciaio.

Io mi avvicinai alla finestra. Fuori c'era un mare di gente, ma i miei colleghi non si vedevano.

«Non possono essersi allontanati molto» riflettei.

L'ispettore capo annuì. Il seguito era già scritto, una procedura appresa a memoria dai tempi dell'accademia: *Prima di procedere all'arresto formale è necessario ridurre il sospettato all'immobilità.* Non puoi lasciargli una via di fuga.

«Peter Nawkins, la dichiaro in arresto per l'omicidio di Mary Wood» disse Whitestone, con perfetta calma.

Lui aprì gli occhi e si mise a sedere.

«Che cosa?» esclamò ma, prima ancora di finire la frase, le manette lo stringevano ai polsi. Lo aiutammo ad alzarsi. Lui sgranò gli occhi per lo stupore, come se il suo incubo peggiore si fosse avverato.

«Ha il diritto di rimanere in silenzio» proseguì Whitestone.

All'esterno risuonarono fischi e grida di scherno, segno che Gane e Wren stavano tornando.

«Ogni contraddizione con la sua deposizione giurata potrebbe indebolire la sua difesa» continuò imperterrita il mio capo. «Qualunque cosa dica adesso potrà essere usata contro di lei in tribunale. E ora, andiamo.»

Uscii per primo.

Dalla scaletta della roulotte vidi Gane e Wren circondati dagli abitanti del campo che li spintonavano e cercavano di sbarrare loro il passo. Quando Whitestone e Peter Nawkins comparvero alle mie spalle, dalla folla si levò un mormorio. La gente avanzò di colpo, Wren cadde a terra. Qualcuno sferrò un cazzotto a Gane, che riuscì a girare la testa e incassò il colpo sull'orecchio.

La macchina non era distante, io avevo le chiavi già strette nel pugno.

Una bottiglia colpì Whitestone alla fronte; non l'avevo neanche vista partire.

Il rumore del vetro che andava in frantumi e lo zampillo scuro dalla ferita furono simultanei. All'ispettore capo cedettero le ginocchia, mentre Peter Nawkins si lanciava tra le braccia del fratello.

La vista del sangue ebbe l'effetto di scatenare la folla.

D'un tratto mi ritrovai a lottare con le unghie e con i denti, sopraffatto dalla massa di persone, e capii cosa si prova prima di essere linciati – com'era capitato a quello sbirro di Tottenham o ai soldati a Belfast –, attaccati da una folla inferocita decisa ad atterrarti e poi farti a brandelli.

I pugni mi colpivano a casaccio – collo, orecchie, nuca, bocca, naso, mento e occhi – mentre i calci mi grandinavano sugli stinchi, le cosce, i glutei. Riuscii a stento a proteggermi i testicoli sotto l'assalto di quegli uomini e quelle donne, talmente addosso a me che sentivo l'odore di cibo e sigarette nel loro fiato.

Whitestone stava gridando il mio nome: mi aprii a forza di pugni un varco per raggiungerla.

Era in ginocchio, con gli occhiali in bilico sulla punta del naso. Non so come riuscì a non perderli. Le donne sovrastavano la sua figura minuta, martellandola di calci, ma lei non reagiva. Paralizzata dallo shock di quell'improvvisa esplosione di violenza, si portò una mano alla fronte e quando l'abbassò, sgranò gli occhi alla vista del sangue.

Poi, all'improvviso, arretrarono tutti.

Vidi Gane barcollare verso di noi – mi sembrava che avesse il naso rotto – poi Wren si rialzò da terra e cominciò a gridare alla folla di farsi indietro, alzando un braccio e sventolando un oggetto giallo. Un taser.

«Vi avverto per l'ultima volta» stava dicendo. «State indietro.»

Il taser era un modello X2, compatto e leggero. Per un lungo istante sembrò sufficiente a risolvere la situazione.

Finché l'uomo barbuto non riprese ad avanzare. A quel punto, sul suo gilet lurido comparvero i due puntatori rossi del laser. «E io avverto te, lurida cagna: nessuno di voi uscirà vivo da qui.»

Wren azionò l'arma. Il dissuasore X2 ha la canna doppia e un colpo di riserva, il che rende difficile mancare il bersaglio.

E Wren non lo mancò.

Con un grido, l'uomo si accartocciò su se stesso, squassato dalle convulsioni. Il termine tecnico è «paralisi neuromuscolare». Ma noi preferiamo dire «fritto». Il tizio era ancora a terra, circondato dai suoi amici, mentre aiutavamo Whitestone a salire in macchina.

«E Nawkins?» domandò lei.

«Lo prenderemo» risposi.

Non c'era spazio per fare manovra, così mi limitai a ingranare la retro e schiacciare a tavoletta. Quando ebbi raggiunto l'ingresso del campo, mandai l'auto in testacoda azionando il freno a mano, poi mi infilai sotto l'impalcatura all'ingresso e puntai verso Londra.

Il mio cellulare vibrava, ma prima di rispondere aspettai di raggiungere Gallows Corner, per essere sicuro che nessuno ci stesse seguendo.

Era Ginger Gonzalez.

«So dove tengono il bambino» disse.

15

«Ti hanno passato al tritacarne?» mi domandò Ginger Gonzalez.

Non aveva torto. Avevo la faccia coperta dalle tipiche striature rosse lasciate dai pugni di chi i pugni non li sa tirare. In realtà, me l'ero cavata con poco. Mentre io andavo a parlare con la tenutaria, gli altri tre erano finiti al pronto soccorso: Whitestone con una lieve commozione cerebrale, Wren con uno stiramento al legamento mediale del ginocchio sinistro riportato nella caduta e Gane con una frattura al naso. Ma la ferita che ci bruciava davvero era il mancato arresto di Peter Nawkins.

«Il risultato di una gita fuori porta» risposi.

Eravamo a Saint Augustine of Canterbury, una chiesa cattolica in una zona così isolata dell'East End che l'intero quartiere sembrava inalterato da almeno sessant'anni.

Sedetti sulla panca accanto a Ginger.

«È stato lui?» chiese. «Il tizio che ho visto al telegiornale: è stato lui a sterminare i Wood?»

Annuii.

«Come lo sai?»

«Si è sottratto all'arresto.»

«La stampa dice che lo avevate preso, ma poi ve lo siete lasciati sfuggire.»

«E adesso lo riprenderemo. È lei?»

C'era una ragazza inginocchiata davanti all'altare. Una figura minuta, con il capo chino al cospetto della Vergine Maria. Vista da dietro, sembrava una bambina. I capelli, di un castano slavato, erano raccolti in una coda di cavallo, alta sulla nuca, con qualche ciocca che sfuggiva all'elastico.

«Sì, è lei» rispose Gonzalez.

«Allora sbrighiamoci. Non c'è tempo da perdere.»

Lei annuì. «Sta soltanto recitando una preghiera per il piccolo.»

Quando si voltò, la ragazza si rivelò appena più adulta del previsto: all'incirca una sedicenne, ma dall'aria molto stanca. Non appena mi vide, si irrigidì, ma poi rivolse uno sguardo a Gonzalez e si avvicinò, aggirando le panche per sedersi accanto alla sua *maîtresse*.

«Ti presento Paula» disse lei. La ragazza aveva un ideogramma tatuato sul polso.

«Parlami del bambino» tagliai corto.

«Era in una casa di Bishops Avenue» rispose.

Provai un brivido.

Bishops Avenue è nota come la «Via dei Miliardari». Si snoda tra Highgate e Hampstead, simile a un confine informale tra i rispettivi campi da golf, ed è famosa per due elementi: le ville, tra le più costose al mondo, e la loro architettura pacchiana, un'idea di bellezza e sfarzo tendente allo stile saudita.

La gran parte del capitale investito da quelle parti era straniera.

«L'indirizzo esatto?» domandai.

«Non lo so» rispose la ragazza.

Irrigidii la mandibola. «Non m'importa come ti chiami, cos'hai fatto e se hai o no il permesso di soggiorno. Mi interessa solo il bambino. Ma se non dici la verità, di colpo mi interesserà anche tutto il resto. Mi sono spiegato?» «L'indirizzo non lo conosco! Deve credermi. Era una di quelle grosse case in Bishops Avenue. Una festa. Mi ci ha portato un tizio. L'avevo incontrato nel West End.» Nominò un locale di lap dance.

«E tu cosa ci facevi lì?»

«Lavoravo.»

«Okay.» Mi rivolsi a Gonzalez. «Come vi siete conosciute?»

«Per un po', Paula ha collaborato con la Sampaguita. Ma non ha funzionato.»

«Perché no?» domandai. «Per il tatuaggio?»

Scosse la testa. «A volte su quelli lascio correre.»

«Lo immaginavo. Dunque, perché l'hai cacciata?»

«Troppo giovane.»

La fissai per un momento, poi mi voltai di nuovo verso la ragazza.

«Come si chiamava il cliente, quello che ti ha portata alla festa?»

«Fat Roy» rispose. «La prego, però, non gli dica che...»

«Non permetterò a nessuno di farti del male. Né a questo Fat Roy né a chiunque altro. Parlami della festa.»

«Ci siamo arrivati in macchina dal West End. C'erano degli uomini. Vecchi. E poi ragazzi e ragazze. Più piccoli di me. Molto più piccoli.»

Inspirai a fondo. «Bambini?»

«Sì, bambini.»

«E c'era anche quello rapito?»

«Lo tenevano in una stanza. La chiamavano "Sala VIP". L'ho sentito piangere.»

«Gli uomini filmavano?»

«Con i cellulari. È lo stesso?»

153

«Sì.»

«Non sono rimasta a lungo. Mi hanno mandata via. Dei tizi hanno detto a Fat Roy che dovevo andarmene. Mi hanno dato duecento sterline e mi hanno sbattuta fuori. Così sono andata ad avvertire Ginger. Sapevo che stava succedendo qualcosa di brutto.»

Il mio cellulare vibrò. Un sms di Wren. *Noi ci siamo.* Erano usciti dal pronto soccorso e aspettavano il mio via per passare all'azione.

Tornai a rivolgermi alla ragazza. «Perché ti hanno cacciata, Paula?»

«Perché ero troppo vecchia.»

Fat Roy risultava schedato per un'effrazione a scopo di aggressione sessuale; l'agente Billy Greene mi inoltrò la foto segnaletica del fascicolo.

Il tizio inquadrato sul display del mio cellulare aveva una ventina d'anni, una faccia stolida e grassoccia, una cresta anni Ottanta e una maglietta extralarge con la scritta FRANKIE SAYS NO WAR. Ma il Fat Roy che in quel momento si stava dirigendo verso il bagno di un affollato pub di Shoreditch era un obeso di età indefinibile, con il cranio rasato e – unico accessorio di tendenza – un anellino d'oro a una narice.

O forse la testa non era rasata.

La calvizie è uno degli effetti collaterali della castrazione chimica.

Insieme all'obesità, al calo della densità ossea e, stranamente, alla perdita di colore delle labbra. Fat Roy sembrava aver ovviato al problema con un lucidalabbra molto appariscente. Il look non gli si addiceva granché.

La castrazione chimica ti cambia. E non in meglio.

I giudici, però, la adorano. E i funzionari della libertà

condizionata ancora di più. Alle autorità e ai benpensanti piace credere che serva davvero a debellare la malattia. Riduce l'impulso sessuale, abbatte i livelli di testosterone e azzera l'istinto di aggredire i più vulnerabili, i più deboli, i più piccoli. Se un pregiudicato accetta di sottoporsi al trattamento, in genere gli permettono di tornarsene al suo schifo di vita.

Quindi non è una castrazione in senso stretto, sono soltanto farmaci. Medrossiprogesterone acetato negli Stati Uniti, ciproterone nel Regno Unito. Dicono che sia sufficiente a esorcizzare ogni cattiva intenzione.

Insomma, ai pedofili non tagliano le palle in senso letterale. Peccato.

Mi alzai e seguii Fat Roy nel bagno.

Si stava lavando le mani.

«Niente feste stasera, Fat Roy?»

Mi rivolse un'occhiata in tralice e si passò la lingua da lucertola sulle labbra violacee.

«Non ti conosco.» Non era una domanda.

«Sono solo un tizio in cerca di una festa» risposi.

Lui continuò a sciacquarsi le mani con tutta calma. Si atteggiava a ciccione innocuo, ma non era la prima volta che si trovava con le spalle al muro in un gabinetto. Non mi guardava nemmeno. Intanto soppesava la situazione. Si domandava se avrebbe dovuto stendermi, per uscirne.

«Una festa in Bishops Avenue, per l'esattezza» aggiunsi, e lo vidi trasalire. «In Via dei Miliardari. E adesso mi ci porti.»

Stavolta si girò e vide il distintivo che reggevo nella mano sinistra. La destra mi serviva libera, nel caso avesse cercato di reagire.

«Spiacente,» disse «ma non ti porto da nessuna parte. Puoi arrestarmi, se vuoi. O pestarmi e poi raccontare che ho resistito all'arresto. Ma in Bishops Avenue non ti ci porto, né stasera né mai.»

«Il bambino è ancora là?»

Non rispose. Si chinò sul lavabo e riprese a strofinarsi le mani. Ma la macchia che le imbrattava era di quelle che non si cancellano.

Era nervoso. Gli tremavano le mani. Ma non era di me che aveva paura.

Indicai con un cenno la borsa che portava a tracolla. «Scommetto che in quel portatile conservi un mucchio di materiale incriminante» dissi. «Una sola parola all'ufficio tecnico, e i miei colleghi lo scovano di sicuro, sotto gli strati di codici con cui nascondi i tuoi schifosi segreti.»

I giudici potranno anche pensare che la castrazione chimica cambi davvero un uomo.

Ma io non ci credo.

Nemmeno per un secondo.

Con un gesto incerto, Fat Roy si sistemò la tracolla sulla spalla. L'anellino che portava al naso mandò un lampo nella luce impietosa del bagno. La porta si aprì e un ragazzotto brillo, malfermo sulle gambe, fece il suo ingresso, canticchiando tra sé una canzone pop.

«Sparisci» gli intimai. Lui ci rifletté per un momento, poi obbedì.

«Hai più paura di loro che della polizia» dissi a Fat Roy. Neanche la mia era una domanda.

Lui si passò di nuovo la lingua sulle labbra.

«Hai mai visto cosa fa anche una sola goccia di acido solforico alla faccia di una persona, ispettore?» domandò.

Annuii. «Un paio di volte.»

«Allora non serve che aggiunga altro.»

«È così che vi tengono in riga? Minacciano di bruciarvi la faccia?»

«Tu non li conosci. Qui non si tratta di un club di vecchi bavosi che si scambiano foto online. È gente estrema. Malati. Ti sfigurano con l'acido e intanto con l'altra mano continuano a passarsi il lubrificante.»

«Per quanto mi riguarda, sono comunque vecchi bavosi. Uomini adulti che torturano bambini? Sono i vermi più infimi del pianeta. E hanno preso Bradley Wood. Lo tengono per le feste private a Bishops Avenue.» Di colpo avanzai, incombendo su di lui. «Non è così?»

Fat Roy indietreggiò per tenersi fuori tiro, a distanza di sicurezza. Quell'uomo non era nuovo alla violenza, ne riconosceva la minaccia.

«Il bambino non l'ho visto» disse. «E non l'ho mai sfiorato.»

«Però era là, giusto?»

Annuì impercettibilmente, con il capo chino.

Poi tese i polsi, in attesa delle manette, umettandosi le labbra viola.

«Però non ti ci porto lo stesso» aggiunse. «Tu sei soltanto un duro da due soldi, e quelli sono killer. Ti bruciano la faccia. Coraggio, gonfiami di botte. Perché dovrei temerti?»

Mi sfuggì quasi un sorriso.

«Perché ho una figlia» risposi, avanzando verso di lui.

Fat Roy uscì dal pub davanti a me, il viso coperto da mezzo rotolo di carta da cucina.

Sulla porta, gli assestai una piccola spinta. «La vecchia BMW X5 metallizzata» dissi, e lui barcollò verso l'auto.

Seduta accanto al posto di guida, Whitestone abbassò il finestrino.

«Il nostro amico qui non conosce l'indirizzo» le spiegai. «Però ci mostrerà la casa. Giusto, Fat Roy?»

«Sì» rispose lui, con la voce soffocata dalla carta da cucina e dallo shock.

«E hai visto Bradley Wood?» gli domandò il mio capo.

Lui scosse la testa, distogliendo lo sguardo. «L'ho solo sentito. Giuro.»

«Che cosa hai sentito?»

Lui inspirò a fondo, gli occhi ancora bassi. «Piangeva» mormorò.

Wren scese dalla macchina per lasciargli il posto tra lei e Gane mentre io salivo al volante.

«Stavolta, caschi, scudi e manganelli ci servono eccome» disse Gane a Whitestone, con il cellulare già in mano. «E gli SFO.»

Intendeva gli agenti armati, detti anche «Berretti Blu». I cecchini di Scotland Yard.

L'ispettore capo annuì. «Però non perdiamo tempo» aggiunse. «Ci raggiungeranno sul posto. Edie, comunica la posizione esatta appena ci arriviamo. Metti in moto, Wolfe.»

Premetti un pulsante sul cruscotto.

La sirena si attivò e due fari azzurri cominciarono a lampeggiare dal radiatore della BMW.

Mentre mi infilavo nel traffico, lanciai un oggetto dal finestrino. Un anellino d'oro da cui pendeva ancora un brandello di carne biancastra. Brillò per un istante nella luce dei lampioni di Shoreditch, poi scomparve nello scolo del marciapiedi.

I lampeggianti illuminarono la notte.

16

Bishops Avenue.

Proseguivo lentamente lungo quel viale alberato che rappresentava il sogno dei ricchi, ora a sirena e lampeggianti spenti, superando ville sfarzose costruite senza badare né a spese né al buon gusto.

Per quanto arretrate rispetto alla strada, circondate da recinzioni elettrificate, muri di cinta e cancellate irte di videocamere di sicurezza, risultavano comunque visibili per la loro stessa imponenza. In tutta Londra non esisteva nulla di paragonabile a Bishops Avenue. A guardarla, avresti detto che i regolamenti urbanistici non fossero mai esistiti. Dai tetti svettava una ridda di spirali, guglie e torrette che sembrava il frutto dell'immaginazione di un Walt Disney in preda a un pessimo trip da acido. Era là che erano finiti i soldi del petrolio arabo quando Saddam Hussein si era messo sul sentiero di guerra. E si vedeva.

Sui due lati del viale si estendevano ettari di campi da golf; le magioni emergevano dall'oscurità come oasi di privilegio inaccessibile. Dietro le finestre luccicavano sfarzosi lampadari di cristallo, ma la loro luce sbiadiva davanti a quella dei riflettori attivati al nostro passaggio dai sistemi di sicurezza, che servivano a nascondere le vite dei proprietari agli occhi dei comuni mortali. Eppure, in quell'infinita ostentazione del lusso, non vedevo niente di umano, di vivo o di desiderabile.

«Ci siamo» disse Fat Roy. Fermai l'auto.

Ci trovavamo quasi al termine di Bishops Avenue, dove l'opulenza cominciava a scemare, prima di sparire del tutto sulla strada che la separa da East Finchley.

Dal finestrino intravedevo solo un'alta cancellata, un muro di cinta sormontato dal filo spinato e, appena distinguibile sul fondo di un lungo viale tortuoso, una casa gigantesca, immersa nel buio. Sembrava disabitata.

«Che razza di posto è?» domandò Whitestone.

«È abbandonata» disse Fat Roy. «Ce ne saranno almeno venti così, lungo Bishops Avenue. Tutte lasciate al degrado. In gran parte di proprietà di miliardari mediorientali. La famiglia reale saudita ne ha una collezione intera. Cadono a pezzi, ma ogni anno il loro valore aumenta di altri dieci milioni.»

Al bagliore della luna riuscii a metterla a fuoco. Era davvero in rovina. C'erano sbarre di metallo alle finestre, ma i vetri erano sfondati. Le mura imponenti erano piene di crepe e coperte dall'edera. Strizzai gli occhi nel buio. Sul tetto c'era un foro largo quanto un'automobile. «Ed è qui che organizzano i loro festini?» domandai.

Fat Roy annuì.

«Le luci sono tutte spente» osservai.

«Di solito si riuniscono sul lato opposto» rispose. «Lontano dalla strada.» Il sangue che inzuppava la carta da cucina che teneva premuta sul viso sembrava nero nel biancore lunare. «Là dietro non li vede nessuno. Usano le sale sul fondo.» Una pausa. «Hanno solo l'imbarazzo della scelta.»

«Il bambino dov'è?»

160

Fat Roy abbassò lo sguardo. «In una stanza al primo piano.»

«Da quanto tempo?»

«Una settimana. Forse meno.»

«Come si supera il cancello?»

«C'è un codice. Cambia una volta al mese. Va inserito su quel pannello di lato.» Recitò le sei cifre. «Posso andarmene, adesso?»

«No. Tu vieni con noi.»

«Lascialo in macchina» disse Whitestone.

«Nel baule?» risposi io.

«Cristo!» imprecò Fat Roy.

«Il sedile posteriore è sufficiente» suggerì l'ispettore capo. «Chiudilo dentro.»

Mentre facevo scattare la serratura, gli lessi l'odio negli occhi. Poi lui distolse lo sguardo, riprendendo a tamponarsi il naso. Ci fermammo davanti al cancello mentre Wren comunicava la posizione al nucleo armato.

«Stanno arrivando da Holloway Road» ci informò. «Saranno qui tra dieci minuti.»

«Li aspettiamo?» domandò Gane.

«Non possiamo» rispose Whitestone. «Non con il bambino ancora là dentro.»

C'era un cartello appeso alla cancellata.

EX RESIDENZA AMBASCIATORE
IN VENDITA PER PROCURA DEL PROPRIETARIO

Digitai il codice e la serratura scattò. Superammo il cancello – i nostri passi scricchiolavano sulla ghiaia – e poco alla volta i contorni della grande villa disabitata si delinearono di fronte a noi. Ora potevo distinguere le auto parcheggiate sul prato, a lato dell'ingresso, invisibili dalla strada. C'era un grosso SUV con i finestrini oscurati. Dal retro della magione filtravano fasci di luce e, a mano a mano che ci avvicinavamo, sentimmo anche voci e musica. La piscina era coperta da un telo pieno di foglie secche.

«Prendiamo la strada dei ladri?» chiese Whitestone.

Io annuii e raccolsi un mattone da terra. La "strada dei ladri" è l'ingresso principale: passano quasi tutti da lì, quando devono intrufolarsi in una casa.

Mi avvicinai al portone, al di sopra del quale campeggiava una testa di leone arrugginita, e con tutte le forze abbattei il mattone sulla maniglia. Si staccò di netto. Poi assestai un calcio alla porta, spalancandola all'istante. Non c'era chiavistello. Superata la soglia, restammo un momento immobili, cercando di comprendere lo spettacolo che avevamo di fronte agli occhi.

Una reggia in macerie.

Accanto all'ingresso, una doppia scalinata conduceva al piano superiore, ma i gradini si interrompevano in un baratro nero, prima di raggiungere il ballatoio.

Quelli rimasti indenni erano ingombri delle macerie – tegole rotte, pezzi d'intonaco e rami spezzati – causate da un grosso albero che si era abbattuto sul tetto. Qualcosa di nero entrò dal foro nel soffitto e svolazzò in aria, disegnando un tragitto a zig-zag.

«Un pipistrello» mormorò Wren. «Detesto quelle bestiacce.»

Ovunque la natura stava prendendo il sopravvento. Un vecchio nido pendeva dai tendaggi di velluto. Erbacce, felci e muschio spuntavano da ogni fessura; le foglie secche dell'albero caduto giacevano sulla scala sfondata. La moquette bianca era coperta di pozze di acqua piovana e di escrementi di uccelli, ratti e volpi.

I mobili erano spariti, a eccezione di un materasso lurido sistemato in un angolo buio, una poltrona con la foderà di velluto ammuffito e un pianoforte a coda trascinato da chissà quale salone e poi fracassato a martellate.

L'acqua filtrata dal tetto aveva rigato le pareti e scrostato le tele dei quadri, conferendo ai soggetti degli antichi ritratti l'aspetto di una colonia di lebbrosi. Le poche lampadine superstiti di un lampadario di cristallo che pendeva dal soffitto diffondevano una luce crepuscolare.

Di colpo avvertii un tocco umido sulla faccia e alzai lo sguardo. Aveva cominciato a nevicare, i fiocchi scendevano lenti dal foro nel tetto. Un cristallo bianco si depositò sul dorso della mia mano, poi si sciolse.

Ora le voci dal retro erano più nitide.

«Di sopra» ordinò Whitestone. «Il bambino.»

Ma a quel punto, anche gli occupanti della villa ci avevano sentiti.

Nella sala era comparsa una ragazzina.

Emaciata e pallida, con i capelli castani sciolti sul volto, dimostrava non più di dodici anni. L'avevano vestita con un abito troppo corto e un paio di scarpe con il tacco di un numero di molto superiore al suo.

Reggeva in mano un bicchierino di carta e ci guardava sbalordita.

«Parli inglese?» le domandai. Nel frattempo, un uomo era apparso alle sue spalle. La spostò con uno spintone e cominciò ad avanzare verso di noi. Era un tizio grosso, di mezza età, con la faccia coperta da uno strato di un liquido oleoso.

Wren fece per sbarrargli il passo. «La dichiaro in arresto» disse, e lui le sferrò un pugno al volto. Doveva averla colpita al mento, perché lei stramazzò all'istante, perdendo i sensi prima ancora di arrivare a terra.

Il solo pensiero che qualcuno avesse osato toccarla mi colmò di rabbia.

L'uomo continuava ad avanzare.

Con i pugni stretti lungo i fianchi, scavalcò il corpo inerte di Wren e digrignò i denti, ringhiando qualcosa di osceno.

Il fatto che non avesse rallentato giocò a mio favore, perché il suo impeto rese ancora più efficace il mio destro. Mi ribolliva il sangue e ci avevo messo più potenza che precisione, mancandogli il mento ma andando a segno sul naso, che cedette con uno schianto secco. Non sono molti gli uomini capaci di reggersi in piedi con un naso rotto.

E quel bastardo non era tra questi.

Gane lo immobilizzò a terra, Whitestone si inginocchiò ad ammanettarlo mentre io mi chinavo su Wren, chiamandola più volte; provavo un'angoscia crescente alla vista del suo volto esangue e del suo corpo inerte sotto le mie mani.

Poi, sentendomi osservato, alzai gli occhi. La ragazzina nel miniabito mi fissava: avrei voluto dirle che era al sicuro, adesso, ma non c'era tempo. Altri uomini si stavano avvicinando.

Alcuni erano armati di martelli. Gane sollevò una mano per proteggersi da una martellata, incassò il colpo sull'avambraccio e poi tese una gamba, sferrando un calcio fulmineo con la pianta del piede, un movimento istintivo imparato in un corso di arti marziali. Centrò il suo aggressore nel punto vulnerabile tra stinco e ginocchio e, appena quello lasciò cadere il martello, gli bloccò il collo con una presa da dietro. Il tizio si dimenava, cercando di ficcargli le dita negli occhi e urlando bestemmie, ma Gane non mollava. Barcollarono avvinghiati nell'atrio, alla luce smorta del vecchio lampadario.

Whitestone si stava rialzando, con un piede premuto sulla gola del tizio a terra, quando vidi una figura che puntava una sorta di bomboletta gialla verso di lei. Le gridai di abbassarsi e mi scagliai contro l'assalitore nel momento esatto in cui lui spruzzò il liquido.

La testa di Whitestone fu avvolta dai vapori sprigionati dall'acido, percepii l'odore dei suoi abiti bruciati.

L'ispettore capo emise un urlo, le mani strette al collo. Avvertii l'esalazione nauseabonda della pelle bruciata e nello stesso momento sentii i denti dell'uomo a terra sotto di me conficcarsi nelle mie nocche, subito dopo avergli sferrato un destro in bocca.

Quando rialzai la testa, davanti a me era comparsa una foresta di gambette sottili e piedini infilati in scarpe troppo grandi. Una folla di bambine. E di bambini ancora più piccoli, tutti con un bicchierino di carta in mano e gli occhi sgranati per lo stupore.

«Acqua!» urlai a Whitestone, che ululava di dolore, stringendosi le dita al collo. «Buttaci dell'acqua, subito!»

Gli uomini battevano in ritirata.

Quello che aveva aggredito Gane riuscì a divincolarsi e sparì con gli altri nella stanza sul fondo da cui erano sbucati. Da fuori risuonava il rombo dei motori, tra urla di panico e di rabbia, poi il rumore delle macchine che partivano a tutto gas, con le gomme che slittavano sull'erba fradicia.

Avevano tagliato la corda.

Whitestone era sparita in cerca di acqua. Wren era ancora svenuta.

E sotto la nevicata che a poco a poco riempiva la casa, vidi Gane arrampicarsi a fatica verso il piano di sopra. Stava andando a prendere il bambino, ma trascinava una gamba, evitando di appoggiare il peso su un ginocchio.

Ridotto in quello stato, mi chiesi come sarebbe riuscito a superare la scalinata distrutta.

E poi vidi l'uomo che lo seguiva.

Fat Roy, coperto di sangue.

Dalla ferita al naso, dove gli avevo strappato l'anellino, e dalle mani con cui aveva sfondato a pugni il finestrino della BMW X5.

Per un momento restai come ipnotizzato dal riflesso delle schegge di vetro, impigliate sulle maniche della sua giacca e illuminate dal bagliore del lampadario agonizzante.

Poi mi resi conto che Gane non l'aveva visto.

E cominciai a rincorrerlo.

Gane si era fermato in cima alla scalinata, a studiare il vuoto davanti a sé. Continuando a correre, lo chiamai.

«Curtis!»

Si voltarono entrambi, Gane fermo sulle scale e Fat Roy ormai a un passo da lui: fu solo allora che, abbassando lo sguardo, vidi il coltello.

Un serramanico con l'impugnatura di alluminio.

La lama era lunga almeno dieci centimetri.

Guardai Fat Roy negli occhi, mentre me la conficcava nello stomaco.

La coltellata mi levò il fiato. Come un pugno, sferrato secondo le indicazioni di ogni bravo allenatore: colpisci e poi ritira subito la mano.

Così sei pronto a colpire di nuovo.

Caddi in ginocchio, atterrato dallo shock ma non ancora dal dolore, portandomi la mano sul fianco, mentre Fat Roy avanzava di mezzo passo e mi diceva tutto quello che si era tenuto dentro fino a quel momento.

«Coglione di uno sbirro» sussurrò, come condividendo un segreto riservato solo a me. «Cosa pensavi che ne facessimo, dopo averli spremuti per bene? Credevi che li rimandassimo da mamma e papà?»

Distolse lo sguardo.

Io ero ancora in ginocchio. Non cadevo e non mi rialzavo. Osservavo stordito il palmo della mia mano.

Sangue fresco.

Sollevai gli occhi e vidi Gane che arretrava di fronte al pugnale di Fat Roy; poi i gradini finirono e lui sparì nel vuoto.

A quel punto mi alzai e ricominciai a correre, mentre Fat Roy fissava il baratro nel quale era precipitato Gane, con le braccia abbandonate lungo i fianchi e il coltello intriso del mio sangue ancora stretto nel pugno.

«Ehi!» gli dissi, facendolo ruotare su se stesso.

Lo squadrai da un paio di gradini più in basso: avevo il destro all'altezza del suo petto.

Sferrai un pugno con tutta la forza e la rabbia che avevo in corpo. Al cuore.

Lui barcollò all'indietro, poi sbarrò gli occhi per il terrore sentendosi mancare il terreno sotto i piedi.

Continuò a gridare fino a quando lo schianto non lo ammutolì.

Con una mano premuta sul fianco e ancora sotto shock, mi affacciai nel buio: al piano di sotto, i due corpi erano riversi sul pavimento.

Non si muovevano. Gane aprì la bocca, come per dire qualcosa, un rivolo di sangue gli colò dalle labbra. Ma io non mi fermai: aggrappandomi al corrimano pericolante, superai il baratro, atterrando dall'altro lato con un balzo.

Correvo in un corridoio deserto, in un'area della casa meno devastata, con la tappezzeria che si arricciava sulle pareti crepate e la moquette coperta di muschio, ma senza pozzanghere né sterco di animali. Tenevo ancora la mano sinistra sul fianco e sentivo sul palmo il sangue tiepido che usciva dalla ferita.

Gridai il suo nome. Continuai a chiamarlo – «Bradley! Bradley! Bradley!» –, aprendo una porta dopo l'altra.

Le stanze erano tutte identiche. E tutte vuote.

Tendaggi di velluto usurati dal tempo e nessun mobile, a eccezione di un materasso di tanto in tanto. E poi, macerie ovunque. Pezzi di intonaco, piastrelle, mattoni, come se la villa fosse stata bombardata.

«Bradley! Bradley! Bradley!»

E poi trovai la stanza con i corpi.

Storditi e seminudi, accasciati l'uno sull'altro sui materassi allineati, in attesa di una spaventosa chiamata. Al mio arrivo alcuni di loro si erano destati, ma io mi ritrassi alla vista di quel groviglio di corpicini che cominciavano a districarsi e a strisciare verso di me.

Sembravano serpenti più che bambini. Si muovevano carponi, seguendo il suono della mia voce, e io fui scosso dai brividi a quella visione.

«Sono un poliziotto! Va tutto bene, torno subito! Siete al sicuro, adesso!» gridai, precipitandomi fuori per riprendere le ricerche.

Il piccolo era nella stanza in fondo al corridoio.

L'ultima.

Chiusa a chiave.

Sfondai la porta con un calcio. Per riuscirci, bisogna sferrare un colpo secco, con il tallone, usando la gamba più forte e mirando il punto esatto in cui passa il blocco della serratura.

Se lo centri, la porta si spalanca.

Era disteso a faccia in giù sul lenzuolo che copriva il lettino.

Indossava una maglietta e un paio di mutandine; un filo di sangue gli scorreva sulla coscia.

Capii che era morto prima ancora di sentirgli il battito sul polso e sul collo.

Prima ancora di vederne gli occhi sbarrati.

Troppo esausto per reggermi ancora in piedi, mi accasciai accanto al lettino, abbandonai la testa sul petto e cedetti alle lacrime, sfogando la rabbia e il dolore in urla inutili. Non potevo cambiare il corso degli eventi.

«Ti prego, Dio. Ti prego. Ti prego...»

Non ricordo se pronunciai quelle parole o le pensai soltanto. Non lo so. E nel frattempo mi domandavo che cosa gli stessi chiedendo, di preciso, perché ormai nemmeno lui poteva aiutarmi.

Era troppo tardi per salvare il bambino.

E singhiozzai di nuovo, al pensiero della madre che aspettava il figlio nel casermone della Barriera, appena dietro l'angolo di Electric Avenue, mentre con una mano mi tamponavo la ferita allo stomaco e con l'altra stringevo le dita già fredde di quel piccolo innocente: Michael McCarthy, di Brixton.

FEBBRAIO

PREGIUDICATI

17

«La sua famiglia è arrivata» disse l'infermiera.

Fissai la porta finché non comparve Scout. Indugiò sulla soglia, incerta per un momento, con la divisa della scuola abbinata alle sue scarpe preferite, quelle da ginnastica con le lucine sui talloni che lampeggiano a ogni passo. Emanando bagliori verdi e blu nella penombra della stanza, raggiunse il mio letto; alle sue spalle sfilò l'intero clan dei Murphy.

C'erano tutti. La signora Murphy con Big Mikey. Little Mikey, nei suoi abiti da lavoro, con Shavon e Damon per mano. Siobhan con Baby Mikey in braccio.

Mi venne da piangere per il sollievo e la gratitudine.

Non avrei mai potuto farcela senza di loro.

Scout si sollevò in punta di piedi, avvicinandosi ma senza sfiorarmi, impaziente di comunicarmi qualcosa con tutta la sua urgenza di bambina.

Mi sporsi verso di lei quel poco che la ferita mi consentiva.

«Non voglio più che ti fai male, okay?» bisbigliò. «Siamo d'accordo?»

Mi sentii invadere da un tremendo senso di colpa e di impotenza. Ma, soprattutto, mi vergognavo. Quelle parole mi avevano serrato la gola e colmato gli occhi di pianto, al punto che per un lungo istante non fui in grado di parlare. La strinsi al petto per non mostrarle le mie lacrime. Avrebbe meritato un padre molto migliore di me.

«Promesso, Scout» riuscii a dire infine, provando il terrore assoluto del genitore solo, la spaventosa consapevolezza di essere l'unico baluardo che separa tuo figlio dal marciume del mondo.

La baciai sulla testa inspirando il suo profumo, un misto di shampoo, caramelle e pennarelli. Per tutta risposta, lei mi prese il volto tra le mani e mi scrutò a fondo negli occhi. Io chinai la testa, costringendomi a inghiottire la commozione che minacciava di sopraffarmi.

Devi vivere, dissi a me stesso. *È questo il tuo unico compito: vivere abbastanza a lungo da crescere questa bellissima bambina. Ancora non l'avevi capito, idiota? Non c'è nessun altro a occuparsi di lei.*

Poi smettemmo di sussurrare e ci staccammo. I Murphy erano carichi di regali – frutta, cioccolato, un piccolo mazzo di fiori – e io li ringraziai, mentre loro mi guardavano con sincera preoccupazione.

«Mi dispiace» dissi alla signora Murphy, sentendo il dovere di giustificarmi. «Fa parte del mestiere.»

«Lo so, caro» rispose lei, ma sembrava dubbiosa, come se in realtà le risultasse sempre più difficile capirlo, il mio mestiere.

Perché anche lei amava Scout.

Cercai di produrmi in un sorriso rassicurante. «Vedeste com'è conciato quell'altro!» dissi, e Little e Big Mikey premiarono la battuta con una risatina nervosa. Alla signora Murphy e a Siobhan non strappò neanche un sorriso.

Poi si impietrirono tutti, quando sobbalzai per una fitta improvvisa. La signora Murphy appoggiò una mano sulla spalla di Scout e lei alzò gli occhi a guardarla.

Il mio organismo reagiva come ogni corpo trafitto da una lama. Dal punto di ingresso, un dolore acuto e pulsante si irradiava in tutto il busto, costringendomi a movimenti così meccanici e maldestri da farmi temere che non avrei mai più recuperato il pieno controllo degli arti.

Eppure, sapevo che mi era andata di lusso.

Se proprio devi beccarti una pugnalata, lo stomaco è il bersaglio migliore.

Perché sono l'emorragia e il collasso degli organi a uccidere la vittima di una ferita da arma bianca. Se il tuo aggressore non recide un'arteria, se la ferita non causa un'emorragia interna o esterna, se lo shock non provoca un infarto o un ictus, allora non devi fare altro che riposare e mangiare uva per un paio di giorni, tenere sotto controllo la pressione sanguigna e la temperatura corporea, e sopportare il dolore mentre ringrazi il cielo per la tua buona sorte. Una pugnalata allo stomaco non è la cosa peggiore che possa capitare a uno sbirro. Per mia fortuna, Fat Roy era un dilettante e non aveva mirato al cuore, al collo, ai polmoni o a un occhio. Colpito in uno di questi punti, sei spacciato.

«Stan dov'è?» domandai. Era buffo pensare a quante delle nostre conversazioni ruotassero intorno a quel cagnetto.

«È nel mio furgone» rispose Big Mikey, che sembrava ancora sconcertato dagli eventi.

«Io lo adoro» commentò Little Mikey.

«È un bravo cane» aggiunse la signora Murphy.

«Anche se con gli altri cani è diventato incontenibile» disse Scout sorridendo. «*Ciao, io sono Stan! Tu chi sei? Io mi chiamo Stan! Vuoi essere mio amico?*»

Ridemmo tutti. Rendeva perfettamente l'idea.

«Credo che stia per raggiungere la maturità sessuale»

sentenziò mia figlia; i Murphy smisero di ridere all'istante, io ero sul punto di arrossire. Scout si sporse di nuovo verso di me. «Senti» bisbigliò.

«Dimmi» sussurrai in risposta.

«Voglio aiutarti nel tuo lavoro.»

«Tu mi sei già di grande aiuto, Scout. Il tuo compito è comportarti bene con la signora Murphy, tenere d'occhio Stan e la nostra casa. E impegnarti a scuola. E, comunque, domani uscirò di qui.»

Lei mi scosse con tutta l'irruenza di una bambina piccola che esige di essere compresa. «Voglio stare con te, tutto il tempo» disse.

«E infatti è così» risposi, battendomi un dito sul cuore. «Tu sei sempre con me: qui dentro.»

Mi imitò, battendosi la mano sullo stemma della scuola ricamato sul blazer.

«Non dimenticare il nostro accordo» ammonì. «Okay, papà?»

«Vieni qui.»

Aprii le braccia, lei si avvicinò e io la strinsi con tutta la forza che mi restava.

La mia bellissima bambina, così intelligente e, a cinque anni, già un'esperta negoziatrice.

Appena uno scricciolo, ma era tutto il mio mondo.

Il dolore vero arrivò di notte, squassandomi con fitte identiche alla pugnalata. Una spanna di buon acciaio che penetra la pelle e la carne indifese, conficcandosi nello stomaco per poi trasmettere il dolore ai nervi, ai muscoli e a tutto il corpo, fin dentro la testa e nei tuoi sogni.

I sonniferi non erano nemmeno lontanamente sufficienti a placare quelle fitte lancinanti, e mi svegliai senza fiato. Edie Wren sedeva sull'unica seggiola della stanzetta.

«Quest'indagine è un casino» mormorò. «Un vero disastro.»

Non riuscivo a capire se parlasse da sola o con me. I farmaci mi avevano annebbiato il cervello.

Poi ricordai il sopralluogo a Oak Hill Farm. Le foto di Mary Wood, giovane, bellissima – e adesso morta –, sul soffitto della roulotte. I pugni, i calci, la furia della folla. L'arresto di Peter Nawkins, e poi la sua fuga.

«L'abbiamo riacciuffato?»

Lei scosse la testa. «Non ancora. Ma sulle sue tracce c'è tutta la polizia del paese. Non potrà sfuggirci a lungo.»

Un'ondata di nausea dissipò la nebbia che mi ovattava il cervello. Ricordai la casa di Bishops Avenue, Wren stesa da un pugno in piena faccia, il sibilo dell'acido che ustionava il collo di Whitestone, la posizione innaturale del corpo di Gane dopo il volo dal piano di sopra.

E le dita fredde del bambino riverso su quel lettino.

Trattenni a forza l'accesso di nausea e cercai di concentrarmi su quello che mi circondava mentre Wren, quasi lo facesse per solidarietà, si chinò sul cestino in preda a uno spasmo, ma non vomitò nulla.

«Scusami» disse, passandosi il dorso della mano sulla bocca. «Non so cosa mi stia succedendo. Un colpo in testa ti stordisce completamente, non pensavo ci volesse così tanto a riprendersi.»

«Stai proprio male, eh?»

«Non ti sembra una domanda un po' stupida?»

«Vedi le stelline nere?»

Annuì.

«Dovresti stare a riposo. Hai tutti i sintomi di una commozione cerebrale, Edie.»

Mi insultò; nonostante la penombra, vidi che aveva gli occhi lucidi.

«Non voglio che torni a casa da sola» le dissi. «Ora ti cerco un passaggio...»

«Ce l'ho, un passaggio» mi interruppe, e solo allora notai l'uomo in attesa, appena fuori dalla porta.

Era un tipo attraente, in giacca e cravatta e azzimato quanto un politico in campagna elettorale, ma molto più vecchio di come l'avevo immaginato, forse vicino ai cinquanta. Aveva una capigliatura nera e folta, pettinata con cura, e il fisico di chi è stato un atleta in gioventù e nei vent'anni successivi ha fatto l'impossibile per tenersi in forma. Decisamente un bell'uomo, e ne era consapevole. Mi sembrava quasi di vedere i flaconi di creme e lozioni allineati sulle mensole del suo bagno. Quando alzò il polso per controllare l'orologio, la fede nuziale mandò un lampo, riflettendo la luce al neon del corridoio. Non potei evitare di chiedermi quali menzogne avesse raccontato alla moglie per uscire di casa, quella sera.

L'amante sposato di Edie Wren.

Lei mi guardava con un'aria di sfida.

«Come sta il capo?» domandai.

«Ha avuto fortuna. Ammesso di poter definire così un getto di acido solforico addosso. È incredibile come basti smontare la batteria di un'auto per entrare in possesso di un'arma così pericolosa. Comunque, Whitestone è tosta. La cicatrice sulla nuca le resterà a vita, ma il colletto della giacca l'ha protetta. Dovrà comprarne una nuova.»

Deglutii a fatica. «Gane è morto, vero?»

«No. Fat Roy è deceduto in ambulanza... ma non Curtis.»

«Ma l'ho visto cadere.»

«È vivo.»

Tacemmo entrambi. L'ospedale era silenzioso, ma in lontananza, proveniente dalla zona di Archway, si sentiva il rumore del traffico.

«Si è spezzato la spina dorsale» riprese Wren. «Ma non è morto.»

Faceva fatica a controllare il respiro.

«È una morte un po' peggiore» disse.

Quando riaprii gli occhi, era giorno fatto; in piedi accanto al mio letto c'era la ragazza più bella che avessi mai visto. No, non una ragazza. Una donna, ma abbastanza giovane da avere tutta la vita davanti a sé. Bionda, con un cappotto rosso. Per il resto dei miei giorni avrei pensato a lei, ogni volta che avessi incrociato una bionda con un cappotto rosso.

«Chi era?» domandò piano Charlotte Gatling, massaggiandosi il polso sinistro, lo stesso tic nervoso che avevo notato in quel servizio televisivo.

Ero ancora un po' confuso, ma capii comunque a chi si riferiva. Abbassai le palpebre e lo rividi davanti a me. Un'immagine che non sarei mai riuscito a cancellare dalla mente. «Si chiamava Michael McCarthy» risposi. «Aveva quattro anni. Viveva con la madre a South London. Brixton.» Riaprii gli occhi e la guardai. «Un bambino che aveva già il destino segnato.»

Sedette sul bordo del letto. «Pensavate che fosse mio nipote» disse. «Stavate cercando Bradley.»

Annuii. Mi sembrava di aver tradito tutti, ma Michael McCarthy e Bradley Wood più di chiunque altro.

«L'uomo di cui parlano al telegiornale» proseguì. «Quello ricercato dalla polizia... Peter Nawkins. È stato lui a uccidere mia sorella?»

«Abbiamo trovato indizi di un possibile collegamento.»

«Che genere di indizi?»

«Forse per lei è meglio non saperlo.»

Negli occhi azzurri della donna brillò un lampo di irritazione. «Mi creda, ispettore Wolfe: io la realtà preferisco guardarla in faccia.»

«Peter Nawkins era ossessionato da sua sorella. Aveva centinaia, forse migliaia di foto di Mary, incollate al soffitto sopra il suo letto. E poi si è sottratto all'arresto. Adesso è un latitante. E gli innocenti non scappano.»

«Lo prenderete?»

«Posso garantirglielo con certezza quasi assoluta.»

«E di mio nipote? Nessuna traccia?»

Il suo sguardo era diventato implorante. Aveva bisogno di essere rassicurata.

«Continueremo a cercarlo» dissi. «Non ci arrenderemo finché non l'avremo trovato.»

Annuì. Poi si abbandonò al dolore, prendendosi il viso tra le mani. Restai a guardarla singhiozzare, le lacrime che le bagnavano le dita.

«Povero piccino» mormorò. «Povero, piccolo Michael. Cosa deve aver passato...»

Non piangeva per il nipote. Piangeva per un bambino che non aveva mai visto, e quella reazione mi suscitò un sentimento che avevo creduto morto per sempre.

Tesi una mano per sfiorarle un braccio e lei ritrovò il contegno.

«L'infermiera mi ha detto che l'hanno pugnalata» continuò. «Soffre molto?»

«Adesso va un po' meglio.»

«È la prima volta?»

«Con un pugnale, sì. E spero anche l'ultima.»

«Gli uomini che avete sorpreso... quelli che vi hanno aggredito... loro non c'entrano con quanto è accaduto a mia sorella e alla sua famiglia?»

Scossi la testa.

«Grazie» mormorò lei. «Ha rischiato la vita per trovare Bradley. Si è esposto in prima persona, pur avendo una famiglia che dipende da lei. Ma le dirò una cosa: non è morto. Bradley è vivo. Mi crede?»

«Certo.»

Mi strinse la mano.

Nei suoi lineamenti indovinavo un'ombra della sorella. Non mi sorprendeva il fatto che Peter Nawkins avesse perso la testa per un volto simile. Una sola occhiata. A volte non serve altro.

Immaginai Nawkins che alzava lo sguardo dal vialetto davanti alla casa e restava folgorato dalla perfezione del sorriso e degli occhi azzurri di Mary. Non era difficile da credere. Era comprensibile che, alla vista di Mary Wood nella luce di fine estate, quel sempliciotto ingenuo e solitario si fosse convinto di non aver mai contemplato nulla di più bello in vita sua. Ciò che invece non riuscivo a spiegarmi era perché quella stessa bellezza avesse deciso di distruggerla.

Charlotte mi stringeva ancora la mano, io appoggiai l'altra sulla sua.

Trattenni il respiro.

«Posso abbracciarla?» mi domandò, restando a guardarmi in attesa di una reazione. Ma io non riuscii a rispondere. Ero senza parole.

Così lei aprì le braccia e mi strinse in modo un po' impacciato. Sentivo il suo profumo, la splendida concretezza della sua esistenza. Il suo volto era vicino al mio, ma quando girai la testa per guardarla lei si scostò.

Si sistemò il cappotto rosso e riallacciò il bottone del colletto.

«Mio fratello mi sta aspettando» disse.

18

La rividi quando tornai al lavoro. Sollevai gli occhi dalla mia scrivania nella sala operativa ed eccola là, sul megaschermo del televisore, con un'espressione indecifrabile sul viso pallido mentre i flash scattavano impazziti ogni volta che alzava lo sguardo.

Era tardo pomeriggio; al secondo piano di West End Central era in corso una conferenza stampa. Charlotte Gatling sedeva al lungo tavolo accanto al fratello Nils e al sovrintendente capo, Elizabeth Swire, che copriva con una mano il microfono mentre la nostra addetta stampa le bisbigliava qualcosa all'orecchio.

«Grazie a tutti per essere venuti» esordì l'addetta stampa. «Il sovrintendente capo Swire farà una dichiarazione in merito agli ultimi sviluppi. Non risponderemo alle domande. Grazie.»

Charlotte si voltò a guardarla, mentre una raffica di scatti si affannò a catturare l'istante.

«Morte e bellezza» disse Wren sottovoce. «Ne vanno matti.»

La porta si aprì e il dottor Joe Stephen entrò nella sala operativa. Il misto di shock e pietà con cui lo psicologo forense contemplò la nostra squadra la diceva lunga sul nostro aspetto.

Wren continuava a borbottare tra sé, manifestando tutti i sintomi della commozione cerebrale che aveva annientato per sempre milioni di neuroni nel suo cervello. Io stavo un po' meglio, ma la ferita al fianco non si era ancora rimarginata del tutto: il sangue inzuppava le bende, allargandosi in una grossa macchia sulla camicia. E l'ustione causata dall'acido sotto la nuca di Whitestone aveva il colore della carne viva.

Di colpo mi domandai se anche suo figlio le avesse rivolto la stessa richiesta che mi aveva fatto Scout. Si sentiva in dovere di proteggerla? Voleva che cambiasse lavoro? Si chiedeva cosa ne sarebbe stato di lui, se la madre fosse morta? E Whitestone si poneva le stesse domande? Avrei voluto parlarne con lei, ma non sapevo da dove cominciare.

Il dottor Stephen sfiorò lo schienale della sedia vuota alla scrivania di Gane.

«Abbiamo rintracciato Nawkins?» domandò.

«Non ancora» risposi. «Dove potrebbe nascondersi, secondo lei?»

Lui rifletté un momento. «C'è un posto in cui si senta amato?»

Wren scoppiò in una risata sarcastica.

«No» dissi io.

«Allora continuerà a scappare.»

«Stanno per cominciare» ci avvertì Whitestone.

«In primo luogo, vogliamo esprimere le nostre condoglianze alla famiglia del piccolo Michael McCarthy» disse il sovrintendente capo Elizabeth Swire. «Posso confermare che la recente retata in Bishops Avenue non era, come ritenuto all'inizio, collegata all'indagine sugli omicidi della famiglia Wood e il rapimento di Bradley Wood.» Fece una pausa per lasciar vagare lo sguardo sulla platea.

Sapeva come si parla in pubblico, seguiva un proprio ritmo. «Sono stati eseguiti alcuni arresti. Ci saranno diverse incriminazioni.» Una rapida occhiata ai suoi appunti. «Quindici minori, di età compresa tra i nove e i quindici anni, sono stati soccorsi e affidati in via temporanea ai servizi sociali.» Un'altra pausa. «Confermiamo il nostro impegno a individuare i responsabili della morte di Brad Wood, di sua moglie Mary e dei due figli, Marlon e Piper. E del sequestro del piccolo Bradley.» Il suo volto si indurì. «Siamo sicuri che Peter Nawkins possa assisterci nell'inchiesta e chiediamo a chiunque abbia informazioni sul suo conto di contattarci al numero visibile alle mie spalle. Non avvicinatelo. È stato in carcere per omicidio e potrebbe uccidere ancora. Grazie.»

Si alzarono tutti. Scarlet Bush, cronista di nera del «Daily Post», scattò in piedi.

«Charlotte! Charlotte!»

Lei si girò d'istinto, sentendosi chiamare per nome. Le macchine fotografiche andarono in visibilio.

L'addetta stampa sollevò le mani. «Niente domande, ho detto!»

Scarlet Bush la ignorò. «Charlotte, vuole dire qualcosa ai rapitori di Bradley?»

Nella sala stampa calò il silenzio, persino i *clic* dei fotografi si zittirono. Charlotte Gatling squadrò la reporter, poi il suo sguardo si perse nel vuoto, concentrato su qualcosa che nessun altro poteva vedere. «Vi prego» rispose. «Ecco cosa vorrei dire ai rapitori: vi prego...»

Il fratello le prese un braccio, come per condurla via, ma lei restò piantata dov'era, dando prova di una fermezza imprevista per una donna all'apparenza tanto fragile. «Vi prego, non fategli del male» proseguì. «Chiunque siate e qualunque cosa abbiate fatto, guardatelo: è soltanto un bambino innocente, non merita di soffrire...» Poi chinò la testa. Il volto di Nils Gatling era una maschera impassibile. Non cercava nemmeno più di dissuaderla. «Vi prego, lasciate che Bradley torni a casa.» La conferenza stampa finì. Il sovrintendente capo Swire salì da noi per spiegarci perché la preghiera di Charlotte non sarebbe stata esaudita.

«Vi hanno conciati per le feste» disse Swire entrando nella sala operativa. «Lascia che ti dia un'occhiata, Pat.» Osservò l'ustione di Whitestone. Dietro l'orecchio sinistro c'era una bruciatura profonda: la cicatrice sarebbe rimasta per sempre. Il sovrintendente capo la abbracciò e lei trasalì, un po' per l'imbarazzo, un po' per il dolore al collo.

Io e Wren ci scambiammo uno sguardo. Swire non era certo un tipo espansivo, e Edie sorrise con aria nervosa, come se temesse di essere la prossima della lista.

Whitestone teneva le braccia lungo i fianchi, con aria impacciata, ma dopo un momento batté piano una mano sulla schiena del sovrintendente capo, come per dirle: *Grazie, basta così.*

Swire recepì il messaggio e arretrò. «Come sta il detective Gane?» domandò, puntando uno sguardo indagatore negli occhi dell'ispettore capo.

«Non molto bene» rispose lei.

Swire annuì con aria cupa. Era una donna fredda e controllata, non facile da amare, ma per la prima volta mi sembrò di intravedere in lei un affetto sincero per tutti noi.

«E tu come stai, Pat?» chiese.

Whitestone fece una smorfia, sforzandosi di tenere a bada le emozioni. Non aveva aperto bocca, ma Swire indovinò a cosa stesse pensando: il nostro capo si rimproverava di non aver aspettato i rinforzi, l'arrivo della squadra armata e degli specialisti, prima di fare irruzione nella villa.

«Hai preso la decisione giusta, Pat» le disse, in tono pacato.

Whitestone deglutì a fatica e cercò di sorridere, invano. «Lei crede?» rispose. Aveva gli occhi lucidi dietro le lenti degli occhiali. Se li sfilò, asciugandosi rabbiosamente le lacrime con il dorso della mano; per un istante il suo volto apparve inerme, lo sguardo sfocato. Poi se li sistemò sul naso, batté le palpebre e tornò a fissare Swire con un'espressione decisa.

«Dovevi agire per forza, Pat: il conto delle vittime rischiava di salire» argomentò il sovrintendente capo. «Potevano morire altri bambini. Era la cosa giusta da fare. Certo, se avessi aspettato, magari tu e i colleghi ne sareste usciti meno malconci.»

«Malconci» ripeté Whitestone, monocorde.

Eravamo tutti maestri dell'*understatement*, ma "malconci" era un eufemismo troppo grande. Con Gane ridotto in quello stato.

Swire annuì. Non voleva consolarla, credeva davvero alle proprie parole: Whitestone aveva preso la decisione giusta e noi avevamo compiuto il nostro dovere.

«Presteremo al detective Gane tutta l'assistenza di cui avrà bisogno» proseguì. «È la regola. Noi ci prendiamo cura dei nostri uomini. Questo lo sai, vero?»

«Sì, signora.»

Poi Elizabeth Swire si rivolse al resto di noi.

«Avete sgominato uno dei più grossi racket di pedofili del Nord Europa. Quelle canaglie finiranno in carcere per un bel pezzo. Avete salvato molti bambini.»

Ripensai a Michael McCarthy. Quel nome non avrebbe mai smesso di tormentarmi.

«Non c'è bisogno che specifichi qual è la nostra massima priorità, adesso.»

«Trovare il bambino» intervenne Whitestone. «Trovare Bradley Wood.»

Swire scosse la testa. «Il bambino è morto» disse in tono calmo.

Ci lasciò un momento per accusare il colpo, poi riprese: «È passato troppo tempo. Bradley Wood se n'è andato e non tornerà più. Forse si trova nel raggio di due chilometri dalla sua casa di Highgate. O magari nel letto di un fiume, in una discarica o in qualche fognatura sperduta nell'Essex. In ogni caso, è morto. Come si fa a pensare che possa essere ancora vivo?».

Restammo in silenzio.

Aveva ragione.

Era impossibile anche solo immaginare che l'avessero risparmiato.

Charlotte e il fratello potevano ancora sperare che i rapitori non gli avessero fatto del male. O forse *dovevano* sperarlo, per non perdere la ragione. Magari non avevano altro modo per riuscire a strappare almeno due ore di sonno per notte.

Ma nel mondo reale, le cose non andavano così.

Nel mondo reale, i bambini rapiti venivano sfruttati, spremuti. E poi buttati via.

Oppure rinchiusi, e poi eliminati.

Nessuno sequestrava un piccolo per offrirgli affetto e protezione. Anche chi desiderava disperatamente un figlio non arrivava al punto di rubare quello di un altro. Quella era soltanto un'illusione cui si aggrappavano le famiglie. E io le capivo perfettamente.

Nei loro panni, avrei reagito allo stesso modo.

«Bradley non tornerà mai più a casa» ripeté il sovrintendente capo. «Se n'è andato. Possiamo solo augurarci che per lui sia finita in fretta. E, se avremo fortuna, scoveremo un corpo da restituire alla famiglia. Ma non facciamoci illusioni. Non esiste alcun lieto fine per i bambini che restano nelle mani dei rapitori così a lungo. Quindi, non resta che inchiodare il responsabile. Trovare Peter Nawkins. Vivo o morto, per me fa lo stesso. Prendete quel bastardo e mettiamo fine a questo circo.»

Così tornammo a Oak Hill Farm.

E la rivoltammo come un calzino.

19

Il volto di Mary Wood sorrideva dalle migliaia di foto sul soffitto della camera di Peter Nawkins.

In piedi in cima a una scala, un agente della scientifica fotografava quella sorta di santuario mentre un collega filmava il tutto. Finito il loro lavoro, altri sarebbero intervenuti per staccare le foto e collocarle con cura nelle buste di cellophane. Il volto sorridente della ragazza, ripetuto in migliaia di scatti, sarebbe stato archiviato per sempre, contrassegnato dal numero di fascicolo.

Sean Nawkins fissava il soffitto con un'espressione disgustata in volto. «Assurdo» borbottò tra i denti, nel tono di un uomo che finalmente si convince della realtà dei fatti.

«Vorrebbe farmi credere che non ne sapeva niente?» gli domandai.

Lui continuava a scrutare le foto. «E come potevo saperlo?» rispose.

«Non era mai entrato in questa stanza?»

«Eravamo fratelli, non marito e moglie.»

«Però ha mentito su tutto il resto» obiettai. «Non ci aveva detto di aver lavorato per i Wood. E che c'era anche suo fratello, al Garden. Voleva farci credere che Peter non avesse mai visto Mary Wood. Mi guardi.»

Lui staccò gli occhi dal santuario: per la prima volta, lessi nel suo sguardo qualcosa di simile alla rassegnazione.

Intorno a noi gli specialisti stavano letteralmente smantellando la roulotte: staccavano i pannelli dalle pareti, sollevavano i listelli del pavimento, svitavano le lampadine. L'ispettore capo Whitestone e Wren erano accucciate in un angolo insieme a un collega che stava smontando una presa elettrica.

«Volevo soltanto proteggerlo» rispose Nawkins sottovoce.

«Ha intralciato le indagini.»

Lui fece una risatina sarcastica, recuperando un po' della vecchia spavalderia. «Al massimo, potete accusarmi di essere stato un testimone riluttante.»

«Testimone riluttante? È diventato un avvocato, adesso? La sua impresa aveva lavorato per la famiglia Wood.»

«È stato mesi fa! Sei mesi prima... del fatto.»

Avanzai di un passo. Tra gli agenti della scientifica, i colleghi che smontavano la roulotte e quanto restava della nostra squadra d'indagine, la stanzetta di Peter Nawkins cominciava a somigliare a una cella sovraffollata. «Conoscevate entrambi la famiglia Wood e non ce lo avete detto» insistetti.

«L'abbiamo vista solo una volta!» protestò lui. «E soltanto lei. Né il padre né i bambini. Solo la madre. La signora Wood. Mary. Era agosto, una giornata torrida: lei uscì a portarci una limonata. Di solito, quelli del suo ambiente non si comportano così. I ricchi di Londra, voglio dire.» Un risentimento antico e profondo gli offuscò lo sguardo. «Darebbero da bere a un cane, prima di dissetare una squadra di operai.»

Li immaginai sul vialetto, sudati e a torso nudo, a cuocere sotto il sole e in mezzo al catrame; poi Mary Wood usciva con la limonata: Peter Nawkins alzava gli occhi e si trovava davanti la donna più bella che avesse mai visto. «Suo fratello ha interagito con lei in qualche modo?» domandai.

«No» rispose Nawkins. Poi scosse la testa, di colpo impaziente di raccontare tutto nel dettaglio. «Lei ci ha offerto un vassoio con la limonata fresca. Peter ha preso un bicchiere. L'ha ringraziata e lei gli ha sorriso.» Restai in attesa. «Nient'altro?» chiesi infine.

«No.»

«E suo fratello non ne ha più parlato?»

«Non l'abbiamo più vista e lui non l'ha mai nominata. Più tardi è uscita una tizia, una domestica, a recuperare i bicchieri.»

«Come vi hanno pagati?»

«In contanti. Una busta lasciata dal signor Wood. Tutte banconote da cinquanta. Ce l'ha consegnata la domestica l'ultimo giorno di lavoro.»

«E il bambino l'avete visto?» Presi una foto dal portafogli e gliela mostrai. Il piccolo ritratto di un maschietto sorridente. Sean Nawkins non lo guardò nemmeno. Fissava un punto alle mie spalle.

«La foto l'ho già vista» replicò.

«La guardi di nuovo. È l'ultima volta in cui glielo chiedo per favore.»

Lui abbassò gli occhi, con una smorfia. «Il bambino era con lei» ammise. «Cos'altro vuole che le dica? Non era poi tanto strano. Un bambino piccolo insieme alla sua mamma che dava da bere agli operai.» Abbandonò la testa sul petto.

«Vieni a vedere, Max» mi chiamò Whitestone.

Le piastre delle prese elettriche erano state smontate e sparpagliate sul pavimento. L'agente aveva trovato qualcosa nella parete dietro una di esse. Sul palmo coperto dal guanto di lattice, Wren reggeva una bustina di fiammiferi e un paio di chiavi. Infilai anch'io i guanti, presi la bustina e la rigirai tra le dita. Sul retro c'era una scritta, in caratteri rossi.

ENGLISH BREAKFAST
HOLLOWAY ROAD, HOLLOWAY N7
CIBO BUONO E GENUINO

«Venga qui» dissi a Sean Nawkins. Lui mi raggiunse nella roulotte ridotta a un rottame e io gli mostrai i fiammiferi. «Conosce questo posto?» domandai. «L'English Breakfast in Holloway Road? Dove si trova, dalle parti di Highbury Corner?»

Nawkins sembrò sul punto di vomitare. «È all'altra estremità di Holloway Road» disse.

«Verso Archway?»

«Sì.»

«Dal Garden ci si arriva a piedi, giusto?»

Annuì.

«E voi ci siete andati.» Stavolta non era una domanda.

«Ci fermavamo là prima di andare al lavoro.»

Aprii la bustina. All'interno, sul cartoncino, erano scarabocchiate quattro cifre. Le mostrai a Whitestone e Wren.

1010

«Mille e dieci?» suggerì Wren.

«Dieci, dieci» la corressi.

«Quand'era il compleanno di Mary Wood?» domandò Whitestone.

Wren prese il cellulare. Digitò qualche tasto, attese un

paio di secondi, dopodiché trovò l'informazione. «Il dieci di ottobre» rispose. «Dieci, dieci è il giorno del suo compleanno.»

«È qualcosa di più» replicai. «Cosa usano quasi tutti come password? La data del compleanno. Avvertite l'unità di supporto tattico di verificare l'allarme antifurto di casa Wood, al Garden. Scommetto che il codice di accesso è ancora lo stesso.»

«Dunque è così che è entrato» commentò Whitestone. «Conosceva il codice. L'ha indovinato, o qualcuno gliel'ha riferito. Oppure, più probabilmente, l'ha visto digitare. E aveva un mazzo di chiavi rubate.»

Allungai la mano, Wren mi tese le chiavi. Non pesavano quasi niente. Una per la serratura della porta, l'altra per il chiavistello. Le osservai da vicino. Erano ancora lucide, senza un graffio.

«Avrà prelevato un mazzo giusto il tempo necessario per duplicarlo» dissi. «Questo non è quello rubato. Sono copie nuove di zecca.»

«Gli operai usavano il bagno di casa, dai Wood?» domandò l'ispettore capo. «In genere, nelle ville come quella, le imprese montano un wc chimico all'aperto, ma in caso contrario...»

Voltandomi per girare la domanda a Nawkins, lo vidi uscire dalla roulotte e lo seguii.

Una linea di agenti in uniforme circondava il perimetro esterno di Oak Hill Farm, tenendo indietro gli abitanti della zona.

Echo Nawkins marciava su e giù al di qua della recinzione, scagliando insulti contro la folla di curiosi, imitata dai suoi cani che abbaiavano inferociti.

«L'ho già visto succedere» disse Sean Nawkins, più a se stesso che a me. «E conosco già il seguito. Non smettono mai di odiarci, ma a volte capita qualcosa che fa scoccare la scintilla. E ci scappa il morto.»

Forse pensava alla moglie, arsa viva nella sua roulotte all'altro capo della città.

«Dovete arrestare mio fratello» aggiunse. «Se non vi date una mossa, questo campo andrà a fuoco.»

«Allora preghi che la polizia lo trovi per prima» risposi.

Dalla folla oltre il cordone di agenti, qualcuno lanciò un mattone. Atterrò in mezzo ai cani di Echo, scatenando latrati ancora più alti. La ragazza mostrò il medio, vomitando un fiume di insulti. Poi raccolse quanto restava del mattone e lo rilanciò indietro. La folla rispose con una raffica di bottiglie.

Una di esse finì a schiantarsi sugli anfibi di un giovane agente, fermo con i colleghi al posto che compete sempre alla polizia: l'occhio del ciclone.

Prima di tornare a casa feci una visita all'ospedale.

Era quasi mezzanotte, ma la madre di Gane era ancora là.

«Signora? Sono l'ispettore Max Wolfe, un collega di suo figlio.»

Era una donna caraibica di mezza età. Si aggiustò il cappello e si alzò con cautela. Poi mi strinse la mano e sorrise. Si era vestita elegante per sedere al capezzale del figlio nell'ospedale di Homerton. Gane era seminascosto dai monitor piazzati intorno al letto, ma lo sentivo respirare.

«Lei è più di un collega» disse la madre, con l'accento di Trinidad ancora marcato nonostante una vita passata a Londra. «È suo amico.»

Non sapendo come risponderle, mi limitai a sorridere e annuire.

La verità era che io e Gane non eravamo mai stati molto in confidenza.

Quando ero arrivato alla squadra omicidi, il detective Curtis Gane mi considerava un pivello. E aveva ragione. Lui ci vedeva più lungo. Eppure, chissà, forse in futuro saremmo davvero potuti diventare amici. Ormai, però, era tardi. Il tempo era scaduto.

«Vuoi vederlo, caro?» mi chiese la signora Gane, e di nuovo annuii senza aprire bocca.

Ci intrufolammo tra i macchinari e ciò che vidi mi levò il respiro. Gane aveva il collo ingabbiato in una sorta di collare e un grosso tubo infilato in gola. Non sembrava un paziente che i medici cercavano di tenere in vita. Somigliava più a un cadavere.

«Si è rotto la prima e la seconda vertebra cervicale» disse la madre sottovoce.

Mi sforzai di non lasciar trapelare lo shock e lo sgomento. «Cosa significa, esattamente?» domandai.

«Significa che il collegamento tra la spina dorsale e il cervello è stato reciso.» Gli sfiorò piano la fronte. «Eppure è ancora lui, no? È ancora il mio Curtis. Per prima cosa, devono stabilizzare le sue condizioni; poi cercheranno di capire come aiutarlo.»

Non sapevo cosa dire. Non avevo parole. Mi resi conto che la signora Gane era sfinita.

«Torni a casa a riposare» le suggerii. «Stanotte resterò io, qui con lui.»

Lei esitava. «Non vorrei lasciarlo, ma Molly è rimasta sola» disse. «Devo vedere come sta.»

Annuii. Non avevo idea di chi fosse Molly.

«È la gatta» proseguì, e rise. «Lo so, è assurdo. Con mio figlio ridotto in questo stato, io mi preoccupo di un gatto.»

«Non è assurdo.»

«E avrei bisogno di farmi una doccia.»

«Vada» insistetti. «La prego, signora Gane. Resterò io, qui. Non mi allontanerò finché non sarà tornata. Promesso.»

Infine si lasciò convincere e io presi il suo posto sulla sedia di plastica. Avrei voluto pregare. Piangere. Ma lacrime e preghiere erano al di là delle mie forze.

Così rivolsi un ultimo sguardo al volto di Gane, poi chiusi gli occhi e lasciai che i suoni surreali e attutiti dell'ospedale invadessero il mio dormiveglia.

Ore dopo, quando un'alba grigia cominciò a sorgere nel cielo di febbraio sopra i tetti dell'East End, i rumori intorno a me si zittirono e lui, finalmente estubato, parlò.

Disse soltanto quattro parole, e non so se le rivolse a me, a se stesso o alla vita che si era lasciato alle spalle. Ma quelle quattro parole mi trafissero il cuore e mi colmarono di terrore, al pensiero di ciò che mi attendeva là fuori.

Perché quella breve frase era la prova che sua madre si sbagliava di grosso.

«Non sono più io» disse Curtis Gane.

20

L'indomani uscii prima dell'orario dalla centrale per tornare al Black Museum a studiare i cimeli del Macellaio, ma la pistola da bestiame e i ritagli di giornale non mi rivelarono niente di nuovo. Sovrappensiero, vagai con lo sguardo sulla vetrinetta in cui erano custodite le foto dei poliziotti morti in servizio. I NOSTRI COLLEGHI ASSASSINATI, recitava la targa.

C'era oltre un secolo di storia in quei ritratti ufficiali. Alcuni agenti apparivano impassibili, altri trattenevano un sorriso. Le prime foto risalivano agli inizi del XX secolo, in bianco e nero, sbiadite dal tempo. Le ultime erano più recenti e testimoniavano in colori ancora vividi tagli di barba e capelli già passati di moda.

C'erano nomi diventati famosi, perché alcuni agenti erano deceduti in circostanze talmente tragiche da guadagnarsi gli onori della cronaca, tuttavia le didascalie erano avare di dettagli.

Agente Yvonne Joyce Fletcher. 18 aprile 1984. Venticinque anni. Sparatoria.

La didascalia non parlava del figlio di puttana che aveva aperto il fuoco all'interno dell'ambasciata libica.

Agente Keith Henry Blakelock. 6 aprile 1984. Quarant'anni. Accoltellato.

Non un cenno alla folla inferocita che aveva cercato di decapitarlo. Anche se forse era meglio così.

Tra i nomi più o meno noti, c'era quello di un uomo che avevo conosciuto e amato.

Ispettore capo Victor Mallory.

Riandai con la mente al rogo nel seminterrato, la donna che urlava e la lama che si conficcava nel collo di Victor, pochi centimetri al di sopra del giubbotto antiproiettile che avrebbe potuto salvargli la vita.

Cinquant'anni. Accoltellato.

La stragrande maggioranza dei caduti restava ignota ai più. Magari ad alcuni era stato dedicato un trafiletto su un giornale. Ad altri, nemmeno. Le cause dei decessi erano diverse, ma ricorrenti.

Arma da fuoco. Coltello. Arma da fuoco. Coltello. Investito. Investito. Scontro con un veicolo in un inseguimento. Colpito da oggetto contundente durante un arresto. Arma da fuoco. Coltello.

«Hai finito?» domandò il sergente John Caine.

Era l'ora di chiusura. Il sole stava calando e gli ultimi, deboli raggi strappavano un riflesso a pugnali, mannaie e pistole conservati nell'Ufficio 101 di New Scotland Yard come in una svendita infernale.

Tornai a scrutare la zona dedicata al Macellaio, con la pistola da bestiame rigata e intaccata dal tempo e l'articolo di giornale sbiadito nella vetrinetta.

Il Macellaio condannato per il raptus omicida costato la vita
a un uomo e ai tre figli

Ieri il tribunale ha condannato all'ergastolo il responsabile del
massacro di un uomo e dei suoi tre figli, trucidati con una pistola
per abbattere il bestiame.
Peter Nawkins, di diciassette anni, era fidanzato con l'unica figlia
di Ian Burns, il proprietario della fattoria di Hawksmoor, nell'Essex.
Quando il fidanzamento è andato a monte, Nawkins ha fatto irru-
zione nella fattoria e ha ucciso Burns e i suoi tre figli maschi: Ian
Junior, di ventitré anni, Martin, di venti, e Donald, di diciassette.
Dopo la strage, ha dato alle fiamme la casa. La signora Doris Burns,
di quarantotto anni, e la figlia Carolyn, di sedici, erano presenti, ma
sono scampate alla furia del killer ribattezzato "il Macellaio" dalla
stampa.

E le due foto.

Da un lato la famiglia Burns, sorridente sotto l'albero
di Natale: il padre, ancora più imponente di fianco alla
moglie e alla figlia, così minute, i tre ragazzi irrobustiti
dal lavoro nei campi.

Dall'altro Peter Nawkins, il pluriomicida con la faccia
da divo e il nomignolo a effetto, mentre veniva condotto
fuori dall'aula dopo la condanna per l'assassinio del contadino e dei tre figli. Restai a fissarlo per un lungo istante,
ma nel suo volto continuavo a intravedere qualcosa di
sfuggente, opaco.

Tornai con la mente a Curtis Gane, nell'ospedale di
Homerton, mentre il mio sguardo scorreva di nuovo
sulla vetrinetta e il pensiero andava alle vittime della nostra guerra quotidiana e incessante, senza vittoria né fine.
«Niente vetrinette per quelli che non muoiono?» dissi.

«Quelli con la vita distrutta e che devono trovare un modo per tirare avanti?»

«Non nel museo» replicò il sergente Caine, in tono brusco. «Ma credi che per questo siano dimenticati?»

Scossi la testa, vergognandomi di me stesso. «No.»

Lui cominciò a spegnere le luci.

«Non l'avete ancora arrestato» disse. Non era una domanda.

«Dove pensi che sia scappato, John? Lo psicologo forense, il dottor Stephen, dice che forse ha cercato riparo in un luogo in cui si sente amato.»

Il sergente rispose con una risata sarcastica. «Non parlerei di amore.» Poi si soffermò a riflettere. «Però è vero che quasi tutti i latitanti si nascondono da una donna. Quella che loro amano. Quanto a ciò che prova lei, in genere non se ne preoccupano troppo.»

Ripensai ai mille volti di Mary Wood che dal soffitto della roulotte si affacciavano sul letto solitario di Peter Nawkins; poi rividi il suo corpo senza vita sul tavolo d'acciaio dello Iain West.

«Non nel nostro caso.»

«Perché no?»

«Perché la donna che amava è morta.»

John Caine sbuffò di impazienza. «Non mi riferivo a Mary Wood. Non era lei la donna che amava. Ne era ossessionato, ma non la conosceva nemmeno. Intendevo la figlia del contadino.»

«La figlia del contadino?»

«Quella che Nawkins voleva sposare prima che il padre e i fratelli decidessero che piuttosto gli avrebbero tagliato le palle. Non è stato quello, l'inizio della tragedia? Due ragazzi si innamorano e il padre e i fratelli scelgono la castrazione come regalo di fidanzamento.»

«Da allora è passata una vita, John. Era il 1980 quando Nawkins è finito in carcere.»

«E con questo? A cosa credi che abbia pensato, in quei vent'anni di galera? Alla donna per la quale era finito dentro.»

Sorrisi. «Non ti facevo così romantico, sergente. Secondo te un amore può davvero durare tanto a lungo?»

Lui si inalberò. «Se dura di meno, non so cosa sia, ma di certo non è amore.»

Ci voltammo entrambi a guardare il vecchio articolo di giornale e la ragazza che sorrideva, ritratta insieme alla sua famiglia.

Il primo amore di Peter Nawkins.

«"Carolyn Burns, sedici anni"» lesse John Caine. «Chissà che fine ha fatto?»

Prima di tornare a casa, mi fermai alla palestra di Fred. Non avevo speranze di dormire se non mi sfogavo almeno un po', così infilai i guantoni e martellai il sacco fino a indolenzirmi le braccia.

Oscillando sui fianchi, tiravo i colpi a un ritmo costante, indifferente alla musica dello stereo in sottofondo e ai rumori della palestra. Sentivo soltanto il tonfo del cuoio reso scivoloso dal sudore. Poi Fred disse: «È ora».

La palestra si era riempita di gente. Una folla di uomini prendeva posto intorno al quadrato vuoto. Non erano venuti per tirare qualche pugno al sacco, ma per assistere a un allenamento. Andava sempre così. Un buon match, anche se era solo tra un pugile e uno sparring partner, richiamava frotte di appassionati dalla strada, come il segnale misterioso che riunisce gli stormi migratori.

«Prima lo stretching, ragazzo» disse Fred. «E non dimenticare gli adduttori.»

Rocky si avvicinò con aria disinvolta al lato del ring. Si spalmò la vaselina sul viso, infilò il paradenti e passò tra le corde. Non portava il caschetto protettivo. Il suo avversario era un tizio di colore molto più grosso di lui. Il gong suonò e i due cominciarono a studiarsi, saltellando sulle punte. Solo allora mi resi conto che non era la velocità a rendere Rocky così speciale. Era il tempismo. La velocità batte la potenza, ma il tempismo batte la velocità. Lo sfidante era forte e rapido, un giovane professionista ancora imbattuto, ma gli mancava il sesto senso per riconoscere il momento giusto. Fingendo un diretto, Rocky lo induceva ad aprire la difesa, ne approfittava per infilare una combinazione di tre, quattro o cinque colpi, e infine arretrava mentre l'altro menava pugni a vuoto. Serve un talento quasi soprannaturale per andare a segno senza incassare. Devi avere il tocco magico. E lui ce l'aveva.

Tutt'a un tratto, al mio fianco comparve Echo Nawkins. «Magnifico, eh?» esclamò.

«Tu che ci fai qui?» Poi notai come guardava Rocky e capii. Era innamorata persa.

«Mio zio Peter è innocente» disse senza staccare gli occhi dal ring. «Lui non c'entra con quegli omicidi. Gli avete sguinzagliato dietro tutti gli sbirri del paese, ma non è stato lui a uccidere quelle persone.»

«Come lo sai?»

«Un diretto, Rocky, sparagli un diretto!» gridò lei, per tutta risposta. «Ci pulisci il ring, con quello, tesoro!» Continuava a non guardarmi.

«Come puoi esserne così sicura?» insistetti. «L'hai visto anche tu il soffitto della sua camera, nella roulotte. Non essere ingenua. Non puoi credere che sia innocente soltanto perché è tuo zio.»

«Lo so e basta. E tu, invece? Credi che sia colpevole solo per un paio di foto!»

«Erano migliaia! E poi a Oak Hill Farm mi avete mentito tutti. Tuo padre. Tuo zio. Il tuo fidanzato pugile. Volevate tutti convincermi che Peter non avesse mai messo piede al Garden. Ed era solo un cumulo di menzogne.»

«Rocky non è il mio fidanzato» rispose lei, diventando rossa come un peperone. Si appoggiò al bordo del ring e chinò la testa sulle braccia per nascondere l'imbarazzo. «E nessuno ti ha mentito. Hanno solo taciuto parte della verità. E perché no, in fondo? Sei un poliziotto, e voi ci odiate.»

«Io non vi odio, Echo, ma tuo zio è un assassino. Teneva migliaia di foto di Mary Wood sul soffitto sopra il letto. E l'arma del delitto è la stessa con cui aveva ucciso i Burns. Gli indizi a suo carico sono piuttosto convincenti, non credi?»

«Scommetto che un mucchio di altri uomini ritagliava le sue foto. Chissà a quanti piaceva. Gente che non la conosceva nemmeno.»

«Non è soltanto per le foto, e nemmeno per il codice dell'antifurto o le chiavi della casa trovati nella sua roulotte.»

«E allora perché?»

«Perché è scappato. Gli innocenti non se la svignano, Echo.»

Lei scosse la testa, con una risata amara. «E adesso chi è l'ingenuo?» disse. «Scapperebbe chiunque.» Mi rivolse un'occhiata gelida. «Se fosse convinto che sta per essere incolpato di un delitto che non ha commesso.»

Sul ring, Rocky aveva chiuso l'avversario alle corde. Lo sfidante cercava di coprirsi, ma lui lo martellò con una serie di colpi ai fianchi. Poi gli sferrò un montante bene assestato, facendogli rovesciare la testa con uno scatto talmente violento che persino gli spettatori contrassero il viso in una smorfia di dolore.

Al rivale cedettero le gambe, il crollo istantaneo che capita quando si spegne un interruttore nel cervello. Le ginocchia si piegarono a un'angolatura innaturale e lui stramazzò al tappeto, privo di sensi.

Fred saltò sul ring per interrompere l'incontro.

Rocky restò a osservare l'avversario a terra con lo sguardo distaccato e impassibile di un uomo nato per sottomettere i suoi simili.

Possono insegnarti molte cose, in una palestra di pugilato, ma l'istinto del killer non si impara. Ci devi nascere, proprio perché è contro natura.

Rocky mi mostrò le gengive in un sorriso enorme, mentre il mio cellulare cominciava a vibrare.

WREN, recitava il display.

«Hanno avvistato Nawkins» disse.

21

Le luci azzurre delle volanti si distinguevano già da una certa distanza.

Erano concentrate nei pressi di una stazione di servizio sulla M11, la lunga direttrice che da Londra porta a Cambridge, e nell'aria pesante del pomeriggio illuminavano i campi coperti da una coltre di neve immacolata.

Ci saranno stati almeno venti veicoli con i contrassegni della polizia di Londra e dell'Essex. Mostrai il distintivo a un agente di guardia al perimetro, firmai il modulo e mi chinai per superare il nastro. Whitestone e Wren erano già all'interno, intente a raccogliere la deposizione di tre ragazzotti asiatici. Sembravano prodotti in serie: tutti e tre sulla ventina, con il fisico tipico di chi passa le giornate in palestra e la faccia coperta di tagli e lividi. Uno aveva un braccio al collo, un altro si tamponava il naso malridotto con un fazzoletto.

«Bene, adesso ripeti tutto al mio collega» disse Whitestone.

Il ragazzo con il braccio al collo sospirò. I testimoni credono sempre che basti parlare una volta e poi saranno liberi di tornarsene a casa. Invece la loro storia noi vogliamo risentirla di nuovo, e poi ancora, e ancora un'altra volta. Casomai dovessero cambiare versione.

«Un tizio voleva squagliarsela senza pagare, stamattina» cominciò il ragazzo, biascicando per i denti rotti. «Noi abbiamo cercato di fermarlo.»

«Abbiamo le riprese delle videocamere di sicurezza» mi informò Wren.

Le immagini in bianco e nero mostravano Peter Nawkins in piedi accanto alla pompa di benzina, mentre riempiva il serbatoio dell'auto.

«Si legge la targa» dissi.

«Sì, l'abbiamo inserita nel sistema» confermò Wren. «Una Nissan Micra rubata nel parcheggio di un supermercato di Brentwood, questa mattina. La proprietaria aveva già caricato la spesa nel bagagliaio. Quindi Nawkins aveva a disposizione un veicolo e una scorta abbondante di Pringles. Ma niente contanti per il pieno.»

Nel filmato, dopo aver riempito il serbatoio della Micra, Nawkins apriva di soppiatto la portiera del passeggero, e al margine dello schermo compariva uno dei tre ragazzi. Nella mano ora fracassata impugnava un martello. Gli rivolsi un'occhiata. «Giocate duro da queste parti» dissi.

«Siamo il bersaglio di tutti i coglioni dell'Essex che si credono piloti di Formula 1 e bruciano litri di benzina in autostrada con le loro Escort e Capri» rispose. «Per non parlare dei piccoli criminali di Camden Town che vengono a spacciare marijuana agli studenti di Cambridge. Non si faccia fregare dai prati verdi e le mucche al pascolo. Qui non è proprio il paradiso. Giocare duro è necessario.»

Nella ripresa, Peter Nawkins bloccava con il braccio massiccio un colpo di martello indirizzato alla testa, afferrava l'aggressore per un polso e glielo rigirava dietro la schiena finché il volto non si contraeva in una smorfia di dolore. E il braccio si spezzava. A quel punto, arrivavano i due compagni, anche loro armati di martello. Nawkins stendeva il primo spaccandogli il naso con un pugno, poi prendeva l'altro per la collottola e gli sbatteva la faccia sulla fiancata dell'auto finché il ragazzo smetteva di reagire. Si vedeva lo specchietto laterale che si staccava e andava in frantumi al contatto con il suolo. Dopodiché, Nawkins si infilava nell'auto dal lato del passeggero e la Micra sgommava via, lasciando i tre ragazzi inerti a terra.

Wren premette STOP. «Certa gente è disposta a tutto per un pieno gratis» commentò. Indicò i tre dipendenti della stazione di servizio ancora doloranti. «I signori qui non sono riusciti a dare un'occhiata all'interno dell'abitacolo.»

Li fissai. «Com'è possibile?»

Risposero soltanto con uno sguardo depresso.

«Erano troppo impegnati ad agitare i loro martelli» disse Wren. «Non che sia servito a molto.»

Tornammo a concentrarci sullo schermo.

«Nawkins è salito dal lato del passeggero» riflettei. «Doveva esserci qualcun altro al volante.»

Wren annuì. «Ha un complice» confermò. «Secondo te, dove sono diretti?»

Puntai lo sguardo sull'autostrada. Verso sud, il lungo rettilineo della M11 porta a un'unica destinazione.

«Londra» risposi.

C'era un boschetto nel campo accanto alla stazione di servizio, una macchia di alberi solitari nel bel mezzo del nulla. Mi incamminai sul terreno ghiacciato, duro come il marmo, lo raggiunsi e mi ci addentrai, scostando i rami fino a individuare i residui di un fuoco da campo nella minuscola radura posta al centro.

Di fianco ai tizzoni spenti c'erano i resti di un piccolo coniglio. Li osservai per un momento, tremando di freddo. L'inverno sembra più rigido in aperta campagna.

Presi l'iPhone e cominciai a scattare qualche foto.

Tornato nella piazzola, trovai Whitestone e Wren insieme a un uomo anziano con una giacca cerata e un paio di stivali infangati. Si stava lamentando per qualcosa.

«Ho denunciato l'effrazione, ma la polizia locale non ha alzato un dito» disse. «Un branco di incapaci. Così, quando ho visto i vostri lampeggianti, ho pensato che magari potevate aiutarmi. Venite da Londra, giusto? Non siete come gli sbirri di qui.»

«Il signore è il proprietario della fattoria in fondo alla strada» spiegò Wren. «Ieri ha subìto un furto.»

«Cos'hanno preso?» domandai.

«L'ho già detto alle sue colleghe» rispose l'uomo.

«Lo ripeta anche a lui» gli intimò Whitestone.

«Vestiti, contanti, posate. E il mio fucile da caccia.»

Provai un brivido. «Che genere di fucile?»

«Un calibro dodici.» L'argomento sembrò rianimarlo. «Remington, modello 1900. Apparteneva a mio padre, e prima ancora a mio nonno. La mia famiglia se lo tramanda da cento anni. La prima doppietta senza cane mai prodotta dalla Remington. Vale un mucchio di quattrini. E io la rivoglio indietro.»

«Hanno rubato anche le cartucce?»

Il tizio si risentì. «Quelle le tengo in cassaforte» rispose, altezzoso. «Mi prende per un idiota? Le cartucce sono ancora al loro posto.» Poi ci ripensò e assunse un'espressione mesta. «Tranne quelle già in canna, ovviamente.»

«Era *carico*?» domandai. «Entrambe le canne?»

«E cosa me ne faccio di un fucile scarico?» ribatté.

Wren era già al telefono a diramare l'allarme: il ricercato era armato di una doppietta calibro dodici. Io rabbrividii di nuovo, e non per il freddo.

Avvertivo l'imminenza di una catastrofe.

22

Nel tardo pomeriggio, mentre su Savile Row il traffico dell'ora di punta cominciava finalmente a scemare, Whitestone guardò l'orologio, prese una tazza di caffè e il suo portatile e andò a sedersi in un angolo tranquillo della sala operativa per chiamare il figlio via Skype. Dalla mia scrivania, vidi il ragazzo solo di sfuggita sullo schermo – tra i sedici e i diciassette anni, il volto bello e imbronciato e i capelli accuratamente spettinati come tutti i maschi della sua età – e mi sforzai di non origliare la conversazione. D'altronde, anche quella ricalcava i soliti cliché: la madre faceva domande sulla scuola, la cena, le incombenze domestiche, e il figlio, Justin, sbuffava e rispondeva a monosillabi.

Terminata la chiamata, l'ispettore capo si sistemò gli occhiali e si voltò verso di me, come se le fosse venuto in mente che anch'io stavo crescendo una figlia da solo.

«Per oggi basta, Max» disse. «Torna a casa da Scout.»

«Non c'è fretta» risposi. «Non è sola.»

L'amicizia tra Scout e Mia era di quelle che non si dimenticano. Passano cinquant'anni e ti ritrovi ancora a pensare al tempo vissuto insieme a ridere come matti del mondo intero.

Nel caso di Scout, l'amica del cuore era una bambina

bionda con un lieve accento australiano. Un giorno, rientrando a casa, me l'ero vista sfrecciare davanti, strillando di contentezza mentre Stan inseguiva lei e Scout nel gigantesco spazio vuoto del nostro loft. Da allora, Mia era diventata una presenza fissa, un membro onorario della famiglia. I genitori erano persone amichevoli, una coppia di australiani espansivi, l'opposto della timidezza gelida tipica degli inglesi. Quella sera Scout era da loro.

«Dorme da un'amica» spiegai, senza riuscire a nascondere l'orgoglio che provavo.

Mi sembrava che fossimo più simili alle famiglie normali da quando Scout aveva una migliore amica. La consideravo la prova che, in fondo, non ce la stavamo cavando troppo male.

«Ho cercato Carolyn Burns nella banca dati nazionale della polizia» disse Wren. Aveva una brutta cera. Non si era ancora ripresa dall'aggressione. «La figlia del contadino ucciso» precisò. «Ho trovato due immagini, ma sono copie di un'unica foto, registrata negli archivi dell'ufficio passaporti e della motorizzazione. Ho impiegato un po' a trovarla, perché Burns è incensurata.»

«Ottimo lavoro, Edie. Inoltramela sul computer, per favore.»

La donna che comparve sul mio schermo dimostrava molti più anni dei suoi quarantacinque. Seduta alla sua postazione, Wren fissava la stessa foto. Carolyn Burns era sciupata. In lei non era rimasta traccia della sedicenne graziosa e sorridente, figlia e sorella delle quattro vittime di Peter Nawkins.

«Wow» commentò Wren. «Ricordami di non invecchiare mai.»

Ma non era soltanto quello. Carolyn Burns ricordava vagamente quelle modelle bellissime in gioventù e poi appassite. Nel suo caso, però, il responsabile non era stato il passare del tempo.

Semmai era stato il destino, il fato o comunque si voglia chiamare quello che, volenti o nolenti, ci riserva la vita. La sedicenne che sorrideva con la famiglia accanto all'albero di Natale non era invecchiata. Era stata annientata insieme al padre e ai fratelli.

Alcune violenze continuano a esigere un tributo anche quando il criminale è stato condannato, i morti sepolti e i loro nomi dimenticati dai giornali.

Mi girai a guardare la cicatrice sul collo di Whitestone. Il volto pallido e contratto di Wren. E la sedia vuota alla scrivania del detective Gane.

Certe violenze durano per sempre.

Quando uscii dalla centrale, Charlotte Gatling era in piedi sotto la lanterna azzurra, assediata dalle domande e dai flash di una dozzina di reporter. Come al solito, si rigirava il polso sinistro tra le dita e sembrava in cerca di una via d'uscita.

«Charlotte! Da questa parte, Charlotte!»

«Charlotte! Charlotte! Charlotte!»

«Bradley è ancora vivo?»

«Perché lo ha fatto, Charlotte? Perché Peter Nawkins li ha uccisi?»

Sarebbe dovuto esserci qualche poliziotto giovane e robusto a proteggerla, un addetto stampa o un agente a farle da schermo con efficienza e professionalità. Invece era sola e arretrò sui gradini finché non si ritrovò letteralmente con le spalle al muro. A quel punto, alzò le mani come per difendersi.

«Vi prego» disse.

Io mi feci largo a forza tra i giornalisti, scansando le

macchine fotografiche a manate finché non la raggiunsi e la presi per un braccio. Lei mi guardò senza dar segno di riconoscermi.

La aiutai a salire sulla X5, parcheggiata in doppia fila sulla strada. I fotografi puntarono gli obiettivi sui finestrini e lei si nascose il volto tra le mani. *Domani sarà questa la foto su tutte le prime pagine*, pensai. Senza nemmeno sforzarsi, Charlotte Gatling dava ai media esattamente ciò che volevano.

«È al sicuro, adesso» dissi, accendendo sirena e lampeggianti, il doppio segnale che comunica al mondo di levarsi di mezzo. Li spensi appena raggiungemmo Regent Street.

«Grazie» rispose lei.

«Nessun problema. Però...»

«Lo so» mi interruppe, alzando una mano. «Non sarei dovuta venire da sola. Ma i suoi colleghi avevano le foto di nuovi avvistamenti e volevano mostrarmele.»

Attesi.

«Non era Bradley» aggiunse. «Non è mai lui.»

Annuii. «Cercano di aiutarci» dissi. «Hanno buone intenzioni, per quanto in genere finiscano per intralciarci. I privati cittadini. Persino i giornalisti. In gran parte sono brave persone. Anche loro hanno figli. È molto peggio quando un caso li lascia indifferenti. A volte capita anche questo.»

«Ma danno tutti per scontato che Bradley sia morto, e si sbagliano. Io lo so.»

Non risposi, cominciavo a stancarmi di tutte quelle certezze. Charlotte Gatling, sicura che il nipote fosse ancora vivo. Sean Nawkins, convinto che volessimo incastrare suo fratello. Echo Nawkins, certa dell'innocenza dello zio. Tutti assolutamente persuasi di avere ragione, finché i fatti non li avessero costretti a ricredersi. Al tempo stesso, però, non riuscivo a prendermela con Charlotte per quella sua ostinazione. Mi sarei aggrappato anch'io alla speranza.

«Lei non sa cosa si prova» disse, leggendomi nel pensiero. «Se non fossi convinta che è ancora vivo... se non potessi credere che, ovunque si trovi, c'è qualcuno che si sta prendendo cura di lui... perderei la ragione.» Fissò il West End senza vederlo. «Quell'uomo... lo arresterete?»

«Ha la mia parola. Dov'è diretta?»

«Fitzrovia. Ma posso andarci a piedi.»

«Mi sentirò più tranquillo dopo averla vista entrare in casa.»

«Grazie. Conosce Fitzroy Square?»

«Certo.» Mi era sempre piaciuto quel quartiere, così ricco di storia. Era stato a Fitzrovia che George Orwell e Karl Marx avevano concepito i loro sogni grandiosi, e musicisti come i Rolling Stones, Bob Dylan e i Sex Pistols si erano esibiti in locali minuscoli. Mi piaceva guardare le splendide case in cui non avrei mai vissuto.

«Pensavo che abitasse fuori città» dissi.

«La mia famiglia vive a Lower Slaughter, nel Gloucestershire. Io sono cresciuta lì. Da allora, però, non ci sono più tornata...» Esitò. «Il rapporto con mio padre è... complicato.» Gli inglesi e i loro eufemismi. «Preferisco Fitzroy Square. Anche questa è una casa di famiglia: la possediamo da una cinquantina d'anni.» Rise con amarezza. «E credo che anche mio padre preferisca così.»

«Scommetto che il suo nome viene da Charlotte Street.»

Riuscì quasi a sorridere. Era la prima volta che glielo vedevo fare. «Come lo sa?»

«Intuizione.» Sorrisi anch'io.

Poi restammo in silenzio. Seguendo il traffico che procedeva lento verso nord e ingolfava Oxford Circus, pensavo alle possibilità alle quali si accede solo grazie ai soldi, e alle zone come Fitzrovia, forse il meno noto tra i quartieri eleganti del centro londinese, un'area appartata tra Bloomsbury a est e Marylebone a ovest, con Fitzroy Square circondata dai grandi alberi e dallo sfarzo discreto delle vecchie case nobiliari.

«Come va... la ferita?» domandò infine lei.

Chiamato in causa, il taglio allo stomaco rispose con una fitta. «Sta guarendo. E lei come si sente?»

Scosse la testa. «Non riesco a dormire. A mangiare. A scrivere. Continuo a pensare a mia sorella. Ai suoi figli.»

Non accennò al cognato. Forse era normale, pensai. O forse no.

«Io scrivo» spiegò. «Per bambini, soprattutto.»

Ero colpito. «Scrive libri? Ho una figlia, Scout. Ha cinque anni. E va matta per le fiabe.»

«In realtà non scrivo libri, ma app.»

«Quelle per i cellulari, intende?»

«Cellulari, tablet... qualsiasi dispositivo elettronico. Ha mai sentito parlare di una app chiamata Human Nature? L'ho scritta io. È la più famosa. Conosce Shazam?»

«Serve a identificare il titolo di una canzone che stai ascoltando» risposi, felice di poter dimostrare che non ero rimasto all'età della pietra.

«Human Nature funziona in base allo stesso principio, però ti dice il nome di ciò che stai guardando nel mondo naturale: alberi, fiori, piante...»

«Ed è stata un'idea sua?»

Annuì. «Ho scritto il programma. È il mio lavoro.»

Avevamo raggiunto l'imboccatura di Fitzroy Square e accostai; l'enorme piazza è area pedonale.

«Scout mi chiede sempre i nomi degli alberi quando

portiamo a passeggio il cane, e io non so mai come risponderle. Non so nulla di piante.»

«Scarichi Human Nature e avrà risolto il problema.»

Mi voltai a guardarla. Non mi stancavo mai della sua bellezza perché era qualcosa di più di una fortunata coincidenza genetica. Charlotte Gatling era buona, coraggiosa e intelligente, tutte qualità che portava impresse sul volto.

«Forse sua moglie la conosce» disse.

Annuii. «Probabile.»

Si scostò una ciocca di capelli dalla fronte. «Grazie per il passaggio, ispettore Wolfe.»

Non riuscii a staccare lo sguardo da lei, mentre si allontanava.

E quando sparì dietro il portone di una casa sul lato opposto di Fitzroy Square, presi il cellulare e scaricai Human Nature. La app era così semplice e geniale che decisi di fare una deviazione a Regent's Park: scesi a passeggiare nel chiarore lunare, imparando i nomi di tutti gli alberi e pensando a quanto Scout sarebbe stata orgogliosa del suo papà al nostro prossimo giro con Stan a Hampstead Heath. Continuai a camminare, inquadrando cipressi, faggi, olmi, betulle e frassini, rapito dalla bellezza del ciliegio giapponese e della catalpa indiana. E dalla perfezione del gesto con cui Charlotte Gatling si era scostata i capelli dalla fronte.

23

Il sergente Ross Sallis del commissariato di polizia del quartiere di Tottenham vantava novanta chili di muscoli e quindici anni di esperienza. Era uno di quegli sbirri con la scorza dura e il cuore tenero, i piedipiatti della vecchia scuola che rappresentano la vera spina dorsale della polizia londinese.

«Quindi, secondo lei, il Macellaio è diretto da queste parti?» domandò.

Mi stava accompagnando lungo la Tottenham High Road nella foschia mattutina, con la brillante livrea a scacchi gialli e blu della sua auto – una Ford Fiesta, decisamente troppo piccola per la mole del sergente – che spiccava sullo stradone lungo e desolato, incongrua quanto un carretto dei gelati tra le dune del Sahara.

«Non ne sono sicuro» risposi con franchezza. «Ma devo comunque avvertire Carolyn Burns. Potrebbe essere in pericolo.»

«È passato molto tempo da allora.»

«Lo so. Ma in determinate circostanze anche una fidanzatina di gioventù rischia di diventare un'ossessione.»

Sallis ridacchiò. Era facile alla risata, e forse l'umorismo era una strategia necessaria per un poliziotto che aveva trascorso l'intera carriera sulle strade di quel quartiere.

«Quali circostanze, di preciso?» mi domandò sogghignando.

«Quelle disperate.»

Mi aveva offerto un passaggio perché la famiglia era "nota" alla polizia, come si dice in gergo.

«Il figlio più di lei» mi aveva spiegato. «Eddie Burns. Ci abbiamo avuto a che fare quand'era adolescente. Dieci anni fa, forse di più. I soliti problemi di amicizie sbagliate. Qualche assenza ingiustificata da scuola, qualche spinello. Niente di grave. Ragazzate, in fondo. Però Eddie si faceva notare.»

«E come mai, sergente?»

«Perché è bianco.»

Carolyn Burns e suo figlio abitavano in un appartamento sopra un fruttivendolo in Tottenham High Road, quasi all'ombra dello stadio di White Hart Lane, il cui parcheggio era stipato di Mercedes e BMW fiammanti, con i finestrini fumé.

L'accesso alla scala che portava agli appartamenti era chiuso da una griglia di ferro, e Carolyn dovette scendere ad aprirla. Era una donna bassina, come se avesse smesso di crescere di colpo la sera in cui Peter Nawkins le aveva ammazzato il padre e i tre fratelli.

«Carolyn, ti presento l'ispettore Max Wolfe, di West End Central» disse Sallis.

Mostrai il distintivo. Lei lo guardò per una frazione di secondo, mordicchiandosi un labbro con aria pensosa.

«Vorrebbe scambiare due parole in privato con te, se possibile» aggiunse il sergente. «È una visita ufficiosa.»

«Allora è meglio se salite» rispose la donna. Io cercai di riconoscere in lei la ragazza che sorrideva nella foto di famiglia accanto all'albero di Natale, ma Carolyn ormai era un'altra persona.

217

L'appartamento era piccolo e puzzava di cibo per gatti e cannabis, anche se di felini e canne non si vedeva nemmeno l'ombra. Sul televisore scorreva la cronaca di una partita: gli spalti sembravano vuoti, doveva trattarsi di una trasferta. Sempre con il sorriso sulle labbra, il sergente attraversò in due falcate il salottino minuscolo e spense il televisore.

Poi mi rivolse un cenno.

«In realtà, la mia non è soltanto una visita di cortesia» dissi. «Mi dispiace, signora, ma devo trasmetterle un'allerta Osman. È la prassi seguita dalla polizia metropolitana quando ritiene che un cittadino corra un rischio grave. E al momento stiamo cercando un uomo che potrebbe tentare di mettersi in contatto con lei. Si tratta di un pregiudicato pericoloso. Il documento ufficiale verrà emesso a breve. L'allerta Osman vale al contempo come avvertimento e come offerta di protezione da parte nostra.»

«Ho capito che cos'è» rispose lei. «Lo chiamavate in un altro modo, ma una volta mi era già capitato. Da ragazza. Quando accadde tutto.»

Quando accadde tutto.

Le porsi il mio biglietto da visita. «Qui trova tutti i numeri per rintracciarmi nel caso in cui...»

«Peter non mi farebbe mai del male» mi interruppe. «Non mi ha toccata allora, e non lo farà adesso.»

Il figlio comparve sulla soglia. Non era più un ragazzo – ormai sfiorava la trentina –, ma si vestiva ancora come un adolescente. Uno di quegli uomini bloccati nel passato perché non hanno trovato il proprio posto nel mondo e si rassegnano a campare alle spalle dei genitori e a guardar passare la vita da sotto la visiera di un berretto da baseball.

«Ehilà! Ciao, Eddie» lo salutò il sergente Sallis, dimostrandosi felicissimo di vederlo. «Come te la passi? Hai continuato a seguire quel corso al college?»

Un rapido cenno di diniego con la testa fu l'unica risposta.

Eddie Burns sembrava un tipo innocuo, ma era comunicativo quanto un cespo di lattuga.

«Peter non ci farebbe mai del male» ripeté sua madre. «A nessuno dei due. Quindi, risparmi il fiato e se ne torni pure a...» Controllò il mio biglietto da visita e concluse, in tono acido: «Savile Row».

«Peter Nawkins è un pluriomicida, signora. Ha scontato vent'anni di carcere. Ed è ricercato in merito ad altri quattro delitti.»

Carolyn scoppiò a ridere. «Non mi riguarda. Io non ho paura di Peter. Non l'ho mai temuto. Voi non lo conoscete. Non sapete niente di lui. E delle vostre visite di "cortesia" non so che farmene. Da voialtri voglio solo essere lasciata in pace. Non mi avete aiutata in passato e non sarà così neanche stavolta.»

«Nawkins si è messo in contatto con lei?»

«No.»

«Quand'è stata l'ultima volta in cui l'ha visto?»

«Al processo. Il giorno della condanna.»

«E non gli ha più parlato da allora? Non gli ha fatto visita in prigione? Non l'ha visto quand'è uscito? Non è mai stata a Oak Hill Farm?»

«Ha sentito cos'ho detto o no?»

Mi voltai verso il sergente Sallis. Il suo sorriso era indulgente.

Ma il suo sguardo diceva che il colloquio era finito.

«È dura aiutare la gente che non vuole il tuo aiuto» commentò appena fummo tornati sulla strada.

«Già» risposi. Ero furioso con me stesso, perché mi ero sentito umiliato.

«È una donna amareggiata» disse Sallis. «Non ha avuto niente dalla vita. Alla fine, è soltanto una vittima.»

Annuii. Aveva ragione.

Alzai lo sguardo sulla casa. Dalla finestra al primo piano, Eddie Burns ci stava fissando, con un grosso gatto in braccio.

Il sergente e io ci avviammo verso la Ford. Mi sembrò di sentirlo sospirare, come se soffrisse già al pensiero di far entrare la sua stazza enorme in quel trabiccolo. Si fermò con una mano sulla portiera e mi guardò da sopra il tettuccio dell'auto.

«Pensa davvero che Peter Nawkins verrà qui a cercare Carolyn?» domandò di nuovo. «Non la vede da una vita.»

«Forse lei non gli interessa più» risposi. «Ma è probabile che voglia conoscere suo figlio.»

24

A volte piangeva.

Per gran parte del tempo seduta accanto al letto del figlio, la signora Gane parlava. Gli raccontava delle gentilezze delle infermiere del reparto, del tè imbevibile servito al bar dell'ospedale, e dell'operazione; poi, quando i medici la informarono che non ci sarebbe stato alcun intervento perché le lesioni alle vertebre erano troppo gravi, cominciò a parlargli della casa, della parrocchia, della gatta Molly e di come stesse cambiando il quartiere di Lewisham, dove aveva trascorso la sua intera vita da adulta.

A volte, però, piangeva.

Quel giorno stava raccontando di un diverbio con i vicini romeni sul conto di Molly – che aveva eletto a proprio gabinetto il loro zerbino – quando, senza preavviso, scoppiò in singhiozzi, lasciandoci tutti senza parole. Io e Wren ci scambiammo uno sguardo impotente, mentre Whitestone le appoggiava un braccio sulle spalle.

«Non piangere, mamma» la implorò Gane, con un sorriso tirato.

«Su, coraggio» le disse l'ispettore capo, con dolcezza. «Venga, andiamo a vedere se oggi quel tè è un po' meglio del solito.»

Wren le accompagnò in mensa. Quando restammo soli, Gane mi guardò e sorrise.

«Devi tirarmi fuori da qui, Max.»

Io annuii, ricambiando il sorriso. «Appena sarai abbastanza in forze per la fisiote...»

Lui mi zittì, sollevando a fatica una mano e scostando la cannula infilata nella vena del polso. Il cerotto si stava staccando. «Dico sul serio. Devi aiutarmi.»

Aveva smesso di sorridere. Lasciai l'angolo della stanzetta e andai a sedermi sul bordo del letto. Non capivo ancora a quale genere di aiuto si riferisse.

«Farò tutto il possibile» dissi.

«Sono un uomo finito, Max. Non potrò più lavorare. Né camminare. Sono morto dalla vita in giù. Non mi resta più niente. Non potrò mai più fare l'amore, avere un figlio... Niente più giretti dai sarti di Savile Row.»

Ripensai a com'era quando lo avevo conosciuto: un detective giovane e spavaldo, con la testa rasata, un debole per i completi eleganti e un paradossale complesso di superiorità per l'infanzia vissuta a Lewisham. Adesso i capelli avevano ripreso a crescere, rivelando la stempiatura che il taglio a zero serviva a nascondere.

Di colpo capii cosa mi stava chiedendo e il cuore mi sprofondò sotto le scarpe.

Mi alzai e indietreggiai di qualche passo.

Il collare gli impediva di voltare la testa, ma i suoi occhi scuri mi seguivano.

«Te l'ho già detto» aggiunse. «Questo non sono io.»

«Alcuni riescono comunque a rifarsi una vita» risposi. Era la verità, ma persino alle mie orecchie quelle parole suonarono vuote e superficiali. «Gente sopravvissuta alla guerra, a incidenti tremendi, alla paralisi...»

Lui restò impassibile. «Eroi» disse. «Dal primo all'ultimo. E hanno tutto il mio rispetto: i soldati invalidi, gli uomini e le donne capaci di adattarsi a un'esistenza in sedia a rotelle.» Non riuscì ad alzare le spalle, ma a comunicare il senso di sconfitta bastava lo sguardo. «Io, però, non sono come loro. Non sopporto il pensiero di farmi portare in bagno da mia madre. Devo aggiungere altro? Non sono abbastanza eroico da tollerarlo. Sono un uomo adulto, Max, non posso tornare bambino. Non sarebbe giusto. Né per lei né per me stesso.»

Rivolsi un'occhiata alla porta. La ferita allo stomaco aveva ripreso a pulsare.

«È impossibile» dissi sottovoce.

«In realtà è facilissimo» rispose lui. «Mica pretendo un volo in prima classe per qualche clinica svizzera. Mi accontento di un cuscino e di qualche minuto del tuo tempo, quando non c'è nessuno in giro. La forza ce l'hai, Max. Mi premi il cuscino sulla faccia e mi impedisci di respirare per pochi minuti. Tutto qui. Mi faresti un regalo. E sarebbe una liberazione anche per mia madre.» I suoi occhi si riempirono di lacrime. «Ti supplico, Max. Non ho nessun altro a cui chiederlo.»

La porta si riaprì e la madre di Gane fece ritorno insieme a Whitestone e a Wren. Stavano ridendo.

«Di che parlavate, ragazzi?» domandò la signora, sorridendo a entrambi.

«Dei vecchi tempi, mamma» rispose il figlio.

Andai a prendere Scout. La famiglia di Mia abitava in una villetta in una strada tranquilla di Pimlico, talmente vicina al fiume che mi sembrava di sentire il rumore della corrente. Davanti alla casa, con il cuore che mi batteva ancora all'impazzata per le parole di Gane, mi fermai a guardare da una finestra la vita di una famiglia normale.

I genitori ancora insieme. Lui rientrato da un ufficio dove nessuno rischiava ferite irreparabili, lei che chiamava a raccolta i bambini. Un golden retriever impigrito dalla vecchiaia che si arrampicava sul divano e si metteva comodo per un sonnellino. Una quotidianità così ordinaria da farmi venire voglia di piangere per l'invidia e l'ammirazione.

Osservavo i quadri appesi alle pareti e i libri sugli scaffali, ascoltavo le voci. Un uomo alto e magro, sulla trentina, si sfilava la cravatta e accendeva il televisore, una donna si avvicinava e gli circondava la vita con un braccio. Poi si voltarono, mi videro e mi salutarono, sorridendo.

«Scout, è arrivato il tuo papà!» annunciò lei, la voce attutita dal vetro.

Io annuii e ricambiai il sorriso, pensando: *Forse anche io e Scout siamo normali. Solo che la nostra è una normalità un po' diversa.*

Quando aprirono la porta, Scout scese a rotta di collo dal piano di sopra insieme a Mia, mentre la sorellina minore, forse più piccola di un paio d'anni, restava in cima ai gradini.

«Dobbiamo già andare via?» domandò mia figlia, senza fiato, a mo' di saluto. «Non possiamo giocare ancora un po'?»

«Le ragazze hanno preparato i biscotti» disse la madre di Mia. «Sarebbero perfetti con un caffè.»

Accettai l'invito. Scout risalì di corsa le scale con la sua amica mentre i padroni di casa – Lissy e Roger – mi facevano strada in cucina. Sapevano che ero un detective. Roger aveva un lavoro nella City, qualcosa a che fare con la finanza, e Lissy stava finendo l'apprendistato come psicoterapeuta.

«Mia adora il vostro cane» disse lui. «Stan, giusto?»

Sorrise alla moglie. «Ci sta sfinendo per convincerci a comprarne uno uguale.»

«Il nostro vecchio golden non le basta più» commentò lei, indicandomi un piatto di grumi marroncini che avrebbero dovuto passare per biscotti. Sedetti al tavolo della cucina.

Poi, di colpo, le loro espressioni cambiarono.

Mi fissavano lo stomaco, sgranando gli occhi per lo shock davanti alla macchia che si allargava sulla mia camicia. In quella casa felice e normale, non si era mai visto niente di simile.

«Sta sanguinando» disse Lissy.

Mi alzai di scatto, chiamando Scout con il boccone di biscotto divenuto sabbia nella gola, la ferita che mordeva come una creatura vivente e la faccia che mi bruciava di vergogna.

25

L'indomani mattina, stavo bevendo un triplo espresso del Bar Italia mentre passavo in rassegna le segnalazioni dei presunti avvistamenti di Bradley Wood arrivate durante la notte, quando Wren si sedette al mio fianco.

«Ho letto il tuo rapporto sulla visita alla figlia del contadino» disse.

«Forse dovremmo smetterla di chiamarla così» obiettai.

«Non vive in campagna da trent'anni.»

«Carolyn Burns» si corresse. «Ex figlia del contadino. Ti ha mentito.»

Appoggiò una cartelletta verde sulla scrivania.

PENITENZIARIO DI BELMARSH

MASCHIO ADULTO – DETENUTO A SORVEGLIANZA SPECIALE

«I penitenziari di massima sicurezza devono tenere un registro dei visitatori» disse. «La legge risale al 1984, l'anno in cui le bombe dell'IRA a Brighton rischiarono di far saltare anche il governo. Non so perché abbiano cambiato le regole proprio allora. Forse per il solito giro di vite che segue i gravi attentati terroristici.»

«Tipico. Un qualsiasi sfigato con la barba cerca di far esplodere un aereo e come d'incanto dobbiamo tutti sfilarci le scarpe prima di passare al metal detector degli aeroporti.»

«Il Macellaio è entrato in carcere nel 1980» riprese Wren. «Quindi non abbiamo informazioni sui quattro anni precedenti, prima che cambiasse la legge. Ma nei sedici successivi, soltanto due persone sono andate a trovarlo a Belmarsh.»

Aprii la cartelletta. L'inchiostro sul foglio era scolorito dal tempo, ma il significato era chiarissimo.

«Carolyn Burns mi ha guardato dritto negli occhi e mi ha detto di averlo visto l'ultima volta quando aveva sedici anni. E secondo il registro del carcere è andata a trovarlo ogni mese. Per anni.» Scossi la testa. «Quell'uomo le ha ammazzato il padre e i fratelli con una pistola da bestiame, e lei gli faceva visita regolarmente?»

«Forse lo amava. Oppure odiava loro. Guarda il nome dell'altro visitatore.»

Anche quello era sbiadito. S. NAWKINS, recitava la firma. Era meno frequente di quella di Carolyn Burns, e si interrompeva del tutto qualche anno prima del rilascio. Sfogliai le altre pagine ingiallite. «Il fratello?» dissi.

«Guarda meglio, ispettore.»

S. NAWKINS (SIGNORA)

«Non il fratello. Sua moglie» disse Wren. «È morta, giusto?»

Annuii. «Qualcuno l'ha arsa viva.»

Dietro la griglia di ferro, il volto di Carolyn Burns era una maschera di disprezzo. Scrutò a lungo Whitestone, Wren e me, poi si rivolse al sergente Sallis. «Perché sono tornati? Non sono obbligata a parlarci se non voglio.»

«Se accetti, ci saranno meno complicazioni» rispose l'omone, pacato. «Resta qualche punto da chiarire.»

Lei continuò a fissarlo.

Whitestone avanzò di un passo. «Signora Burns, sono l'ispettore capo Whitestone. Sappiamo che andava regolarmente a far visita a Peter Nawkins a Belmarsh.»

«Conosco i miei diritti.»

Il tono adesso era meno deciso.

«Io dirigo quest'inchiesta» proseguì Whitestone. «E posso inserirla nell'elenco delle persone informate dei fatti. In quel caso, dovrà rendere una deposizione filmata. E se mente ai miei agenti nel corso di quella deposizione, i suoi diritti non potranno salvarla da una montagna di guai. Quindi, perché non ci lascia entrare, così ne parliamo da persone civili?»

Carolyn aprì la grata e si avviò per la scala senza aspettarci. Il sergente Sallis ci cedette il passo, sorridendo, mentre gli sfilavamo davanti.

La porta dell'appartamento era spalancata.

Carolyn Burns e il figlio ci attendevano seduti sul divano. Il ragazzo scoccava occhiate nervose alla madre mentre lei puntava il suo sguardo ostile su Whitestone. La casa puzzava ancora di cibo per gatti e cannabis.

«Dev'essere dura, per una ragazza di campagna» disse l'ispettore capo, con un sorriso accomodante. «La vita di città, intendo, dopo l'infanzia nel verde.»

Carolyn Burns scoppiò in una risata aspra. «Cos'è, siamo amici, adesso? Benissimo. Confidenza per confidenza, vi dirò chi era mio padre. E i miei fratelli. Quattro carogne violente, ecco chi erano. Crescere in campagna con quei bastardi, quello sì che è stato duro. E adesso possiamo finirla con le chiacchiere e venire al dunque?»

«Come vuole» rispose Whitestone, prendendo posto

su una poltrona davanti a lei e al figlio. «Basta chiacchiere. Perché ha mentito all'ispettore Wolfe sulle sue visite a Nawkins in prigione?»

Carolyn si strinse nelle spalle, di nuovo indifferente. «Non vedo perché dovrei facilitarvi il compito» rispose. «Siete investigatori, no? Potevate controllare i registri.»

«Quindi lei non odiava Peter Nawkins?» domandò Wren.

La donna la scrutò, poi rise di scherno. «E per cosa?»

«Per ciò che ha fatto. Per aver ucciso la sua famiglia.»

«Chi lo dice, che abbia ucciso qualcuno?»

«Il tribunale. La giuria. Il giudice. Intende dire che è stato condannato ingiustamente?»

«Sto dicendo che non lo conoscevano. Nessuno di loro. Non come lo conosco io.» Si passò una mano tremante sulle labbra sottili. «Come lo *conoscevo*.»

Mi avvicinai alla finestra e guardai la strada. Il traffico procedeva a rilento su Tottenham High Road. Un vigile percorreva senza fretta il marciapiedi. Si fermò a scrivere una multa e la lasciò sotto i tergicristalli di una Nissan Micra.

Alla macchina mancava lo specchietto laterale.

Continuai a fissare l'auto. Il vigile che si allontanava sembrava muoversi al rallentatore. Di colpo avevo smesso di respirare.

Tornai con la mente alle immagini delle videocamere di sicurezza alla stazione di rifornimento: Nawkins che sbatteva ripetutamente la testa del ragazzo contro la fiancata dell'auto; il ragazzo che perdeva i sensi; lo specchietto che andava in frantumi, seminando schegge di vetro sull'asfalto.

Rimisi a fuoco la Nissan Micra con lo specchietto mancante.

E capii che dovevamo andarcene da lì.

Subito.

Mi voltai verso il salottino.

Carolyn Burns e Eddie erano sul divano, Whitestone sulla poltrona di fronte, le loro ginocchia si sfioravano quasi, tanto lo spazio era angusto. Wren si era sistemata sul bracciolo.

Il sergente Sallis era in piedi, in disparte, e sorrideva benevolo a tutti come se bastasse la buona volontà per cavarci da qualsiasi impiccio.

Mi lanciò un'occhiata, continuando a sorridere, e mi rivolse un cenno mentre io scorrevo con sguardo frenetico le porte chiuse alle sue spalle.

Tre. Due stanze da letto e un bagno.

Carolyn Burns e suo figlio mi fissavano.

«Capo» dissi. «Sarebbe meglio parlarne in centrale. *Adesso.*»

Carolyn si alzò dal divano, con le braccia lungo i fianchi irrigidite dalla tensione. Anche lei sembrava avere difficoltà a respirare. D'un tratto in quella stanza mancava l'aria.

«Mamma?» disse il figlio.

Sentii un rumore smorzato. Poi una delle tre porte si spalancò e sulla soglia comparve Peter Nawkins, con una doppietta calibro dodici in mano.

Qualcuno gridò, Wren scattò in piedi. Whitestone non ebbe il tempo di uscire dalla linea di tiro e, se io mi mossi, non me ne resi conto. Nawkins si piantò il calcio della doppietta sulla spalla, puntò le canne alla testa del sergente Sallis e premette il grilletto.

Al chiuso, lo scoppio risuonò come una bomba, così assordante che quando si spense io continuai a sentire l'eco dello sparo che mi fischiava nei timpani.

Il sergente Sallis era a terra.

Abbassai lo sguardo, cercando di prepararmi allo spettacolo della testa maciullata, ridotta a un ammasso irriconoscibile, e degli schizzi di sangue, materia cerebrale, ciuffi di capelli e frammenti ossei sulla tappezzeria scadente intorno a lui.

Invece Sallis mi fissava a bocca aperta. Batteva le palpebre. Era stordito, ma vivo.

Nel muro di fronte, c'era un foro grosso come un pugno. Nawkins l'aveva mancato. Com'era possibile?

I suoni erano ovattati. Mi ero ripreso dallo shock, ma non dalla sordità. Non del tutto. Il boato era stato così devastante che tutto sembrava smorzato, come se mi trovassi sott'acqua.

Qualcuno muoveva le labbra in un grido muto. Feci un passo in avanti e vacillai. La percussione dello sparo sui timpani mi aveva fottuto l'equilibrio. Il sergente non si era mosso, con l'espressione stralunata congelata sul volto. Peter Nawkins lo fissava.

A fucile ancora imbracciato.

Erano passati solo pochi secondi dallo sparo.

Guardai il sergente, sforzandomi di capire come mai non fosse stato colpito, poi avanzai di un altro passo verso Nawkins, sentendo le ginocchia che cedevano.

Lui si girò verso di me, come se mi notasse per la prima volta, e mi puntò la doppietta al petto: un bersaglio più grande, difficile da mancare.

Il tempo si fermò.

Mi bloccai sul posto, fissando le canne del fucile mentre, da una distanza infinita, le imprecazioni di Eddie riuscirono chissà come a penetrare il mio stordimento. Wren e Whitestone erano in piedi e osservavano Sallis, che a fatica si metteva a sedere sul pavimento, incredulo per essere sopravvissuto a un colpo sparato a bruciapelo. Niente aveva senso.

Le mie gambe ripresero a muoversi. Strinsi i pugni. *Un gancio*, pensai. *Spaccagli la mascella. Hai un'unica possibilità. Non sprecarla.*

Ma poi Nawkins arretrò di mezzo passo e alzò il fucile per puntarmelo alla testa, come se non avesse ancora deciso quale fosse il bersaglio migliore.

Ci fissammo per un tempo indefinito. Il mondo era immobile. Tutti urlavano. Mi facevano male i timpani. Poi lui ruotò il fucile nella mano destra e mi assestò un colpo in piena faccia, centrandomi lo zigomo sinistro con il calcio.

L'impatto fu come una martellata.

Caddi in ginocchio senza riuscire a rialzarmi, paralizzato dalle vertigini e dalla nausea, in attesa del secondo sparo.

Lo aspettai, ma non arrivò.

Sentii solo urla, pianti, grida di aiuto.

Poi vidi la porta che si spalancava.

E un uomo che scappava, anche se non aveva più un posto al mondo dove cercare rifugio.

26

A fatica mi sollevai da terra indebolito più dalla nausea che dal dolore, quel malessere viscerale che ti invade quando incassi un colpo brutale al volto.

Avrei voluto addormentarmi, o quantomeno scivolare nell'incoscienza, invece, reggendomi allo schienale di una sedia, mi concentrai sul sergente Sallis.

Era ancora seduto sul pavimento, il volto impietrito dallo sconcerto. Nel muro c'era un buco grande quanto un pugno, ma lui era ancora vivo.

«Va tutto bene» lo rassicurai.

Lui batté le palpebre. «Non la sento» disse. «La vedo muovere le labbra, ma non sento niente.»

Sedetti sui talloni e gli appoggiai le mani sulle spalle. Nell'aria ristagnava il puzzo della polvere da sparo, ma niente tanfo di sangue, nessun odore di morte. Sembrava un miracolo che l'uomo davanti a me se la fosse cavata con un semplice shock. Io però sapevo che i miracoli non esistono.

«Cos'è successo?» mi domandò dopo qualche minuto Sallis.

«Ha mancato il bersaglio.»

«Come, mancato? Perché non mi ha ucciso?»

«Perché non ce l'aveva con lei.»

Mi rialzai. Questa volta fu meno faticoso.

Carolyn Burns e Eddie erano in piedi a pochi centimetri da me: indicavano il buco nel muro e si accusavano a vicenda, urlando. Adesso riuscivo a distinguere le parole, ma il significato continuava a sfuggirmi.

Mi guardai intorno. Whitestone e Wren erano sparite. Poi sentii le loro grida dalla strada. Diedi un colpetto sulla spalla del sergente, tanto per convincerlo che era ancora vivo, poi barcollando infilai la porta e scesi le scale.

Superata la griglia di metallo, restai sbalordito alla vista di Whitestone e Wren che salivano su un'auto della polizia. Pensai che avessero chiamato i rinforzi, finché non notai due giovani poliziotte – una alla guida e l'altra sul sedile accanto –, entrambe con gli occhi sgranati dall'agitazione, e capii che il capo doveva aver fermato una volante di passaggio.

La macchina sgommò via, facendo stridere gli pneumatici sull'asfalto, con la portiera posteriore ancora aperta. Whitestone urlava istruzioni mentre sirena e lampeggianti si accendevano e squarciavano l'aria.

Mi avevano lasciato indietro, fermo a imprecare sulla strada. Il mio zigomo cominciava già a gonfiarsi. Presto sarebbe diventato grosso come un uovo.

Poi vidi Peter Nawkins.

Stava correndo sul marciapiedi a non più di cento metri da me, diretto a sud verso Tottenham Hale; ogni tre passi si lanciava un'occhiata alle spalle, verso le sirene spiegate da cui lo separava solo il traffico della strada.

Non riuscivo a capire se fosse ancora armato.

Poi di colpo il fucile gli ricomparve tra le mani.

I motociclisti zigzagavano a passo d'uomo tra le auto per superare l'ingorgo. Nawkins si piantò in mezzo alla strada e puntò la doppietta contro un corriere in moto.

Questi reagì d'istinto, impennando e sfrecciando via. Nawkins non si diede per vinto. Fece vagare lo sguardo sui volti terrorizzati che lo fissavano dai finestrini, avvistò un altro motociclista e lo prese di mira. E questa volta l'uomo alzò le mani e si affrettò a lasciargli la moto. Nawkins montò sul sellino, si guardò indietro un'ultima volta e diede gas. Il coro di clacson e insulti annunciò che procedeva contromano.

Scrutando il tratto di Tottenham High Road alle sue spalle, con le auto bloccate che cercavano di fare largo alla volante salendo sui marciapiedi, vidi Wren sporgersi dal finestrino posteriore, cercando di localizzare il fuggitivo.

Poi rientrò nell'abitacolo e l'auto prese velocità, lanciandosi all'inseguimento. Una volante dietro una moto contromano, in mezzo al traffico.

Cominciai a correre.

Presto li persi di vista.

Il traffico era tornato alla normalità quando raggiunsi la rotonda allo svincolo di Tottenham Hale. Continuai a correre in mezzo alle macchine che mi venivano incontro, ora più veloci, con gli automobilisti che strombazzavano, contraevano il volto per la rabbia, sterzavano per scansarmi, mentre io sfioravo con le mani le carrozzerie gelide, come se bastasse un gesto per tenerle a distanza, con tutti i muscoli del corpo contratti nell'attesa di una collisione di acciaio, vetro e gomma contro carne, sangue e ossa.

Invece non accadde. Non a me.

Mi fermai davanti alla volante distrutta, con il cofano accartocciato contro il sostegno di metallo di un autovelox. Il palo si era spezzato in due e la metà superiore si era abbattuta sul parabrezza, sfondando il vetro e conficcandosi con un'angolatura inquietante nell'abitacolo.

Whitestone era ancora sul sedile posteriore, si reggeva la fronte con le mani. Wren era in piedi accanto al rottame, stordita ma incolume, con il cellulare all'orecchio. Seminascosti dagli airbag esplosi, vedevo i volti escoriati e contusi delle due giovani poliziotte.

«Max!» gridò Wren. «È diretto al bacino idrico!»

Ricominciai a correre.

Anche a Nawkins era andata male. La moto rubata era ridotta a un ammasso di lamiere, schiacciata sotto le gomme anteriori di un grosso camion. Nello scontro, il camion non si era fatto neanche un graffio, ma il conducente era sul ciglio della strada, piegato in due a vomitare.

In quel punto, il traffico si era arrestato del tutto, incastrato in un tamponamento a catena; gli automobilisti scendevano dalle auto, urlavano, puntavano il dito mentre, alla mia sinistra, si estendeva l'enorme sistema idrico di Walthamstow, dieci bacini artificiali collegati da chilometri e chilometri di canali.

Mi arrampicai sulla recinzione e mi lasciai cadere dall'altra parte. Gli specchi d'acqua erano vasti e immobili come un mare in bonaccia, e di colpo la città sembrò sparire. Lo spazio immenso era sospeso in una quiete e in un silenzio surreali, come se il frastuono di Tottenham appartenesse a un altro mondo.

Poi vidi due uomini che correvano verso di me, impacciati dagli stivali. Due pescatori che avevano abbandonato le canne accanto a un paio di tende verdi.

«Laggiù!» dissero, indicando una macchia di cespugli a una cinquantina di metri. «Ha un cazzo di cannone!»

Mi superarono senza fermarsi.

Sentii l'ululato di altre sirene e quando mi voltai verso la strada c'erano auto della polizia ovunque. Mi domandai se avessero già chiamato l'unità d'assalto di Scotland Yard, e poi li vidi: le grosse BMW X5, i veicoli blindati del pronto intervento, i fucili di precisione dei tiratori scelti e le mitragliette automatiche. L'unità d'assalto comprende circa cinquecentocinquanta specialisti e dalla folla sembrava che fossero accorsi tutti sul posto.

Esitai per un momento, guardandoli prendere posizione mentre cercavo di calcolare l'estensione del sistema idrico, domandandomi come sarebbero riusciti a coprire ogni via di fuga e soprattutto se dovessi continuare l'inseguimento o lasciare che se ne occupassero loro. E poi non ebbi più scelta, perché Peter Nawkins sbucò da dietro i cespugli, con il fucile ancora tra le mani.

Restai perfettamente immobile.

Non c'era luogo dove scappare o ripararsi in quel mondo di prati incolti e acque morte.

Cominciò ad avanzare verso di me.

«Getta l'arma» gli dissi.

Non si fermò. Quaranta metri.

«Ti dichiaro in arresto per l'omicidio dei Wood» gridai. «Mary. Brad. Marlon. Piper.»

Lui scrollò la testa. Con la coda dell'occhio sbirciai le luci che lampeggiavano alle mie spalle, illuminando di un bagliore azzurrino l'aria grigia dell'inverno.

Venti metri.

«Hai il diritto di rimanere in silenzio.»

Dieci metri.

«Ma qualunque cosa dirai...»

Alzò il fucile.

«Getta l'arma a terra e allontanati, subito!» urlai, con il cuore in gola, la ferita allo stomaco che pulsava, il sangue che mi scorreva all'impazzata nelle vene. «Ormai non hai più scampo.»

«Ti sbagli» rispose lui. Poi ruotò il fucile, si infilò le

canne in bocca e sgranò gli occhi mentre il pollice destro premeva il grilletto.

Non ci fu soluzione di continuità tra lo sparo e l'esplosione della nuca. Accaddero in simultanea. E il rumore della fucilata sembrò diverso in quella distesa aperta. Riecheggiò sulla vasta superficie dei bacini artificiali, quella specie di mare nel cuore della città, spaventando uno stormo di uccelli neri che si levò in volo e sparì nel cielo.

Nawkins rimase a terra, riverso sulla schiena.

Ciò che restava del suo cranio galleggiava nell'acqua stagnante.

Mi guardai le mani. Erano coperte di sangue.

Il mio cuore riprese a battere. Ero folle di gioia, mentre lacrime di gratitudine mi riempivano gli occhi e un nodo mi stringeva alla gola.

Perché quel sangue non era mio.

La donna mi aggredì alle spalle.

Ero in piedi sul ciglio della strada, con un pessimo caffè da asporto tra le mani. Era bollente, ma lo bevevo comunque, lasciando che mi ustionasse la bocca, perché se bruciava significava che ero ancora vivo, e intanto guardavo il personale medico che suturava il taglio sulla fronte di Whitestone, nel brulicare di agenti armati e lampeggianti azzurri. La donna si avvinghiò alla mia schiena, vomitando un fiume di imprecazioni e cercando di graffiarmi la faccia.

Puntava agli occhi. Voleva cavarmeli. Cercava di accecarmi.

E mentre sentivo il caffè bollente che mi schizzava sulle scarpe, pensai che presto ci sarebbe riuscita.

Le unghie mi solcavano la fronte, scendevano sulle

sopracciglia e sulle palpebre, cercando le orbite, poi ricominciavano da capo. La donna continuava a urlare.

Pensai che fosse Carolyn Burns, venuta a vendicarsi.

Ma quando finalmente me la levarono di dosso, vidi il cane tatuato all'interno del polso, l'akita che sembrava un pastore tedesco, ora imbrattato del mio sangue.

Era Echo Nawkins.

Con una maglietta senza maniche e una minigonna rosa. Abiti estivi, in pieno inverno. Mentre due agenti la portavano via, si voltò a urlarmi da sopra una spalla: «È morto per colpa tua! Ti sei sporcato le mani con il sangue di un innocente! Il sangue di un innocente!».

«La arrestiamo, signore?» chiese un sergente, e io mi domandai se fosse del commissariato di Tottenham e se conoscesse il sergente Sallis. «Ha aggredito un funzionario di polizia.»

Scossi la testa. Non avevo cuore di sbatterla dentro e facevo volentieri a meno anche delle scartoffie per l'arresto. Ma, soprattutto, ero scioccato. Era come se Echo *sapesse* che non era stato Peter Nawkins a uccidere i Wood. Non che lo *credesse* innocente, giudicandolo con i paraocchi dell'affetto, ma che lo *sapesse* con certezza, come un dato di fatto.

Ripensai al sergente Sallis seduto sul pavimento dell'appartamentino dei Burns, tra il tanfo di cibo per gatti e di cannabis, con il volto congelato dall'incredulità per essere ancora vivo, e il muro sfondato da un colpo sbagliato di proposito.

Era come se Echo lo *sapesse*.

Peter Nawkins non aveva ammazzato nessuno. Non negli ultimi vent'anni.

Marzo

SPOGLIE MORTALI

27

Non è facile nascondere un cadavere.

Per due motivi.

Primo, gli assassini sono stupidi.

Secondo, i cadaveri si decompongono.

Erano passate ventiquattro ore da quando Peter Nawkins si era sparato in bocca con un fucile calibro dodici, e io ero nella sala operativa, fermo davanti all'enorme cartina di Londra che ne occupava una parete intera. Arretrai di un passo per guardarla meglio e nel frattempo pensavo che non è facile nascondere un cadavere. Nemmeno qui.

In questa città di dieci milioni di anime.

Una metropoli estesa per un raggio di cinquanta chilometri sulle sponde di un fiume lungo oltre trecento. No, neanche a Londra, con i suoi ettari sconfinati di verde e di azzurro, parchi, boschi, prati, giardini e macchie di vegetazione incolta, gli innumerevoli stagni, canali, laghi, fiumi e bacini artificiali.

Londra, con le sue sessantamila strade e un'infinità di garage, discariche, cassonetti dell'immondizia, verande e scantinati. E sotto l'asfalto, il cemento e i tombini, le profondità del suolo, la rete infinita di scoli, tubature e fognature che trascinano via i rifiuti. Nemmeno così era facile sbarazzarsi di un corpo. Perché gli assassini sono stupidi. E i cadaveri si decompongono.

Ero solo nella sala operativa. Dalla scrivania alle mie spalle, l'immagine di Bradley Wood sorrideva sullo schermo del mio computer, eternamente bambino e felice, con il pupazzetto di Ian Solo stretto nel pugno.

Arretrai di un altro passo. Mi aiutava a mettere a fuoco i dettagli.

Uccidere è la parte più semplice, pensai. *Il difficile viene dopo, quando devi far sparire il corpo.*

Gli assassini sono ubriachi di adrenalina, accecati dal terrore di essere scoperti, madidi di sudore per il panico. Non hanno né il tempo né la lucidità per riflettere. Hanno le mani e gli abiti coperti di prove, che basterebbero a farli finire dietro le sbarre per il resto della vita. E desiderano fuggire, con ogni fibra del loro corpo.

Se anche tentano di nascondere le loro vittime, sanno di avere i minuti contati. È improbabile che si soffermino a riflettere sui fatti immutabili della morte e della decomposizione.

Le fasi della putrefazione, come le chiamano i patologi.

Il motivo per cui io mi farò cremare.

Il processo è rallentato dal freddo, accelerato dal caldo e condizionato da altri fattori: le dimensioni del cadavere, il tessuto degli abiti che indossava, la presenza di cibo non digerito nello stomaco e, in caso di immersione, la temperatura dell'acqua.

Ma, a meno di conservare il corpo a una temperatura inferiore a zero gradi, niente può fermarne la decomposizione.

Rivolsi uno sguardo alla finestra. Il freddo era ancora pungente, ma il momento peggiore dell'inverno era passato. La neve si scioglieva, cedendo il passo alla bella stagione. E in quel risveglio della vita, restava invariata la dura realtà della morte, che di bello non ha proprio niente. Al momento del decesso, tutti gli organi si arrestano. Il cuore smette di battere, il sangue di scorrere, i polmoni di pompare aria. Alcuni dicono che capelli e unghie continuino a crescere dopo la morte, ma è solo una leggenda: la pelle si raggrinzisce, facendoli apparire più lunghi. In realtà, da quel momento, tutto ciò che capelli e unghie possono fare è cadere.

La distruzione dei tessuti avviene per opera dei batteri che sfuggono al tratto intestinale e consumano il corpo. Gli organi si sfaldano secondo un ordine preciso: intestino, fegato, reni, polmoni, cervello e, da ultimi, la prostata o l'utero.

Dopo trentasei ore, spalle e addome diventano verdi. Poi il corpo comincia a gonfiarsi per i gas accumulati nelle cavità interne, a partire dalla faccia. Gli occhi strabuzzano dalle orbite. La lingua fuoriesce dalla bocca. La testa diventa grossa come un pallone. Il gonfiore scende fino allo stomaco e preme sotto la pelle, riempiendola di vesciche.

Ciò che cola da naso e bocca sembra sangue, ma è solo liquame, il residuo dei tessuti disciolti dai batteri. L'apparato circolatorio collassa e le vene disegnano sull'epidermide una mappa intricata, un effetto detto di "marmorizzazione". A quel punto, il colorito verde si è scurito, diventando quasi nero.

Poi il corpo si lacera come un frutto fatto marcire al sole e rilascia i gas.

Per questo i morti assassinati non riposano tranquilli.

Presto o tardi, i loro cadaveri vengono scoperti: da un tizio a passeggio col cane, dagli operai che spurgano una fognatura, dagli amanti del fai da te che scoperchiano un pavimento, scavano buche in giardino o abbattono un muro. Da qualcuno che una mattina si sveglia e sente nell'aria il tanfo inequivocabile della carne putrefatta.

E da quelli come me, che sfondano una porta a calci ed entrano in una casa degli orrori.

Non sempre, però. Ripensai a Winnie Johnson, la madre di Keith Bennett, una delle vittime dei delitti della brughiera. Winnie si era spenta dopo aver speso quasi cinquant'anni a battere ogni centimetro quadrato di Saddleworth Moor, alla periferia di Manchester, cercando invano il luogo dove i killer avevano sepolto il corpo del figlio dodicenne. E in tutto quel tempo non aveva potuto fare altro che disseminare la brughiera di fiori, dei giocattoli preferiti del bambino, di altri segni del suo amore per lui.

Quindi sì, può succedere che un cadavere non venga ritrovato. E nascondere il corpo di un bambino è più facile rispetto a quello di un adulto.

Ma gli assassini sono stupidi.

E i cadaveri si decompongono.

E se Bradley Wood era morto, il cuore mi diceva che a quel punto lo avremmo già trovato.

Sfiorai la cartina di Londra.

«Dunque è ancora vivo» dissi sottovoce.

«Ispettore Wolfe?»

Trasalii e mi voltai di scatto.

Charlotte Gatling era in piedi sulla soglia.

Si morse un labbro. «Perché l'ha fatto?» domandò.

Non sapevo cosa risponderle. Annaspai in cerca di una spiegazione da offrirle, anche se io stesso non sapevo più quale fosse la verità.

«Non sono in grado di spiegarle la follia» dissi con tutta la delicatezza di cui fui capace. «Nawkins probabilmente era pazzo, ossessionato da sua sorella. E se non fossero stati Mary e la sua famiglia, presto o tardi avrebbe preso di mira qualcun altro. Non avrebbero mai dovuto lasciarlo a piede libero.» Esitavo a proseguire e lei se ne accorse.

«Continui» mi incoraggiò.

Stavo pensando alle parole di Wren. «Secondo una mia collega, Nawkins era un uomo profondamente infelice e la felicità altrui lo faceva infuriare. Si era imbattuto in una famiglia felice e ha dovuto distruggerla. La mia collega... Non è una psicologa, è solo uno sbirro, come me. Ma la sua teoria potrebbe essere sensata.» Non sapevo cos'altro aggiungere. «Mi dispiace» mormorai.

«Cosa ne sarà di quei bambini? Quelli che avete trovato nella casa di Bishops Avenue?»

Scossi la testa. «I servizi sociali cercheranno di rintracciare le famiglie, anche se alcuni erano scappati di casa. In gran parte, finiranno in affido. Vorrei poterle dire che da adesso per loro andrà tutto bene, ma non me la sento di mentirle.»

Lei sembrò riflettere per un momento, poi annuì. «Gli appetiti degli uomini hanno tramutato il mondo in una fogna» sentenziò.

Restammo a fissarci, io nella sala, lei sulla soglia.

«Come mai è qui?» le chiesi.

«Avevo un appuntamento con l'agente di collegamento con le famiglie. Per visionare altre riprese delle videocamere di sicurezza. Foto scattate con gli iPhone. I rapporti delle segnalazioni. Vengo una volta la settimana. All'inizio pensavo che fosse un buon segno e che stavamo facendo progressi. Ora non più. È solo una perdita di tempo.» Odiavo vederla così rassegnata. Scosse la testa. «Nessuno di questi avvistamenti è reale. Non servono a niente» disse.

Arrossì. Forse perché sapevamo entrambi che gli uffici degli agenti di collegamento con le famiglie erano al pianterreno. Non c'era un motivo sensato per la sua presenza lì. Eppure non si era persa.

«Ecco, volevo soltanto ringraziarla» disse. «Lei e i suoi colleghi, naturalmente: vi siete tutti esposti a grandi rischi nel tentativo di arrestare Nawkins. Solo che qui non c'è più nessuno.»

Aveva ragione. In ogni senso. La giornata era agli sgoccioli. E anche l'inchiesta.

L'ispettore capo Whitestone e l'agente Wren erano a casa con i loro cari, a curarsi le ferite. Il nostro unico sospettato si era tolto la vita e, pur senza ammetterlo apertamente, la polizia era restia a convogliare altre risorse nelle ricerche di un bambino scomparso ormai da due mesi.

«So che ha fatto l'impossibile per mio nipote» proseguì Charlotte. «E conosco le statistiche. Sparisce un minore ogni tre minuti. Oltre centomila l'anno. Ne saranno scomparsi altri anche adesso, mentre ce ne stiamo qui a parlare. E mi rendo conto che non tutti hanno ricevuto le attenzioni dedicate a Bradley.» L'attimo di imbarazzo era superato. «Per questo, volevo ringraziarla.»

«È il mio lavoro.»

«Lei però è andato ben oltre.» Indicò la foto del bambino che sorrideva dallo schermo del mio computer.

Credevo che non l'avesse notata, e stavo giusto cercando un modo per avvicinarmi e spegnere il video prima che accadesse. Invece l'aveva vista subito, appena si era affacciata sulla soglia.

«Il suo lavoro è finito» disse. «Si occupava dell'indagine sugli omicidi, e adesso il caso è risolto. E sappiamo entrambi che le probabilità di ritrovare Bradley si assottigliano di ora in ora. Eppure lei continua a cercarlo. I suoi colleghi se ne sono andati, invece lei è ancora qui, a pensare a lui, a impegnarsi, ad arrovellarsi per trovare una pista. Non è così?»

«Sì.»

Avanzò di un passo. «Perché non vuole arrendersi?»

«Papà?» Scout alzò la testa da una scrivania. Si strofinò gli occhi assonnati e ruotò sulla poltroncina girevole, dondolando le gambette nel vuoto. Stan, accucciato ai suoi piedi, si riscosse al suono della sua voce, sbadigliò e cominciò i suoi esercizi di yoga: cane a testa in giù, cane a testa in su.

Scout scivolò giù dalla poltroncina.

«Bagno» disse, dirigendosi alla porta.

«Te la cavi da sola con la serratura?» domandai.

«È facile» rispose lei, uscendo a passetti lenti, pedinata dal cane.

Mi voltai di nuovo a guardare Charlotte Gatling.

«Per lei» dissi.

28

A Charlotte Gatling non l'avevo detto, ma anche le segnalazioni dei presunti avvistamenti di Bradley si stavano diradando. I mitomani, i perdigiorno e i benintenzionati avevano perso interesse.

Due gemelle di cinque anni erano scomparse in un parco di Notting Hill sotto il naso di una tata italiana con la fissa di Twitter. Mentre guardava ossessivamente lo schermo del suo smartphone, le bambine si erano volatilizzate. I genitori lavoravano entrambi nella City: la scomparsa delle gemelle aveva suscitato un vibrante dibattito su giornali e tabloid, una sarabanda di editoriali su madri e padri in carriera, sulla difficoltà di conciliare le esigenze della famiglia con gli orari d'ufficio e sulla tendenza moderna ad affidare i figli alle cure di estranei.

Bradley Wood non faceva più notizia.

Con Whitestone e Wren ancora a casa in malattia, io passai la giornata insieme all'agente Billy Greene: setacciammo gli ultimi avvistamenti, inviammo poliziotti sul posto a verificare ed escludere le segnalazioni dall'indagine, caricammo i dati su HOLMES. Ma, in realtà, non c'era molto da fare, così non mi sentii troppo in colpa quando, all'imbrunire, lasciai Billy a cavarsela da solo.

Avevo un appuntamento al Black Museum.

Il sergente John Caine e io ci incontrammo nel settore appartato dedicato al Macellaio.

Era identico a prima. Dopo tanta fatica, tanto duro lavoro, paura e sangue versato, in quel luogo non era cambiato niente. Non so cosa mi aspettassi di trovare, ma rivedere la vetrinetta così come l'avevo lasciata mi demoralizzò.

La pistola da macello simile a un trapano a mano era al suo posto sul tavolino e il vecchio articolo di giornale ancora custodito nella vetrinetta, con la carta ingiallita e prossima a sbriciolarsi.

MASSACRO RITUALE IN UNA FATTORIA DELL'ESSEX
Il Macellaio condannato per il raptus omicida costato la vita a un uomo e ai tre figli

Ieri il tribunale ha condannato all'ergastolo il responsabile del massacro di un uomo e dei suoi tre figli, trucidati con una pistola per abbattere il bestiame...

Anche le foto a corredo dell'articolo erano quelle di sempre. Il ragazzo bello e forte con l'espressione vacua che veniva scortato in manette dall'agente in divisa. E il ritratto di famiglia, i quattro maschi che torreggiavano sulle due donne minute, tutti sorridenti sotto l'albero di Natale.

«Lo aggiornerai, ora che il Macellaio è morto?» domandai al custode del Black Museum.

Lui scosse la testa. «Per metterci cosa, il lieto fine? Inutile perdere tempo. In realtà, questo posto non riguarda quelli come Nawkins.» Indicò con un cenno la vetrinetta ben più lucida là accanto. «Riguarda loro.»

I volti mi fissavano da dietro il vetro, al di sotto della

targa I NOSTRI COLLEGHI ASSASSINATI. Foto ufficiali, destinate ai tesserini, tutti quei poliziotti uccisi, chi con un lampo di ironia negli occhi, chi a soffocare un sorriso per l'imbarazzo di mettersi in posa.

«E che impressione ti ha fatto Peter Nawkins, alla fine?» domandò Caine.

Mi presi un momento. «Quella di un uomo disperato» risposi poi. «Mi ha guardato come se non avesse mai fatto del male ad anima viva.»

Caine scoppiò in una risata aspra. «Certo, come no. Le carceri pullulano di innocenti.»

Percorremmo insieme il museo vuoto mentre lui spegneva le luci. Era forse la più grande collezione di armi al mondo, ma io sostai davanti al volto di una donna che non ne aveva mai brandita una. Maisy Dawes, la domestica incolpata di una rapina a Belgravia, distrutta da un crimine che non aveva commesso.

«Maisy Dawes» dissi. «Che ne è stato di quelli che l'avevano incastrata?»

«A quanto ne so, sono tutti morti di vecchiaia nel loro letto. La montatura è stata scoperta solo in seguito. Perché me lo chiedi? A cosa stai pensando, Max?»

«A Ross Sallis» risposi. «Il sergente che era insieme a noi nell'appartamento in cui abbiamo trovato Nawkins.» Scossi la testa. «Nawkins non l'ha ucciso, John. E non perché avesse in mano uno di quegli aggeggi di piccolo calibro che oltre i tre metri non centrano il bersaglio nemmeno per caso. Aveva una doppietta dodici millimetri. E alla distanza da cui ha sparato, era più facile colpire Sallis che il muro. Eppure l'ha mancato. Perché?»

Caine si strinse nelle spalle. «Non lo so, figliolo. Forse se l'è fatta sotto. Gli assassini non sono gente coraggiosa. Sono codardi. Ci beviamo qualcosa, così ne parliamo con calma? Potremmo abbandonarci al vizio, tu col tuo triplo espresso e io con la mia tazza di tè.»

«Un'altra volta, John.»

«Cos'è, hai un appuntamento galante?»

«Sì» risposi. «Una specie.»

Cercai Ginger Gonzalez all'American Bar del Savoy. Ci ritentai al Coburg Bar, al Rivoli, al Fumoir e al Promenade. Niente da fare.

Tornato in macchina, stavo superando la sede della BBC a Portland Place quando le luci della maestosa facciata del Langham Hotel attirarono la mia attenzione. Ginger non l'aveva incluso nell'elenco, ma non potevo essere sicuro che li avesse citati proprio tutti.

L'Artesian Bar del Langham profumava di soldi. Una ricchezza discreta, però, non ostentata. Le enormi vetrate affacciate sulla strada comunicavano fino in fondo il privilegio di trovarsi in un ambiente di luci soffuse, risate smorzate e comode poltrone in cuoio viola, fatte apposta per oziare.

Ginger Gonzalez era seduta a un tavolino accanto alla vetrina: sorrideva al tizio davanti a lei da dietro un flûte di champagne. Quando lui si sporse per dirle qualcosa, la candela gli illuminò il volto.

Nils Gatling.

Mi sistemai su uno sgabello al bancone, di spalle alla sala, e continuai a scrutarli dallo specchio dietro il bar. Il barista si avvicinò. «Cosa desidera, signore?»

«Un triplo espresso.»

Notando il suo sguardo sorpreso, controllai l'ora. Quasi mezzanotte.

«Meglio un doppio» dissi.

«Subito, signore.»

Era un buon bar.

Dall'atteggiamento rilassato e intimo, si sarebbe detto che Nils Gatling e Ginger Gonzalez fossero vecchi amici, ma non era escluso che si conoscessero da cinque minuti.

Il barista mi servì il caffè e io lo scolai in un sorso mentre Gatling mi passava alle spalle, diretto alla porta. Gonzalez era rimasta al tavolo. Quando mi avvicinai, nei suoi occhi si accese un lampo di rabbia. Ma ritrovò subito il controllo.

«Buonasera, ispettore» disse.

«Il tuo cavaliere ti ha scaricata?»

«È andato a coricarsi. Ha una suite al piano di sopra.»

«Nils Gatling ha una suite al Langham? La sua famiglia è proprietaria di una casa in Fitzroy Square, a meno di due chilometri da qui. Perché dorme in albergo?»

Lei mi rivolse uno sguardo impietosito. Non lo sapevo come vivono, i ricchi?

«Perché *può*» rispose.

Presi posto sulla poltrona ancora calda.

«Mi serve una ragazza» dissi.

Lei sogghignò, come a intendere che, in fin dei conti, gli uomini sono tutti uguali. «Che genere di ragazza?»

«Gentile. La gentilezza è fondamentale. E intelligente. Molto. Laureata. Oh, dimenticavo: dev'essere anche bellissima.»

«Be', non mi sorprende che tu sia sfortunato in amore» commentò.

Gonzalez digitò rapida un sms, poi restammo in attesa. Io presi un altro espresso e lei un altro champagne. Forse non avrebbe dovuto, perché per la prima volta mi sembrò un po' brilla.

«Da quanto conosci Nils Gatling?» le domandai.

«Da una vita.»

Non le andava di parlarne. Segreto professionale, pensai. Forse agli occhi di una *maîtresse*, i clienti sono come i pazienti per un medico.

«Sorpreso, ispettore?»

Annuii. «È sposato, o sbaglio?»

Sorrise, divertita. «Che differenza fa? Anche Brad Wood era sposato, no?»

«È così che vi siete conosciuti? Tramite il cognato?»

Scosse la testa. «Dio mio, no. Conoscevo già il vecchio. Victor Gatling. Il patriarca della stirpe.» Esitò. «Credo che sia stato il primo vero uomo che ho incontrato, appena immigrata.»

«Intendi il primo ricco.»

«Intendo il primo che sapesse stare al mondo. E come si tratta una signora. Io ero molto giovane. Gli piacevo. E lui era rimasto vedovo da poco.»

«Ma non ha funzionato.»

«Non era di me che aveva bisogno.»

«E di cosa, allora?»

«Di passare più tempo con la famiglia. Comunque, ci siamo tenuti in contatto. Conosco Nils da anni. Ho anche lavorato per l'azienda. La Gatling Homes.»

«Non sapevo che ti occupassi del settore. Ti ci vedo, come agente immobiliare.»

«Hanno molti clienti da intrattenere.»

«Capisco.»

«Eccola, è arrivata.»

Zina era alta, carina e con un'aria stanca. Mi alzai per stringerle la mano. Lei restò in piedi. Lasciai qualche banconota sul tavolo, poi uscimmo dal locale.

Era romena, come scoprii mentre ci avviavamo alla mia auto, ma erano passati dieci anni da quando aveva lasciato Bucarest. Adesso ne aveva ventisei: in un altro mondo avrebbe avuto una carriera, o una famiglia.

Non le chiesi di mostrarmi il certificato di laurea.

Ci muovemmo verso est.

Gonzalez e Zina erano sul sedile posteriore. Di tanto in tanto le guardavo dallo specchietto retrovisore, ma per la maggior parte del tempo mi limitai ad ascoltare la loro conversazione, una variazione sul più tipico dei temi londinesi: dove prendere casa. Quali quartieri facevano tendenza e quali li avrebbero soppiantati; dove si trovavano i locali e i ristoranti più gettonati; quali fossero le zone sicure e quelle malfamate, quelle che costavano troppo e quelle ancora abbordabili o che addirittura erano un affare.

«Sto pensando di trasferirmi a Shoreditch» disse Zina.

Io mi schiarii la voce. «E i soldi?» domandai. Non mi riferivo agli affitti.

Lei si girò a guardare la strada. Eravamo su Lincoln Street. Gli ultimi pendolari semisbronzi barcollavano verso la stazione ferroviaria.

Gonzalez si sporse a sfiorarmi una spalla. «Puoi pagarmi dopo» disse. «Contanti, carta di credito o assegno. Non serve che ci pensi adesso. Di te mi fido.»

Annuii e proseguimmo in silenzio per qualche chilometro.

«Siamo arrivati» dissi.

Davanti all'ospedale di Homerton, qualche paziente si godeva una sigaretta, tremando per il freddo in pantofole e vestaglia. Uno di loro aveva la bombola per l'ossigeno. Un altro le mani gonfie, tipico segno della chemioterapia.

Nessuno ci degnò di uno sguardo.

Uno sbirro, una *maîtresse* e una prostituta.

Ci adattavamo benissimo all'ambiente.

Curtis Gane era stato trasferito in una stanza privata. Quando fummo davanti alla porta, per la prima volta mi venne il dubbio che non fosse una buona idea.

«Soffre ancora molto» dissi a Zina. «Ed è arrabbiato. E depresso. Sa che non camminerà mai più. Quindi non potrà...»

Lei mi baciò con tenerezza sulla guancia.

«Ho capito» disse. «Non preoccuparti. Hai fatto la cosa giusta.»

Entrò nella stanza e chiuse la porta. Io e Gonzalez chinammo la testa, ascoltando Gane che si svegliava.

«Chi sei?»

Al suo tono allarmato, allungai la mano verso la maniglia, ma Gonzalez mi trattenne il braccio e scosse la testa. «Non è la prima volta che ci occupiamo di casi del genere» disse sottovoce.

«Io non posso fare niente» disse Gane, e la vergogna nella sua voce mi spezzò il cuore.

«Non preoccuparti» gli disse Zina. «Sono qui solo per abbracciarti.»

Io e la *maîtresse* non scambiammo una sola parola finché non tornammo dai pazienti aggrappati alle loro sigarette fuori dall'ingresso principale.

«*Salamat po*» dissi. «Sul serio, Ginger. Ti sono davvero grato.»

«Parli tagalog?»

«Sono uno sbirro di Londra» risposi. «Conosco qualche frase in cinquanta lingue diverse.»

Mi sfiorò la guancia con un dito. «Sai cosa significa *gwapo*?» chiese. «"Bello", in tagalog.»

«So cosa significa *bola-bola*» risposi. «"Balle."»

Rise. «E tu non la vuoi una ragazza, ispettore? Potrei fare qualche telefonata. O forse ne hai già una che ti aspetta a casa?»

Si stava facendo tardi.

Ora di dare il cambio alla signora Murphy.

«Sì. A casa qualcuno mi aspetta.»

29

Guardai Scout che dormiva.

Stan comparve al mio fianco, puntò il naso in aria e scrutò il letto, domandandosi se per una volta sarebbe riuscito a impietosirmi e a strappare il permesso di acciambellarsi accanto a lei per qualche ora. Gli feci cenno di no e lui si rassegnò, seguendomi fuori dalla stanza. Senza fare rumore, richiusi la porta.

La signora Murphy si stava infilando il cappotto.

«Scout vuole un vestito» disse.

Stan si arrampicò sul divano, restando in ascolto. La signora Murphy lo premiò con una grattatina dietro le orecchie e lui chiuse gli occhi, beato.

«Un vestito?» ripetei, confuso. Oltre le grandi finestre del loft, il mercato di Smithfield sfolgorava di luci e la cupola della cattedrale di Saint Paul si stagliava sul tondo della luna piena.

«Come quello di Belle» mi spiegò la signora Murphy. «La Bella e la Bestia, hai presente?»

Scossi la testa, sempre più sconcertato. No che non avevo presente.

«La sua amica... Mia, la piccola australiana... ha organizzato una festa in maschera. Il tema è "Principesse".»

La conversazione si era inoltrata su un terreno inesplorato. Mi sentivo come l'unico attore in scena che non conosce il copione.

«E io cosa dovrei fare?» domandai.

«Andare su internet.»

Seguii il consiglio.

Stan dormiva ai miei piedi mentre, seduto al tavolo della cucina, studiavo sullo schermo del portatile le foto di bimbette sorridenti che posavano in abiti da sera pieni di nastri di seta e balze dorate. A quel punto avevo già capito che avrei dovuto acquistare anche guanti, scarpine e corona.

Mi sorpresi a sorridere.

Scout voleva davvero indossare quella roba?

Poi provai una fitta strana e impiegai qualche momento a riconoscerla. Era la solitudine del genitore single. Mi aveva colto così alla sprovvista e con una tale intensità da lasciarmi senza fiato, come un pugno sferrato in pieno petto.

Non sono soltanto i momenti brutti che devi affrontare da solo, pensai.

Non hai nessuno nemmeno per condividere quelli belli.

«È la rabbia a farne un vero campione» sentenziò Fred. «È veloce, non dico di no. Ha tempismo. Potenza. Tutti talenti utili. Ma, senza la rabbia, in questo sport non vai da nessuna parte.»

A bordo ring, nella palestra, guardavamo Rocky sul quadrato, intento a fare a pezzi il suo avversario. Lo sfidante era classificato come peso massimo, anche se per pochi chili, e indossava una canottiera sdrucita e un casco protettivo con la barra rinforzata sulla fronte. Ma Rocky l'aveva martellato di pugni così insistenti, fulminei e potenti che la protezione si stava staccando.

Solo ora che esibiva senza remore la sua cattiveria compresi quanto fosse stato abile a nasconderla dietro il sorriso smagliante e la gentilezza: pensai a quando mi aveva guardato negli occhi e mi aveva detto che, a quanto ne sapeva, nessun operaio di Oak Hill Farm aveva mai lavorato al Garden. Mi sarebbe proprio piaciuto che il suo avversario gli impartisse una lezione.

Ma dubitavo che fosse in grado di accontentarmi. Respirava a fatica, sempre più fermo sulle scarpette, lo sguardo già appannato. E quanto più lui annaspava, tanto più i saltelli di Rocky diventavano elastici, dinamici. La cattiveria ce l'aveva eccome.

Mulinò una combinazione di sette colpi: diretto, cross destro, gancio sinistro al corpo, gancio sinistro alla testa, cross destro, montante sinistro, un altro diretto, poi arretrò di mezzo passo mettendosi fuori tiro, mentre l'altro brancolava disperato verso di lui, cercando invano di colpirlo e finendo invece a sbattere contro un destro poderoso.

C'era qualcosa di ripugnante nella potenza di quel colpo. Allo sfidante doveva aver sconquassato il cervello quanto il corpo. Non andò al tappeto, reggendosi con la forza delle gambe, ma fu uno di quei momenti in cui anche un amante della boxe finisce per chiedersi: *Cos'è che ti piace, esattamente, di questo sport?* Il gong suonò e i due rivali si abbracciarono, mentre gli spettatori a bordo ring battevano le mani.

Fred mi rivolse un'occhiata truce. Nella sua palestra non erano ammessi applausi. Non si fa.

Ma ormai mancava poco al debutto da professionista di Rocky, la voce era girata e la platea ai suoi incontri di allenamento era aumentata a dismisura. L'eccitazione si avvertiva nell'aria. Un reporter prendeva appunti. Due fotografi scattavano a ripetizione con macchine da professionisti, non con i cellulari. Tra gli astanti si aggiravano diversi tizi mai visti prima: uomini con il completo bianco, la cravatta e lo sguardo duro e calcolatore dei promoter.

Rocky li aveva entusiasmati con il suo stile e la sua cattiveria. In combattimento diventava spietato, e la ferocia sarebbe stata il suo migliore alleato nella carriera che aveva scelto.

«Qualcuno guadagnerà una fortuna con quel ragazzo» disse Fred. «Spero solo che anche lui ci ricavi qualcosa, per se stesso e per la sua famiglia.»

Echo Nawkins sedette al fianco di Rocky, a bordo ring, mentre il giornalista lo intervistava. Si stringeva al suo uomo e, di tanto in tanto, si passava la mano sul ventre, come per accarezzare il bambino che stava crescendo dentro di lei.

Oak Hill Farm, pensai. *Si sistemano presto, da quelle parti.*

Nessuno dei due aveva dato segno di avermi notato, ma mi avevano visto benissimo e vennero a cercarmi appena l'intervista fu terminata.

«So che sei arrabbiato con me» disse Rocky. «Perché non ti ho detto che avevamo lavorato al Garden.»

«A sentirti, sembra che mi sia offeso perché hai dimenticato il mio compleanno» risposi. «Invece è una faccenda seria, Rocky.»

Cominciò a togliersi le fasce dalle mani, srotolando il nastro di cotone sfilacciato, scurito dal sudore.

«Il problema è che in Peter tu vedevi un assassino» disse. «Io invece vedevo un uomo buono, che aveva pagato per i suoi crimini e che stava cercando di rifarsi una vita.»

«Ti sbagli» replicai. «Il problema è che hai nascosto

informazioni utili a un'indagine per omicidio. E questo è un reato. Intralcio alla giustizia. Ostruzione delle indagini. Non è troppo tardi per arrestarti per complicità.»

«Io ho *cercato* di dirti la verità» intervenne Echo, mettendosi in mezzo. «Ma a te non interessava!» Aveva la bocca contorta dalla rabbia, ma gli occhi erano pieni di lacrime. «E adesso lui non c'è più.»

Poi scoppiò in singhiozzi.

«Mi dispiace» mi disse Rocky, prendendola tra le braccia. «Mi dispiace davvero. Per tutto.» Mentre la portava via, il mio cellulare cominciò a vibrare.

SALA OPERATIVA, recitava il display. Wren e Whitestone erano ancora in malattia. Non pensavo che fosse rimasto qualcuno, là.

«Sono qui con una donna» disse l'agente Billy Greene. «Dice di aver visto Bradley Wood insieme a uno sconosciuto a bordo di un veicolo non identificato.»

Mi venne quasi da ridere. L'ennesimo avvistamento senza capo né coda.

«Perché non le chiedi i dati e la rimandi a casa?»

«Perché secondo me sta dicendo la verità.»

«Ho tre figli adulti e sette nipoti» disse la signora Margaret Duffy di Stow-on-the-Wold.

«Complimenti» le risposi.

Lei mi guardò come se volesse strangolarmi.

«Non era per fare due chiacchiere, giovanotto» ribatté. «Lo dicevo per farle capire che conosco i bambini. Ne ho cresciuti tre e ho passato un mucchio di tempo con uno dei miei nipoti, prima che mia figlia si risposasse. Mi basta guardarli per capire come si sentono. Se hanno il muso, se sono stanchi o spaventati. E un bambino in quello stato non l'avevo mai visto in vita mia. Per questo ho preso il primo treno per Londra e sono venuta qui, per non perdere tempo con quegli incapaci delle mie parti.» Si guardò intorno. «Sarebbe questa, la vostra sala operativa?»

«No. È quella degli interrogatori.» Indicai con un cenno l'agente Greene, in piedi sulla soglia. «Signora Duffy, perché non mi ripete esattamente ciò che ha detto al mio collega?»

L'anziana signora gli rivolse uno sguardo affettuoso. «Il giovane William è stato molto educato» disse, compiaciuta. «Mi ha chiesto di aspettare l'arrivo di un superiore più esperto.» Poi mi squadrò. Io ero ancora in tuta, sudato dopo l'allenamento. Il mio look non sembrò incontrare la sua approvazione. «Immagino che intendesse lei.»

Non raccolsi la provocazione e la signora riprese il filo. «Da quando l'edicolante del mio quartiere ha chiuso, devo andare ogni giorno fino alla stazione di servizio per comprare il giornale. Mi piace leggerlo di primo mattino. Là c'era un uomo con un bambino. Mai visto un bambino tanto smarrito. Era come se la sua vita fosse diventata un sogno. O un incubo.»

Poggiai sulla scrivania una foto del piccolo Wood. Era sempre la stessa: Bradley che sorrideva, stringendo il suo giocattolo preferito. «È questo il bambino che ha visto, signora Duffy?»

«Quello che ho visto io era un po' più grandicello. A quando risale questa foto? Sarebbe ora di aggiornarla, sa? I bambini cambiano, agente, anche nel giro di pochi mesi.»

«Ispettore» la corressi, trattenendo un sospiro.

Un'altra mitomane. L'ennesima matta. Mi alzai per andarmene.

«Oh, scusi tanto, *ispettore*» mi richiamò lei, frugando

nella borsetta. «Sarò più precisa. La foto è troppo vecchia, quindi non posso affermare con certezza che il bambino fosse lo stesso. Ma prima che l'uomo lo caricasse di nuovo in macchina, gli è caduto di mano *questo*.»

Depositò sul tavolo un pupazzetto di plastica: Ian Solo. Alto una spanna, con la maglia bianca, il gilet nero e gli stivali: la tenuta inconfondibile del capitano ribelle del *Millennium Falcon*. Lo rigirai tra le dita, sforzandomi di restare calmo.

«Il giocattolo però è lo stesso, o sbaglio?» concluse la signora Duffy.

Suonai il campanello della casa di Fitzroy Square.

«È vivo» dissi, quando la porta si aprì, e tesi la mano. Charlotte Gatling restò a fissare il malconcio pupazzetto di Ian Solo. Poi lo prese. E mi baciò.

Un bacio impacciato, febbrile. Le nostre labbra erano fuori esercizio e impiegarono un po' a trovarsi, ma alla fine si incontrarono. Il fiato caldo, nessuna parola.

Avevo atteso tanto a lungo il momento in cui l'avrei stretta tra le braccia da temere che non sarebbe mai arrivato.

Invece, eccoci qua: il suo volto vicino al mio, la sua pelle sotto le mie dita, le sue mani tra i miei capelli. La meravigliosa realtà di Charlotte di colpo rianimata dalla speranza, folle, ubriaca di gioia, con il pupazzetto ancora nel pugno e premuto sulla mia nuca.

Mi portò in casa e richiuse la porta.

30

In piedi nell'anticamera, le riferii subito tutto ciò che sapevo.

Un fiume di parole, con il suo sapore ancora in bocca.

La chiamata dell'agente Billy Greene. La signora Margaret Duffy nella saletta degli interrogatori di West End Central. Il bambino riconosciuto alla stazione di servizio. Il pupazzetto caduto a terra. E il viaggio a Londra con il primo treno per consegnarlo a me, nella certezza assoluta che il bambino era lo stesso che aveva visto al telegiornale, anche se adesso sembrava più grande. Ma la signora Duffy era una donna, aveva figli e nipoti, e sapeva che i bambini crescono dalla sera alla mattina.

Poi mi sorpresi a addentrarmi nei dettagli operativi: il comunicato di massima priorità diffuso su HOLMES; la direttiva con validità immediata con cui avevo richiamato in servizio otto unità in licenza; l'allerta urgente autorizzata dal mio superiore, l'ispettore capo Whitestone, che avrebbe diramato la segnalazione a ogni agente di polizia del paese, confermandone l'autenticità. Infine tirai il fiato e ripetei l'unica cosa davvero importante.

«Bradley è vivo» dissi.

Charlotte fissava il pupazzetto di Ian Solo, stringendolo tra le dita; poi annuì e avanzò di un passo verso di me.

E per un po' non ci furono più parole.

Niente parole nel corridoio in cui mi condusse per mano, né sulla scala che portava al primo piano di quella casa enorme, o nella stanza da letto, dove ci spogliammo in fretta, ammutoliti dallo stupore. E assolutamente nessuna parola da quel momento in poi, perché le nostre bocche erano troppo impegnate a cercarsi e trovarsi, e gli unici suoni furono i sospiri e i gemiti quando facemmo l'amore con tutta l'urgenza e la tenerezza della prima volta, mentre fuori calava il buio e la stanza restava illuminata solo dal chiarore dei lampioni di Fitzrovia.

E restammo in silenzio anche dopo, intrecciati l'uno all'altra, storditi e senza fiato, talmente vicini da essere una cosa sola.

Le presi il volto tra le mani e la baciai sulla bocca; avrei voluto continuare all'infinito, mentre il sangue tornava a scorrermi nelle vene, il calore mi montava dentro e una gioia folle mi invadeva.

«Max» disse. «Non è facile, per me.»

«Lo capisco» risposi, per mettere fine ai discorsi. Parlare mi sembrava inutile.

La baciai di nuovo – collo, spalle, braccia, mani –, inspirando il profumo e il sapore della sua pelle, e fu solo allora che vidi le cicatrici bianche sul polso sinistro, il segno inequivocabile di una ferita autoinflitta.

«No» sussurrò, ritirando il braccio e nascondendolo sotto il lenzuolo. «Non puoi capire. Però non sei come gli altri, vero? Tu sei buono.»

Mi baciò il dorso della mano. Aveva gli occhi lucidi. Cominciava a spaventarmi.

«Tu non c'entri» disse, e senza volerlo trasalii.

Quando una donna ti dice che «non c'entri», significa che c'entri eccome.

Ma non quella volta.

«Parlami» la incoraggiai, baciandola di nuovo. «Di me puoi fidarti.»

Non capivo cosa stesse accadendo.

Che cosa fosse andato storto.

«Cos'è cambiato?» domandai. «Perché dici che non è facile per te? A me sembra la cosa più semplice e naturale del mondo.»

Lei distolse lo sguardo. Poteva parlarmi o guardarmi negli occhi, ma non le due cose insieme.

«È stato molti anni fa» disse. «Quand'ero piccola. Dopo la morte di mia madre.» Inspirò a fondo, poi, lentissimamente, espirò. «La nostra famiglia era distrutta. Mio padre beveva... Dio, non sai quanto.» Tornò a guardarmi. «Non si è reso conto di quello che stava accadendo.»

Un terrore cupo mi cresceva dentro.

Qualcosa di sinistro era entrato in quella casa, nella stanza, nel letto.

«Cosa ti è successo?» domandai, sentendomi mancare il respiro: la testa mi girava e la nausea mi prendeva alla gola, perché conoscevo già la risposta.

E la vidi rifare quel gesto, rigirarsi il polso sinistro nella destra, fingendo di massaggiare la pelle per coprire i segni del tentato suicidio.

«Ti hanno violentata» conclusi, stordito dallo shock e dall'angoscia.

Lei non rispose.

«Chi è stato?»

Continuò a tacere.

Doveva aver capito che appena avessi ottenuto un nome sarei andato a ucciderlo.

La sera stessa.

«È successo in casa?»

Un assenso quasi impercettibile. Senza guardarmi.

«In casa. Sì.»

«E Mary?»

«A lei è andata anche peggio.»

«Perché era più grande?»

Rise.

Mai in vita mia avevo sentito una risata così amara.

«Perché era più *bella*.»

Calò il silenzio. Ma io adesso volevo sapere tutto. Fino in fondo.

«Per questo tua madre si è uccisa?»

Si infuriò. «Mia madre non si è *uccisa*. È caduta... davanti al treno... lei...» Così com'era venuta, la sua rabbia era scomparsa e la voce le era morta in gola.

«Chi è stato?»

«Non parliamone più, vuoi?» Mi baciò. «Torniamo come prima.»

Mi strinse tra le braccia.

«Lo sai chi abusa dei bambini?» dissi. «Quasi sempre è un membro della famiglia. È una certezza pressoché matematica. Le statistiche parlano chiaro. Certo, a volte il mostro è un estraneo, ma non è così frequente. Di solito è una persona fidata. Qualcuno che può avvicinarli senza suscitare sospetti.» Scossi la testa. «È stato tuo padre.»

Nascose il volto nel cuscino. «No» rispose, con una voce esile e soffocata.

«Tua madre si è suicidata, non è così?»

«Sì.»

«Perché l'ha fatto?»

«Per quale motivo la gente si uccide? Perché la vita le era diventata intollerabile.»

Mi alzai dal letto. «Mi dispiace, Charlotte.»

Ero sincero. Mi dispiaceva per tutto. Per sua madre. Per il suo dolore. E per ciò che avrei dovuto fare adesso. Non ero sicuro di cosa fosse accaduto. Non avevo idea delle conseguenze. Avevo un'unica certezza: dovevo vedere una persona, subito.

Mi rivestii, raccogliendo gli abiti dal pavimento dov'erano sparpagliati.

Lei si mise a sedere. «Ti prego, ascoltami» disse. «Mio padre era un brav'uomo.»

Continuai a vestirmi.

Lei si alzò, mi afferrò per un braccio e si mise a scuotermi. «Ascoltami!»

Aveva il tono di una persona abituata a farsi obbedire, la voce di chi è cresciuto circondato dalla servitù. «Non puoi andare là. Te lo proibisco. Non *voglio*!»

«Non voglio nemmeno io. Vorrei restare qui con te e non andarmene mai più. Ma non ho scelta.»

«È una faccenda *privata*.»

Annuii, ma senza smettere di vestirmi.

Il suo sguardo adesso era desolato. «Non te l'ho detto perché tu facessi qualcosa. Era per farti *capire*.»

Era quello il momento giusto per restare.

«Ho del lavoro da fare» risposi.

Mi insultò. «Non puoi dirlo a nessuno! Non devi!»

Cercai di baciarla un'ultima volta.

Lei voltò la faccia dall'altra parte. «No.»

«Devo andare.»

«Se te ne vai ora, non tornare mai più.»

La sentii piangere mentre scendevo le scale.

Ian Solo era rimasto sul pavimento nell'anticamera. Lo raccolsi e lo infilai nella tasca della giacca di pelle.

Poi uscii su Fitzroy Square e rialzai il bavero contro il gelo della notte buia.

31

«So perché Mary Wood era in terapia» dissi al dottor Stephen. «E so cos'è accaduto in quella famiglia. Non mi riferisco ai Wood. Parlo dei Gatling.»

Ci trovavamo in una libreria di Notting Hill. Era passato l'orario di chiusura, ma il negozio era pieno di gente allegra e sorridente che sorseggiava un calice di vino, in attesa di sentire il celebre psicologo del King's College presentare il suo ultimo libro. Noi stavamo in disparte, lontani dalla folla, in un angolo quieto tra gli scaffali. In sottofondo sentivo stralci di conversazioni brillanti, non vedevano l'ora di sentirlo parlare.

«Max» fece lui sottovoce. «Mary era in terapia per lo stesso motivo di qualsiasi altro paziente: per imparare ad affrontare la vita.»

«Ma c'era una ragione concreta per cui per lei era più difficile» ribattei. Rividi le cicatrici sul polso sinistro di Charlotte. «Perché da bambina era stata violentata.»

Capii dalla sua espressione che era vero. «Ah, dottor Stephen! Perché non ce ne ha parlato?»

«Lo avrei fatto, se fosse stato rilevante per l'indagine» rispose. «E non lo era. Il colpevole è morto da anni.» Esitò. «Era l'allenatore di Mary. Il suo maestro di sci.»

Scossi la testa. «Si sbaglia. Mary le ha mentito. Su questo, perlomeno. Il colpevole era molto più vicino. La solita vecchia storia. Le violenze erano accadute in casa.»

Lui non sembrò convinto.

«Perché ha interrotto la terapia?» domandai.

«Non lo so.»

«Allora glielo dico io. Perché aveva trovato un altro modo per rendere tollerabile il suo passato. Credo che avesse deciso di smettere di parlarne con lei per rivolgersi alla polizia. Stava per denunciare gli abusi. Era pronta. Finalmente si sentiva abbastanza forte da farlo sapere al mondo intero. A volte ci vogliono anni, non è così? Per trovare le parole. Per dire che ti hanno stuprata. Alcune vittime impiegano una vita.»

«Sì» rispose lui. «Altre non ci arrivano mai. Come l'ha scoperto?»

«Mary non era l'unica vittima. È successo anche alla sorella, Charlotte. Dopo la morte della madre, il vecchio ha abusato di entrambe le figlie. È stato il padre a violentarle. Victor Gatling.»

«No. È impossibile, Max. Mary stravedeva per lui.»

Bussai alla porta della suite di Nils Gatling, infischiandomene del cartello NON DISTURBARE.

Mi rispose una voce di donna. «Lo lasci fuori!»

Continuai a battere il pugno sul legno finché qualcuno non venne ad aprire.

Zina. La ragazza che aveva tenuto Curtis Gane tra le braccia nel suo letto d'ospedale.

Eravamo entrambi sconcertati di vederci. Be', cosa mi aspettavo? Che restasse per sempre abbracciata a Curtis? Forse è proprio quella, la menzogna che ti vendono.

La seguii nella suite, grande quanto un intero appartamento.

272

Zina era ubriaca. Sbronza marcia. E non solo. Biascicava quando mi disse che lui era nell'altra stanza, e non sembrò accorgersi di avere la vestaglia aperta.

È drogata, pensai. Poi vidi il blister sul comodino, le pasticche bianche con una croce incisa sopra.

Roipnol.

Nils Gatling indossava una vestaglia da camera sopra i vestiti, quando entrò nel salotto.

«Mi parli di sua sorella» gli dissi.

Si fermò un istante a squadrarmi. Non era spaventato. La sua reazione avrebbe dovuto mettermi sul chi vive, ma la ignorai.

«Di sorelle ne avevo due» puntualizzò. «A lei quale interessa, ispettore?»

«Cominciamo da quella assassinata. So perché era in terapia. Aveva subito violenze da piccola. E stava per dirlo a tutti.»

Restò a fissarmi per qualche momento.

Poi scoppiò a ridere.

«Si sbaglia» disse. «Lei *crede* di aver scoperto il motivo della sua terapia. Ma la vera ragione è che mia sorella aveva bisogno di aiuto perché era squilibrata, malata di mente. C'erano stati tentativi di suicidio. Trascorsi di autolesionismo.»

Mi lesse il dubbio negli occhi e sorrise.

«Mio cognato era un inetto senza spina dorsale, Dio solo sa quanto, ma nemmeno lui meritava una moglie simile. Mary era una persona profondamente disturbata. Se Peter Nawkins non l'avesse uccisa, con ogni probabilità l'avrebbe fatto da sola. Nella mia famiglia si tramandano tre caratteristiche: i capelli biondi, gli occhi azzurri e la schizofrenia paranoide.» Sospirò. «È la nostra croce.»

Scossi la testa. «No. Se Nawkins non l'avesse uccisa,

273

Mary non si sarebbe tolta la vita. Avrebbe *parlato*. Si sarebbe rivolta alla polizia. La terapia non era più sufficiente. Il dottor Stephen aveva fatto il possibile, ma adesso lei aveva bisogno di chiudere con il passato.»

«Che orrendo cliché.»

«Sarà anche un cliché, ma io ho visto troppe vittime. E a un certo punto la verità deve venire a galla, altrimenti ti consuma come un cancro. Sua sorella doveva parlare perché quanto le era accaduto la stava mangiando viva. Voleva giustizia.»

«Mia sorella *aveva* parlato. Non faceva altro. Farneticava, invece di allenarsi. Immagino sarà tutto documentato. Le sue squallide menzogne. Le sue disgustose fantasticherie. Mia madre era uguale. Tutte le donne della famiglia soffrivano delle stesse, ripugnanti allucinazioni.»

Le donne della famiglia.

Parlava di sua madre. Delle sue sorelle.

Sì, non c'era dubbio che avessero sofferto tutte e tre.

«Però nessuno le ha dato ascolto» ribattei. «Anche questo l'ho visto succedere mille volte. Mary aveva cercato di farsi ascoltare e le sue parole erano cadute nel vuoto. Finché, a distanza di anni, si è sentita pronta a ritentare.»

Bussarono alla porta.

«Lo lasci fuori!»

Continuarono a bussare.

Un lampo di furia assoluta sfigurò il volto di Gatling.

«Vai ad aprire, stupida puttana!» gridò.

Zina tornò vacillando dalla stanza e gli rivolse uno sguardo annebbiato.

«Vacci da solo» rispose.

Lui avanzò di un passo e le sferrò uno schiaffo, a mano aperta. Stava per rifarlo quando gli bloccai il polso.

«Okay» disse, ridendo. «D'accordo.»

«Gli piace farmi del male» disse Zina, barcollando verso la porta, l'impronta rossa delle dita sul volto smorto e chiazzato. «Anche troppo. Altrimenti non gli viene duro.» Sorrise per quel suo piccolo trionfo. Ma Gatling si limitò a un'altra risata.

«Toccala un'altra volta e ti spezzo il braccio» lo minacciai. «In tre punti diversi.»

Mi sorrise. «Bravo, ispettore» disse. «Un vero paladino dei deboli.»

Gli lasciai il polso. La situazione mi stava sfuggendo di mano. Dovevo portarlo in centrale, registrare la deposizione. Se fossimo rimasti in quella stanza, rischiavo di perdere il controllo.

Zina aprì la porta. Non vidi il cameriere in corridoio. La suite era troppo grande. Lei tornò da sola, spingendo il carrello del servizio in camera.

Champagne. Un cestello di ghiaccio. Due calici. Cena per uno.

«Deve seguirmi in commissariato» dissi. «Mi serve una dichiarazione. Una deposizione giurata e registrata.»

«Le spiace?» Gatling reggeva lo champagne.

Lo ignorai e presi il cellulare. Volevo che fosse tutto pronto al nostro arrivo.

Mi colpì alla testa con la bottiglia. Caddi in ginocchio. Poi arrivò un altro colpo, sulla nuca. Sentii il rumore di qualcosa che si rompeva, e non era il vetro.

Zina urlava. Avevo il petto fradicio e gelato. Mi ero aggrappato alla tovaglia del carrello, rovesciandomi addosso il cestello del ghiaccio. C'erano cubetti ovunque. Sentii un tuono sul timpano. Un calcio.

Poi, mentre il sangue mi colava negli occhi, il dolore esplose tutto insieme: fronte, nuca, orecchio.

Gatling era al telefono. «Vieni subito qui» disse.

Dopodiché, con estrema precisione, mirando con la punta della scarpa all'osso fragile appena sopra l'orecchio, mi prese a calci in testa finché una dolce oscurità mi avvolse e mi portò via.

Quando riaprii gli occhi, vidi Zina. Ero ancora riverso sul pavimento. Non sapevo se fossi rimasto privo di sensi per un minuto o per un'ora. Sentii montare la nausea. Ero da buttare. Ma mai quanto la ragazza che aveva lasciato la Romania dieci anni prima. Sedeva su una seggiola, con la testa abbandonata sul petto. La vestaglia era zuppa di sangue, colato dalla gola squarciata.

«Oh, Dio... Oh, Gesù» mormorai.

Cercai di rimettermi in piedi.

C'era Sean Nawkins nella stanza.

Mi fissava.

«Chiudiamola qui» disse, senza smettere di guardarmi.

«No» rispose Gatling. «Dobbiamo già sbarazzarci della puttana. O vuoi lasciarla alla donna delle pulizie?» Aveva in mano una bottiglietta d'acqua minerale, di quelle piccole, tipiche degli alberghi. Mi aiutò a sollevarmi sulle ginocchia, una gentilezza così inattesa che rischiai di sciogliermi in lacrime di gratitudine. Poi Nawkins mi arpionò il mento con due dita, per costringermi ad aprire la bocca.

«Bevi» disse Gatling.

Scossi la testa.

«Bevi.»

Farfugliai qualcosa.

Lui si chinò avvicinando un orecchio.

«Fottiti» sibilai a denti stretti.

«Aprigli la bocca.»

Nawkins mi afferrò il mento con una mano enorme e

mi tappò il naso con l'altra. La mia mandibola cedette.
Mi versarono l'acqua in bocca. Uno spasmo mi strinse la
gola, sentii il sapore amaro di un conato, ma Nawkins mi
richiuse di scatto la bocca, costringendomi a deglutire
anche il vomito.

«Servono venti minuti perché entri in circolo» disse
Gatling.

La stanza cominciò a ondeggiare.

Il tempo era pieno di buchi.

Avevo una gran voglia di sdraiarmi e dormire in eterno,
invece mi sollevarono da terra, mi infilarono una felpa
troppo piccola, calandomi il cappuccio sulla testa, e mi
trascinarono nel corridoio; avevo le vertigini, la nausea e
le gambe che cedevano mentre mi portavano fino all'ascensore di servizio, più grande di quello con cui ero salito.

Uscimmo dal retro. Un giovane dipendente dell'albergo era fuori a godersi una fumata.

«Brutto vizio» gli disse Gatling; il ragazzo rise, nascon-
dendo la sigaretta.

«Prima o poi smetto» rispose.

Mi sentii sprofondare in un sonno cupissimo. Più simile alla morte. Quella che mi avevano versato in bocca mi
era sembrata acqua perché, mischiato ai liquidi, il Roipnol
è insapore e inodore.

Si scioglie completamente. E poi fa sciogliere te.

L'effetto che ha sul controllo psicomotorio, sulla mente e sui muscoli è quello di un tranquillante, ma solo se
lo elevi all'ennesima potenza.

I violentatori ne vanno matti.

Perché con il Roipnol possono farti tutto quello che
vogliono.

32

Mi svegliò un colpetto di martello sui denti.

«Prima questi glieli stacco tutti» stava dicendo Sean Nawkins. «Poi gli sego le dita. Venti minuti.» Si fermò a rifletterci. «Mezz'ora al massimo.»

Il martello tracciò un cerchio sul mio volto, strisciando sulla fronte, la guancia, la mandibola, l'altra guancia.

«E poi gli strappo la faccia» proseguì Nawkins. «Una bella incisione profonda e gli levo la pelle come fosse una buccia.» Si voltò. «A quel punto, possiamo bruciarlo. Quello che troveranno non sarà più un uomo. Solo un troncone di carne carbonizzata.»

Non riuscivo a muovermi. All'inizio pensai che fosse l'effetto del Roipnol, poi mi resi conto che mi avevano legato alla sedia con del nastro isolante.

Dovevo aver vomitato perché un filo di bile giallastra mi pendeva dalla bocca e mi colava sul petto nudo.

Scout, pensai, o forse lo dissi, o lo gridai.

Il Roipnol era come una nebbia fitta calata nel mio cervello, non riuscivo più a distinguere la realtà dalle allucinazioni.

Le luci nella stanza mi bruciavano gli occhi, mi accecavano. Per un momento mi domandai se fossi già morto e mi trovassi in un angolo abbacinante dell'inferno.

«Oddio, ti prego... Ti prego, Gesù...»

«Che sta dicendo?»

«Farnetica. Sono le pasticche. È fuori di testa.»

Sentii un rintocco di campane. Campane di un tempio giapponese.

Aprii gli occhi.

Ero nella villa dei Wood. A Highgate. Nel Garden.

Sedevo al centro del salone nel quale ero entrato quella notte, una vita prima, nel vasto open space bianco con la vetrata sul fondo. La macchia scura del rogo mancato ricopriva ancora un muro e metà del pavimento nella zona giorno. Il lungo tavolo con le dodici sedie era al suo posto. E oltre la vetrata vedevo soltanto il buio, come l'altra volta.

E sentivo il tintinnio dolce della campana nel giardino giapponese.

Nils Gatling era in piedi di fronte alla finestra, concentrato sul cellulare.

Nawkins infilava i miei abiti in un sacco nero della spazzatura. Solo allora mi resi conto di essere nudo.

C'era un tavolino basso tra noi, e sul pianale una piccola tanica di metallo, un martello, un seghetto a mano e un alto vaso di cristallo, colmo di gigli freschi.

Il cervello non mi funzionava a dovere e c'erano ottime probabilità che non si ristabilisse mai più. Il Roipnol resta in circolo per otto ore, ma dubitavo di sopravvivere tanto a lungo.

Non riuscivo a pensare. Avevo la vista appannata. Ogni respiro mi procurava un'ondata di nausea.

Una cosa, però, potevo distinguerla con chiarezza.

L'uomo alla finestra.

Lo vedevo. E non avevo più dubbi.

«Non è stato tuo padre» dissi a Gatling. «Sei stato tu.»

Non sapevo se l'avevo detto davvero o solo pensato, ma

con l'occhio della mente vidi il ragazzino ricco che perdeva ogni freno mentre il padre era schiacciato dal lutto, stordito dall'alcol, reso impotente dalla disperazione.

E lo vidi introdursi nelle stanze delle sorelle e fare i suoi comodi senza che nessuno potesse fermarlo.

E poi vidi Mary, massacrata perché aveva deciso di denunciarlo: a quel punto, tutti i segreti sarebbero venuti a galla, perché alla fine accade sempre così, anche se a volte ci vuole una vita...

Capii che lo stavo dicendo ad alta voce solo quando Nawkins chiuse il sacco della spazzatura e venne ad assestarmi un altro colpetto di martello sui denti.

«Certo che ne hai di fiato, per un uomo morto.»

Afferrò la tanica e me la svuotò sulla testa, sulle braccia e sulle gambe. Il tanfo di benzina mi prese alla gola.

«Fai un bel respiro, ispettore» disse Nawkins. «Perché potrebbe essere l'ultimo.»

Mi sembrava di sentire già l'odore della mia carne bruciata.

«Il fuoco» sbottò Gatling, in tono sprezzante, senza staccare gli occhi dal cellulare. «È la tua soluzione a tutto. Niente più roghi, Nawkins.»

Non era una richiesta, era un ordine, e sulla faccia dell'uomo lessi la delusione. Gli piacevano i roghi. Mi tornò in mente la fattoria dei Burns, dove la polizia non aveva trovato le impronte del Macellaio perché era stata data alle fiamme.

«Vuoi sbarazzartene, no?» replicò. «Farlo sparire? Be', se lo bruciamo non lo trovano più.»

Gatling indicò la macchia annerita sul pavimento. «Ci avevi già provato, o sbaglio? E com'è andata a finire, imbecille?»

«Tua moglie non l'hanno bruciata quelli del paese»

dissi a Nawkins. «Tutte balle. Sei stato tu ad ammazzarla, vero? Arsa viva, cosa aveva fatto per meritarsi quella fine?»

Lo vidi contrarre i muscoli della mascella, poi distogliere lo sguardo.

«Allora, vuoi farlo sparire o no?» insistette.

«C'è un modo migliore» rispose Gatling.

Di colpo capii com'erano andate le cose.

Fissai Sean Nawkins e vidi la roulotte in fiamme, sentii le urla della donna all'interno; ricordai le firme sul registro del penitenziario di Belmarsh che documentavano le visite di sua moglie a Peter, settimana dopo settimana, anno dopo anno.

E rividi l'assoluta certezza negli occhi di sua figlia mentre mi graffiava la faccia, la ragazza che non credeva ma *sapeva* che suo zio Peter non c'entrava nulla con i delitti di cui era accusato.

«Cosa guardi, porco?» mi urlò in faccia Nawkins.

Sorrisi. «Guardo un uomo la cui moglie è andata a letto con il fratello. E forse anche la figlia ha fatto lo stesso.»

Alzò il martello con un'espressione omicida.

«Per questo l'hai incastrato» dissi.

Il martello si abbatté.

Un colpo secco sullo zigomo che mi strappò un brandello di carne appena sotto l'occhio.

Chinai la testa sul petto sforzandomi di controllare il respiro e tenere a bada il dolore. Impiegai diversi minuti a riprendere fiato.

«Gatling?» dissi.

«Cosa vuoi?» Non mi guardava. Continuava a trafficare con il cellulare.

«Ecco com'è andata» iniziai. «Il compito di Nawkins era tappare la bocca a tua sorella, impedirle di vuotare il sacco con la polizia. Suscita molto scalpore, di questi tempi, rivangare una vecchia violenza sessuale. Ti sbattono dentro per un mucchio di tempo. Anche se sono passati anni. Gli abusi sui minori non cadono in prescrizione. Divenute adulte, le vittime ritrovano la voce e chiedono giustizia. Per questo hai liquidato tutta la famiglia. Per confondere le acque, nascondere il vero movente.»

Gatling trattenne un sorriso. «Ha funzionato, no?»

«Lo sapevi che Nawkins ha violentato Mary? Scommetto che lo stupro non faceva parte del piano. Ecco perché odiavi tanto suo marito. Nessuno era autorizzato a toccare Mary, tranne te. Invece lui l'ha toccata eccome, Gatling. Il tuo amico Nawkins. Chiediglielo, se non mi credi. L'informazione non è mai stata divulgata, ma è la verità. Domandalo a lui.»

Nel salone bianco calò un silenzio di tomba. Gatling fissava Nawkins.

«È vero?»

«No! Sta solo cercando di salvarsi la pelle...»

«Gatling?» dissi.

«Che vuoi?»

«Dov'è Bradley?»

Cominciai a urlare il nome del bambino. «Bradley! Bradley! Bradley!»

«Fallo tacere!» sbottò Gatling, e l'altro si affrettò a tapparmi la bocca con il nastro isolante. E il naso, gli occhi, le orecchie. Continuò fino a esaurire il rotolo.

Non riuscivo a respirare. L'aria non passava più. Nawkins non voleva solo zittirmi. Voleva finirmi.

Cercai di ritrovare la calma.

Avevo le labbra completamente sigillate, e anche il naso era quasi bloccato, ma concentrandomi riuscivo a inspirare un filo d'aria da un angolo minuscolo della narice. Dovevo farmelo bastare. Poi, nella tenebra calata sugli occhi, trovai uno spiraglio da cui intravedevo una parte della stanza.

Fu così che notai la guardia di sicurezza.

Era un giovane indiano, in piedi all'imboccatura del vialetto, e fissava dubbioso la casa. Gatling e Nawkins confabulavano tra loro, davanti alla vetrata sul fondo. Non si erano accorti di niente. E la guardia continuava a scrutare la casa.

Il nastro mi teneva le cosce incollate alla sedia, ma riuscivo a muovere i piedi. Sferrai un calcio all'alto vaso di fiori sul tavolino, lo mancai e finii a sbattere con le dita nude sullo spigolo. Una fitta lancinante mi percorse le gambe e mi afferrò i testicoli. Mi costrinsi a inghiottire un conato. Se avessi vomitato, sarei morto soffocato.

Sferrai un altro calcio e questa volta andò a segno. Il vaso volò in aria e si schiantò contro l'angolo del tavolino, sparpagliando schegge, acqua e gigli ovunque.

E dalla mia minuscola finestra sul mondo vidi la guardia risalire il vialetto.

Suonò il campanello.

Nawkins si chinò su di me. «Ti pentirai di tutto questo» sibilò. «La tua sarà una morte lenta, non ti immagini neanche quanto.»

Tirai un altro calcio e il piede centrò qualcosa di duro, e umano. Lui mi conficcò le dita nel collo, come artigli, costringendomi ad abbassare la testa mentre dalla porta filtravano un refolo d'aria fresca e il mormorio di una conversazione.

«Mille grazie» stava dicendo Gatling. «Sì, la polizia ha tolto i sigilli... Stanotte dormirò qui. Comunque, la ringrazio per l'interessamento.»

«Dovere, signore» disse la guardia, e se ne andò.

La porta si richiuse.

I passi si allontanarono sul vialetto.

Poi sentii il rumore della portiera che sbatteva e la macchina che ripartiva.

Mi veniva da piangere.

Restammo soli in quella grande casa in cima alla collina più alta della città. Il silenzio sembrò annunciare la fine del mondo.

Pensai all'allocco.

Era Peter Nawkins, questa volta.

Lo stesso ruolo toccato a Maisy Dawes.

Un uomo perfetto per la parte.

«Aspettiamo che la guardia se ne vada» disse Gatling. «Poi lo portiamo fuori dal retro.» Mi batté una mano sulla testa. Il cuore mi martellava nel petto. Bruciava ossigeno. L'aria non mi bastava più. Stavo soffocando.

«Conosco il posto ideale per seppellirlo» disse infine Gatling.

Il muro di cinta in fondo al Garden era completamente coperto dall'edera.

In un punto, sotto i rami, c'era una botola, un passaggio segreto servito a chissà cosa: gli uomini che l'avevano costruito erano polvere da un secolo.

Ma adesso era utilissimo per introdursi indisturbati nel Garden, come la notte in cui Nawkins era venuto ad annientare la famiglia Wood, o per intrufolarsi nel cimitero di Highgate, il luogo dei morti dove stavano portando me.

Mi trascinarono in quella sorta di giungla vittoriana. Cercai di indovinare il tragitto seguendo una mappa mentale. Oltre il muro. Dopo i gradini c'è Egyptian Avenue. Svolta a destra verso... cosa? Dickens Path. Poi a sinistra e lungo un pendio: Comforts Corner.

Ma il mio cervello era fiacco, stordito dal Roipnol, sprofondato nella sua nebbia, e quando mi scaricarono a terra non avevo la minima idea di dove mi trovassi.

Non vedevo nulla, solo buio.

Però sentii il rumore delle vanghe sul terreno e un suono di legno antico, ormai marcito, che cigolava, gemeva e si spezzava.

C'era un odore di tomba nell'aria, quando mi sollevarono.

«Vuoi dormire con una puttana?» mi bisbigliò Nils Gatling. «Con questa potrai dormire in eterno.»

Avvertii un fruscio, poi uno schianto di ossa umane mentre mi calavano nella bara.

33

Basta così.
  Dormi, adesso.
  Chiudi gli occhi.
  Non pensare a niente.
  Lasciati andare a questo buio profondo e assoluto, e sarà finita.
  Non sforzarti di respirare.
  Rassegnati.
  Abbraccia l'oscurità e metti fine alle tue sofferenze.
  Hai fatto il possibile. Arrenditi.
  Fu il dolore a riscuotermi.

Non avevo idea di quanto tempo fosse passato, ma doveva trattarsi di parecchie ore, perché l'effetto sedativo del Roipnol aveva cominciato a scemare. La fitta mi arrivò dritta al cervello.

Di botte ne avevo prese tante, ma il dolore che mi risvegliò fu quello dovuto al colpo inferto allo zigomo dal martello di Nawkins.

Il bruciore cocente, lancinante, di una ferita profonda fino all'osso dissipò la mia confusione mentale e bastò per capire che mi avevano sepolto vivo.

Gridai.

Mi dibattei come un ratto tra le fauci di un cane, mentre sotto di me quelle antiche ossa scricchiolavano e si spezzavano, e il nastro che mi bloccava le braccia si allentava, come se non avesse più alcun potere in quel luogo spaventoso. Lo lacerai con le unghie e con i denti, nell'urgenza disperata di liberarmi.

Ne avevano applicato diversi strati, ma capii che ero quasi libero quando l'adesivo cominciò a strapparmi peli e pelle. Infine ripresi fiato mentre fissavo il cielo di quell'universo: un'asse di legno umido e marcio a pochi centimetri dalla mia faccia.

La tenebra era impenetrabile e mi opprimeva, levandomi il respiro.

Poi cominciai a sferrare pugni contro il legno.

«Scout.»

Il pensiero di mia figlia mi aveva restituito la forza e le energie. Nel suo nome, pronunciato ad alta voce, era risuonata tutta la mia disperata voglia di vivere.

Continuai a colpire così come mi avevano insegnato in anni di allenamento: senza sprecare energie né spazio, limitando il movimento ai pochi centimetri che mi separavano dal coperchio e percuotendo il legno – sinistro, destro; sinistro, destro – in una cadenza incessante, emettendo un piccolo lamento animale ogni volta che andavo a segno. I miei gomiti erano stretti sui fianchi come per proteggermi dai pugni di un avversario, quelli al corpo che ti spezzano il respiro e fanno molti più danni di qualsiasi colpo incassato in faccia – sinistro, destro; sinistro, destro –, finché, con le nocche lacerate e sanguinanti, fui costretto a fermarmi per calmare il dolore e riprendere fiato.

Mentre riposavo, mi coprii le mani con i brandelli di nastro isolante per colpire più forte limitando i danni. Poi – mi sembrò un'ora, ma forse erano passati solo pochi secondi – ripresi da capo.

E il legno si incrinò. Mandò un gemito sinistro, come un tuono improvviso, e a quel suono cominciai a colpire all'impazzata; ma non servì a niente, perché il legno non scricchiolava più e le mie energie si esaurivano. Mi fermai, con il sudore che mi colava negli occhi, pungendomi con il suo sale mescolato a quello delle lacrime.

L'aria.

Non ne era rimasta molta.

La stavo consumando.

Mi sentii invadere dal panico e tentai di girarmi sul fianco, per rallentare il respiro e bruciare meno ossigeno. Ma non ci riuscivo. Non c'era abbastanza spazio. La cassa non era costruita per muoversi. Serviva a giacere supini e a riposare fino alla fine dei tempi.

Imprecai ad alta voce, sferrando un calcio: il piede penetrò il legno marcio e si conficcò nella terra. Impiegai molto tempo per liberarlo. Però significava che il coperchio stava per cedere. Si trattava solo di colpirlo nel modo giusto. E dovevo farlo prima che l'aria finisse del tutto.

Ma ero così stanco.

Chiusi gli occhi, anche se intorno a me c'era solo e soltanto buio. Cercai di riposare il più a lungo possibile. Poi, quando cominciai a sentire le tenebre che mi avviluppavano, mormorando che avevo fatto il possibile, che era ora di lasciarmi andare, mi costrinsi a un ultimo sforzo.

Con le nocche ridotte quasi in poltiglia, le mani ormai erano inservibili. Così ricorsi ai trucchi del pugile scorretto.

Gomiti. Ginocchia. Fronte. Qualunque cosa. Ogni arma a mia disposizione. In un ritmo forsennato.

«Scout! Scout! Scout!»

Grugnendo a ogni impatto. Gomito sinistro, gomito

destro; ginocchiata di sinistro e di destro; e poi sollevando il busto, con lo scheletro sotto di me che mi pungeva la schiena e si frantumava, per prendere a testate quell'inflessibile cielo di legno.

Niente da fare. Il coperchio cigolava, gemeva, si aprivano le prime fessure, ma io ero ancora imprigionato nella bara in cui sarei rimasto in eterno. Alla fine, esausto, cedetti alle lacrime calde, amare.

Dissi un'unica parola. «Scout.»

Le forze mi abbandonavano.

Finché non percepii il topo.

Si era intrufolato nel mio piccolo mondo di legno dal foro aperto con il piede. Mi zampettò sulle gambe e poi, reagendo al mio grido di orrore puro, mi strisciò su una coscia, trascinando la coda viscida come una serpe sulla pelle nuda; lo sentii digrignare i denti accanto alla mia testa quando si fermò a fiutare, pregustando la carne sanguinolenta della mia faccia.

Scalciai, mi dimenai e mi dibattei con la furia di una bestia in trappola che infine ha capito di doversi giocare il tutto per tutto.

Il coperchio della bara si crepò, si ruppe, andò in pezzi.

E il cielo mi crollò addosso. La terra mi piovve sul petto, in faccia, su tutto il corpo, uno scroscio di terreno indurito dal freddo che mi riempiva la bocca e gli occhi, mi tappava le narici.

Lottai con le unghie e con i denti, dimenandomi come un forsennato per aprirmi un varco. La terra voleva seppellirmi, ma io mi rifiutavo di cedere. Il peso del mondo mi schiacciava, mi soffocava, ma io continuai a dibattermi, sapendo che arrendersi anche per un solo istante significava la morte, cercando di sollevarmi mentre venivo spinto inesorabilmente verso il basso, combattendo con la forza della disperazione, con una ferocia impotente, contro quella terra fredda, indurita dall'inverno, mentre mi rendevo conto che ormai non riuscivo più a respirare, stavo annegando, con la bocca piena di terriccio, la gola chiusa e i polmoni e il cuore pronti a scoppiare.

E poi mi trovai quasi seduto, con il peso del mondo ancora addosso ma non più in grado di trattenermi; sentii la mia mano rompere quel muro di terra, l'aria fresca che la sfiorava, e ripresi a spingere, frantumando le ossa sotto di me e riducendole in polvere.

Agitai la punta delle dita nell'aria della notte, poi l'intera mano e infine un braccio. Mi aggrappai al bordo della fossa per issarmi verso l'alto, emergendo dal sottosuolo con la testa, sputando terra e risucchiando aria, vomitando lo sporco e inghiottendolo di nuovo, era incollato alla lingua, ai denti, al palato. Ansimavo come un naufrago che con l'ultimo colpo di reni riesce a riaffiorare in superficie, e d'un tratto fui all'esterno, tossendo e singhiozzando, sepolto fino alla vita, dolorante in tutto il corpo, coperto di terra.

Ma vivo.

Due feroci occhi gialli mi fissavano. Io e una vecchia volpe spelacchiata ci scrutammo increduli. Poi lei fuggì. E io mi addormentai. O svenni. O forse avevo ancora abbastanza Roipnol nelle vene da abbracciare il buio come un'amante.

Restai inerte finché un brivido di freddo mi riscosse e di colpo mi resi conto che sarei morto assiderato, se fossi rimasto lì.

Sotto lo sguardo degli angeli di pietra, mi sollevai dalla tomba solo per scoprire che non mi reggevo in piedi. Nemmeno lontanamente. E così strisciai.

Mi trascinai con una lentezza esasperante, graffiandomi

le ginocchia, i gomiti, gli avambracci, gli stinchi e i piedi sul terriccio ghiacciato in un supplizio continuo, grato per la protezione offerta dal pochissimo nastro isolante rimasto incollato alla pelle. Pregai che la notte finisse e che arrivasse qualcuno ad aiutarmi. Ma la notte non finiva mai e non arrivò nessuno. E quando non ebbi più la forza di strisciare, mi fermai, tremando per il freddo, lamentandomi come un animale agonizzante. L'ultima cosa che ricordo è il monumento accanto al quale mi ero accasciato. Dal sottobosco spuntava la statua di un cane addormentato. La bestia era colossale, grossa quanto una macchina, e mi domandai se fosse reale o soltanto un'allucinazione. Ormai non aveva più importanza.

Dietro il cane si ergeva una stele di pietra con un'iscrizione illuminata dall'ultima luna piena dell'inverno.

TOM SAYERS
PUGILE
CAMPIONE D'INGHILTERRA
NATO NEL 1826
PIMLICO, BRIGHTON, SUSSEX
È UN GIOCO DA UOMINI E SOLTANTO UN VERO UOMO PUÒ GIOCARLO

Chiusi gli occhi e persi conoscenza, con una mano appoggiata al cane di Tom Sayers.

34

«Buon Dio, che cosa ti hanno fatto?» esclamò Rocky.

Al cimitero di Highgate si gelava. Mancava ancora molto all'alba, quando Rocky era emerso correndo dalla nebbia, nell'ora in cui i pugili si allenano in solitudine per farsi il fiato, l'unica garanzia contro il tracollo fisico che ti prende quando hai dato fondo a tutte le energie e i round non sono ancora finiti.

Mi mise a sedere, badando a non toccarmi le ferite; restai imbambolato, fissando gli angeli senza volto tra i cespugli, mentre lui mi staccava dalla pelle gli ultimi brandelli di nastro isolante. Poi si sfilò la tuta e mi vestì con quella, chiudendo la cerniera fino al mento e stendendomi a terra per infilarmi i pantaloni. Infine mi aiutò ad alzarmi e mi sorresse mentre, con estrema lentezza, scendevamo lungo il pendio fino ai cancelli dov'era parcheggiato il suo scassato furgone bianco.

«Al 27 di Savile Row» dissi e, non ottenendo risposta, lo ripetei ancora: «27 di Savile Row. West End Central».

«No» ribatté lui.

Si avviò verso sud, infilandosi nel traffico che cominciava a crescere intorno ad Archway; credo di aver perso conoscenza, perché eravamo dalle parti di Angel quando rividi il suo volto e l'espressione determinata con cui imboccava la direttrice est verso la City, l'East End e l'Essex. E capii che l'ultimo posto al mondo dove Rocky mi avrebbe portato era una stazione di polizia.

Lo insultai. Per non avermi dato retta. E per tutte le cose che mi aveva taciuto. Lui mi rivolse un sorriso lugubre e scosse la testa. Richiusi gli occhi. Sapevo di dovergli la vita.

Mi addormentai.

Mi svegliò un suono strano.

Il sibilo della corda di cuoio nell'aria, sempre più veloce, e il tonfo rapido e cadenzato delle scarpette da boxe che sfioravano appena il terreno con la suola sottile. Mi stirai, registrando mentalmente i punti doloranti, cercando di stendere braccia e gambe. Le mie mani toccarono un muro. Il letto era minuscolo, come la stanza. Mi trovavo in una piccola roulotte. C'era una mazza da baseball in un angolo. Feci per prenderla.

«Qui sei al sicuro» disse Echo.

Era in piedi sulla soglia, nei soliti, striminziti abiti estivi. Calzoncini bianchi, una maglietta che non arrivava a coprire il piercing all'ombelico, zeppe altissime. Adesso, però, sembrava invecchiata e la gravidanza era evidente.

«Non hai bisogno di una mazza da baseball» disse, senza sorridere. «Rocky non permetterà a nessuno di farti del male.»

Tornai a sdraiarmi. Comunque, le mazze da baseball sono sopravvalutate come strumento di autodifesa.

«Cosa ti è successo?» domandò lei.

Respirai a fondo. Fuori calava già il buio. Avevo dormito quasi per una giornata intera e il Roipnol mi aveva lasciato i postumi peggiori del mondo. Adesso, però, ricordavo tutto. Ero perfettamente lucido.

«Tuo padre e Nils Gatling» risposi. «Ecco cosa mi è successo. Sono amici, non è così?»

Echo scrollò le spalle. «Papà lavora per Gatling da anni. La famiglia ha immobili in tutta Londra e per il mio vecchio è stata una fonte di reddito costante.»

Scoppiai quasi a ridere. «E a te e Rocky non era proprio venuto in mente di dirmelo?»

Lei non si scompose. «Tu sei la legge» replicò. «A voialtri cerchiamo di dire il meno possibile.» Poi nei suoi occhi rividi un lampo della vecchia rabbia. «Ma di mio zio ti avevo parlato, no? Ti avevo detto che era innocente. E tu non hai voluto ascoltarmi.»

«Tacete quasi su ogni cosa, ma quando aprite bocca volete essere ascoltati. Lo capisci anche tu che è una pretesa un po' contraddittoria.»

Lei inspirò, poi sbuffò fuori l'aria. «Mio padre e Nils Gatling» disse. «Che cos'hanno fatto?»

«Si sono scambiati un favore. Gatling voleva zittire la sorella Mary. E tuo padre punire Peter, suo fratello.»

Lo shock si dipinse sul suo volto. Con un gesto protettivo, si accarezzò il ventre e il bambino dentro di lei.

Mi misi a sedere e guardai fuori dalla finestra. Rocky saltava alla corda, a petto nudo. Era in forma smagliante e mi domandai quanto mancasse al suo primo incontro da professionista. Ormai doveva essere alle porte.

«Per quale motivo Nils Gatling avrebbe dovuto uccidere sua sorella?» chiese Echo.

«Per impedirle di denunciare alla polizia gli abusi sessuali subiti da bambina. Gli orrori del passato, finalmente tornati alla luce. Quanto al resto dei Wood... loro sono solo danni collaterali.»

Non mi domandò perché suo padre volesse punire il fratello. Non ce n'era bisogno.

«Tu sapevi che Peter non poteva averli uccisi perché la sera di Capodanno era con te» proseguii. «Hai sempre detto la verità. E se mi avessi raccontato tutto, ti avrei creduto.» Ripensai al momento in cui Peter Nawkins aveva quasi ucciso l'agente Sallis. Ripensai alla famiglia Burns, al padre e ai tre figli, e alla fine che avevano fatto. «Non è stato tuo zio a uccidere Mary Wood e la sua famiglia» dissi. «Anche se non riesco comunque a definirlo un innocente.»

Fece una risata amara. «Non c'è mai una fine, vero?» ribatté. «Mio zio aveva scontato la sua pena, ma per la gente era ancora un assassino.»

«È così, quando un delitto suscita abbastanza scalpore. E comunque la fama va e viene. L'infamia, invece, dura per sempre.»

Notai che aveva un nuovo livido sull'occhio. Suo padre doveva essere nei paraggi. Ripresi le misure della mazza da baseball. Sopravvalutata, d'accordo, ma sempre meglio di niente.

«Quando nasce il bambino?» le chiesi.

«Alla fine dell'estate.»

«E chi è il padre?»

Fece un rapido cenno di no con la testa mentre la porta della roulotte si apriva; Rocky comparve sulla soglia. Le circondò la vita con un braccio e la baciò sulle labbra.

«Sono tornati» disse. «I *gagé*, fuori dal campo. Uno di loro mi ha appena lanciato una bottiglia e non mi è sembrato il caso di restare allo scoperto. La situazione è peggiorata, dopo la morte di tuo zio Peter.»

Dalla finestra, vidi una folla di gente schierata oltre la recinzione. Una poliziotta, sola in mezzo alla calca, alzava le mani, cercando di ristabilire la calma.

«Cosa vogliono?» domandai.

Rocky sogghignò. «La stessa cosa di sempre: farci sparire. Ti senti meglio?»

«Sì, grazie.» Poi scossi la testa. «Avresti dovuto dirmelo, Rocky. Che avevi lavorato al Garden. Dovevi raccontarmi tutto. Avevi mai visto Nils Gatling insieme a Sean Nawkins?»

Lui si strinse nelle spalle e distolse lo sguardo, ancora restio a confessare ciò che sapeva.

«Sarebbe andata diversamente, se mi avessi parlato. Se mi avessi detto ciò che sapevi del padre di Echo.»

«Del suo vecchio non so niente» rispose. «A parte che è uno stronzo fuori di testa.»

«È molto di più. Sean Nawkins è un assassino. E verrà arrestato.»

Lui annuì, cercando di prodursi in un ghigno ironico. E io mi ritrovai a pregare che il figlio di Echo fosse suo. Di colpo calò un silenzio imbarazzato. Lui non riusciva a chiedermi chi mi avesse pestato e io non potevo domandargli chi fosse il padre del bambino.

«Non capisco perché siete rimasti qui» dissi, indicando appena col mento l'occhio nero di Echo. «Così vicino a suo padre.»

«Ormai è questione di poco» rispose Rocky. «Venerdì disputerò il primo match da professionista. Alla York Hall. Sei round contro un serbo imbattuto da sei incontri.»

Il suo fisico irradiava forza. Non avevo dubbi che fosse pronto a iniziare una nuova vita.

«Buona fortuna» dissi a entrambi. «Per l'incontro e tutto il resto.»

Rocky rivolse uno sguardo orgoglioso a Echo. «Qualche vittoria e ce ne andremo da qui. Un pugile non può vivere così, senza mai sapere quando verrà sfrattato. Per la boxe serve stabilità. Una routine. Cercheremo un appartamentino a Billericay, con un po' di verde per il piccolo ma abbastanza vicino alla stazione ferroviaria.»

Annuii. Sembrava un buon piano.

Poi mi alzai, scrollando le spalle, inventariando le ferite. Niente che potesse impedirmi di fare ciò che dovevo. E in fretta, anche.

«Mi serve un favore» dissi. «Vi darò un numero per contattare Patricia Whitestone, l'ispettore capo di West End Central. Dovete chiamarla subito e informarla che ho arrestato Sean Nawkins per l'omicidio di Mary, Brad, Marlon e Piper Wood. Siamo d'accordo?»

Restarono in silenzio.

Rocky guardò Echo.

«Sì» rispose lei.

Le diedi il numero, poi li salutai con un cenno e uscii dalla roulotte. Indossavo ancora la felpa di Rocky, con il cappuccio e la scritta PALESTRA KRONK – DETROIT sul petto. Richiusi la cerniera fino alla gola.

La roulotte si trovava in prossimità dell'entrata principale di Oak Hill Farm, in una zona del campo in cui le abitazioni erano più piccole e dimesse. Oltre la recinzione, la folla si era ingrossata. Guardai in quella direzione, cercando le rassicuranti divise di qualche collega, e ne vidi soltanto due, giovani, una ragazza e un ragazzo; quest'ultimo, dall'ingresso, parlava alla ricetrasmittente agganciata alla spalla. Sembrava spaventato.

La loro auto era parcheggiata all'interno del campo. Un errore. Se stai presidiando un'area, la tua macchina deve segnare il confine oltre il quale la gente non può spingersi. Lasciarla dentro era stata una pessima mossa.

Non lontano sentii un rumore di vetri rotti, seguito da urla e fischi. Poi un altro schianto.

Accelerai il passo. Il tempo stringeva.

Vidi il fumo, prima di individuare Sean Nawkins. Una colonna scura saliva dal cassonetto dell'immondizia dietro il suo bungalow.

Le urla richiamarono il mio sguardo verso la recinzione. I due agenti si erano dati il cambio, con il ragazzo ora in mezzo alla folla e la collega a parlare con urgenza alla radio, per chiedere rinforzi.

Restai in ascolto, sperando di sentire le sirene in lontananza. Niente. Li fissai per un momento, sapendo che avevano bisogno di aiuto.

Ma proseguii per la mia strada.

Altri vetri rotti e poi un grido di giubilo mentre una bottiglia finiva sull'erba secca del fazzoletto di prato incolto dove avevo visto pascolare il cavallo, quel primo giorno. Un'esplosione e una vampata: era una molotov. Mi fermai, volevo capire se ne avrebbero lanciate altre. Quando vidi volare un paio di bottigliette di birra, che si schiantarono senza danno sul tetto di una roulotte, ripresi a camminare.

Il bungalow di Sean Nawkins aveva la porta aperta. Lo aggirai fino al cassonetto incendiato. Lui stava versando una tanica di benzina su una dozzina di sacchi neri della spazzatura. Mi domandai cosa stesse bruciando, a parte gli abiti che mi aveva tolto la sera prima.

Forse i resti di Zina.

«Ti dichiaro in arresto per omicidio» dissi. Lui si voltò e mi fissò inorridito, come se avesse visto uno spettro, poi arretrò di un passo, la bocca aperta per il terrore.

«No» farfugliò, più per negare la mia esistenza che i suoi crimini. «Non può essere.»

«Hai il diritto di rimanere in silenzio» proseguii, avanzando verso di lui mentre una bottiglia piombava sul bordo del cassonetto e un'altra rimbalzava sul tetto del suo bungalow, senza rompersi.

Si strinse la tanica al petto, come per farsi scudo, e improvvisamente una bottiglia incendiaria cadde e lo centrò sulla spalla. In un lampo, Sean Nawkins fu avvolto dalle fiamme.

Barcollò verso di me, le lingue di fuoco come un'aureola intorno alla testa, la carne che si scioglieva, i capelli e le sopracciglia già consumati, la bocca spalancata in un grido di agonia. Si aggrappò con una mano al bordo del cassonetto mentre il suo corpo cedeva a una sofferenza indicibile e il volto si anneriva, perdendo i suoi tratti.

Poi una bottiglia dovette colpire anche me, perché per un istante mi ritrovai stordito, con le vertigini, la nausea, una fitta lancinante alla nuca e i frammenti di vetro impigliati nella tuta.

Sean Nawkins giaceva ai miei piedi.

Era disteso a faccia in giù sul terreno e, a mano a mano che il fuoco si spegneva, il suo corpo si rivelava alla vista: gli abiti completamente inceneriti, ogni centimetro di pelle annerito e avvolto dal tanfo della carne carbonizzata.

Arretrai, premendomi una mano sulla nuca e l'altra sulla bocca, e aggirai di nuovo il bungalow. Sull'altro lato mi aspettava un tumulto in piena regola.

La folla aveva fatto irruzione nel campo e gli abitanti di Oak Hill Farm uscivano dalle loro roulotte e bungalow per affrontarla. C'erano uomini armati di tubi di metallo, donne che brandivano mazze da baseball, cani che abbaiavano, bambini che strillavano. Poco oltre l'ingresso principale, i due schieramenti si scontrarono come eserciti medievali; dalla mischia si levò il suono dell'impatto devastante di metallo e carne, ossa e vetri rotti.

La coppia di agenti era sparita, ma gli invasori si erano impadroniti della loro auto. Due tizi di mezza età, obesi e coperti di tatuaggi, ululavano dai finestrini mentre scorrazzavano con la volante, travolgendo le piccole aiuole ordinate, arando i prati con gli pneumatici.

Vidi Rocky ed Echo sulla porta della loro piccola roulotte. Lei stava gridando.

«Smoky! Smoky! Smoky!»

Il suo cane.

L'akita, pazzo di terrore, abbaiava disperato accanto a un'altalena. Rocky si mise a correre verso di lui, ma anche gli uomini nell'auto della polizia lo avevano notato e cominciarono a puntarlo.

Rocky lo raggiunse per primo e batté le mani, urlandogli un comando. Per un istante, il grande akita non gli diede retta, poi si riscosse. Rocky girò sui tacchi e riprese a correre verso la roulotte, seguito dal cane e dalla macchina con i due uomini che sbraitavano insulti e guadagnavano terreno.

Adesso non perdevano più tempo con le aiuole.

L'auto mirava il ragazzo e il cane come un missile terraterra.

Echo era impietrita sulla soglia.

Il cane superò Rocky e infilò la porta con un balzo, sparendo nella roulotte con la coda che roteava già per il sollievo. Rocky era quasi arrivato quando inciampò e cadde a braccia spalancate sull'erba secca di Oak Hill Farm.

La macchina gli passò sopra un braccio, all'altezza del gomito. Poi inchiodò, ingranò la retromarcia e ripeté l'operazione con l'altro.

Vidi il suo volto contratto dal dolore: le sue grida salirono fino al cielo.

Poi l'auto si allontanò, con i due uomini all'interno che ridevano sguaiati.

E finalmente sentii le sirene: mi voltai verso l'ingresso del campo e cominciai a correre.

35

Azionai la sirena e i lampeggianti e mi diressi verso ovest. Nel buio sempre più fitto, il traffico sull'autostrada per Heathrow si apriva davanti a noi, scansandosi per fare largo alla BMW X5.

«Mary aveva parlato» disse l'ispettore capo Whitestone, seduta accanto a me. Stava sfogliando un verbale. La cartelletta verde sembrava al tempo stesso vecchissima e intonsa. «A sedici anni, si era presentata a una stazione di polizia e aveva reso una dichiarazione formale sugli abusi subiti dal fratello.» Richiuse la cartelletta. «Non le hanno creduto. Nessuno l'ha ascoltata.»

«Questa volta sarebbe andata diversamente» dissi. «Il mondo è cambiato, da allora.»

«Il verbale è rimasto lì, intatto» commentò Wren. «Secondo te il padre aveva fatto pressioni sulla polizia?»

«La cosa triste è che, con ogni probabilità, non ce n'è stato bisogno» rispose Whitestone. «Il vecchio aveva un nome importante. È bastato quello.»

«E adesso perché sterminare tutta la famiglia?» domandò Wren. «Nils Gatling voleva solo mettere a tacere la sorella. Per quale motivo ha fatto assassinare anche il marito e i due figli? E rapire il bambino?»

«Farla sembrare la strage di uno psicopatico era parte

del piano» risposi. «Come la pistola da macello. Chi sceglierebbe un arnese simile per un delitto? Solo un pazzo criminale che l'ha già usato in passato, e per un massacro identico.» Mi tornarono in mente le parole di John Caine nel Black Museum. «I killer occasionali uccidono con l'arma che conoscono. E Peter Nawkins era un capro espiatorio ideale, soprattutto dopo che Mary Wood gli aveva offerto quel bicchiere di limonata e lui si era messo a collezionare le sue foto.»

«Quindi Nils Gatling e Sean Nawkins si conoscevano da anni?» domandò l'ispettore capo.

Annuii. «Gatling aveva cantieri in tutta Londra e Nawkins era una fonte pressoché illimitata di manodopera a buon mercato. Il destino di Mary era segnato dal momento in cui il fratello ha capito che lei si sarebbe di nuovo rivolta alla polizia. A quel punto, a Gatling serviva qualcuno che si sporcasse le mani al suo posto. E Sean Nawkins aveva i suoi motivi per vendicarsi di Peter, il Macellaio.»

«Come mai, dopo tanti anni, Mary aveva deciso di denunciarlo?» domandò Wren. «Per ottenere giustizia? Per salvare il suo matrimonio? Per non perdere la ragione? O semplicemente per non lasciare un maniaco del genere a piede libero?»

«Per tutti questi motivi, credo» risposi.

Pensai a Charlotte tra le mie braccia, ricordando la sua espressione quando mi aveva chiesto di non correre troppo. *Non è facile, per me*, aveva detto. Forse era stato questo a dare a Mary la forza di denunciare il fratello: la consapevolezza che non avrebbe mai potuto condurre un'esistenza normale finché si fosse tenuta dentro quel trauma che le impediva di aprirsi, di amare, di fidarsi di qualcuno e di stringerlo davvero a sé. Le parole di Charlotte riassumevano il peso tremendo con cui le vittime imparano a convivere.

«Quindi, Nils Gatling voleva tappare la bocca alla sorella e Sean Nawkins voleva punire il fratello» concluse Whitestone. «Ma siamo sicuri che Peter Nawkins avesse una relazione con la moglie e anche con la figlia di Sean?»

Scrollai le spalle. «Echo ha passato la sera di Capodanno con lo zio Peter e sua madre è andata a fargli visita a Belmarsh per anni: questo è ciò che so. Quanto a cosa facessero quando si incontravano, di questo non posso essere certo. Notti di passione? Quattro chiacchiere e una tazza di tè? Non ne ho proprio idea. Di sicuro sappiamo che Peter Nawkins era capace di una violenza estrema. Quando Burns e i suoi figli hanno cercato di castrarlo, si è ripresentato alla fattoria e gli ha fatto saltare le cervella con una pistola da bestiame. Ma se il mondo l'avesse lasciato in pace, lui sarebbe stato ben contento di ricambiare il favore. Non ha sparato al sergente Sallis quando ne ha avuto l'occasione. Nelle giornate buone, o anche solo con chi lo trattava come un essere umano, sono certo che sapesse essere dolce e mansueto. Sean Nawkins no. Lui era uno psicopatico.»

«Lo ha dimostrato sia con la moglie sia con la figlia» disse Whitestone. «Entrambe vittime della sua violenza e della sua crudeltà. In situazioni del genere, una donna cerca una via d'uscita.»

«E a volte la trova poco lontano» aggiunsi. «Nel nostro caso, nella roulotte accanto.»

Controllai lo specchietto retrovisore. Le macchine che si erano spostate per farmi largo stavano lasciando passare il resto del convoglio. Due veicoli blindati dell'unità d'assalto, alcune pattuglie e una manciata di motociclisti di scorta che non riuscivano a tenere testa alla mia

BMW. Tra loro c'era anche il nucleo speciale per gli abusi sui minori.

«Dovremmo far sparire tutto questo circo prima di presentarci lì» dissi. «Entriamo da soli e avvertiamoli di aspettare un nostro segnale. Non è il caso di spaventare il bambino, con quello che ha passato.»

Intuii che Whitestone e Wren si erano scambiate uno sguardo in silenzio, mentre la città e la periferia cedevano il passo alle colline verdi e alle casette di pietra color miele.

Poi arrivammo a Lower Slaughter.

Nel giardino protetto da un muro di cinta di una grande villa, un bambino giocava da solo.

Bradley Wood sembrava più grande e con i capelli più scuri che nelle foto, ma è quel che capita sempre con i bambini scomparsi. Seduta a un tavolo da picnic, un'anziana domestica filippina sonnecchiava, la testa sulle braccia, un iPad appoggiato davanti a sé. Non la svegliammo.

«Bradley?» chiamai, sedendomi sui talloni per guardarlo negli occhi. «Credo che questo sia tuo.»

Gli porsi il pupazzetto del cowboy dello spazio.

«Ian Solo» esclamò lui, prendendolo. «L'avevo perso.»

Guardò Wren e Whitestone alle mie spalle, come se si aspettasse di vedere sua madre. Fui invaso da un senso di vuoto assoluto. *Di cosa sono capaci gli uomini*, pensai. *Fino a che punto sanno spingersi per pochi spasmi di piacere.*

«Bradley?»

«Sì?»

«Ti hanno fatto del male, piccolo?»

Ci rifletté un momento, poi scosse la testa.

«A me lo diresti, vero?»

Un breve cenno di assenso.

304

Mi sembrò sincero.

«Posso tornare a casa, adesso?» domandò. «Lo zio Nils mi dice sempre: "Presto", ma poi non mi ci porta mai.»

«Puoi tornarci subito. E non devi nemmeno salutarlo, okay? Segui queste signore. Il *Millennium Falcon* è parcheggiato qui fuori.»

Mi rivolse un sorriso lento, timido; sul suo volto, riconobbi i tratti della madre, del fratello e della sorella, di tutta quella famiglia sventurata.

Ma, soprattutto, rividi sua zia.

Wren gli tese la mano. «Io mi chiamo Edie» disse. «E la Forza è sempre con me.»

Bradley rise, dubbioso, ma le prese la mano.

Mi voltai verso la casa. C'era un uomo, in piedi sulla soglia. Cranio rasato, una maglietta bianca tesa su una muscolatura da steroidi, il ventre da birra che sporgeva sopra la cintura dei calzoni neri. Quel genere di guardia del corpo aveva cominciato a spuntare ovunque, a Londra. A quanto pareva, aveva invaso anche la campagna. Sparì dentro la casa, con il cellulare all'orecchio.

Whitestone e io guardammo Wren che conduceva il bambino per mano verso il retro.

«Max?»

«Dimmi.»

«Scusa, ma devo chiedertelo: Charlotte Gatling sapeva che il nipote era qui?»

«No.» Ne avevo la certezza assoluta. «Da anni non metteva piede in questo posto. Per lei non era una casa. Più una stanza delle torture. La scomparsa di Bradley le aveva spezzato il cuore.»

«Verrà affidato ai servizi sociali. Questo lo sai, vero?»

«Non possono fargli una cosa del genere. Non ha già sofferto abbastanza?»

«Max, non lo lasceranno di sicuro alla sua famiglia, con tutto quello che è successo.»

«Allora portatelo da lei, a Londra, fatelo tu e Edie. Affidatelo a qualcuno che lo ama davvero. Charlotte penserà a far valere le sue ragioni con i servizi sociali. È intelligente. È ricca. Lo vuole con sé. Il bambino ha bisogno di lei. E viceversa. Charlotte può permettersi gli avvocati migliori di Londra. Ti prego. Non lasciare Bradley ai servizi sociali.»

Whitestone ci rifletté. Ma non per molto.

«Dove abita?»

«Fitzroy Square.»

Poi entrammo in casa.

Dal primo piano provenivano delle urla.

«Cosa ti avevo detto?» sbraitava una donna con uno spiccato accento di Bristol. «Non ti avevo detto che i tuoi bisogni schifosi non si fanno nel letto?»

Urla. Schiaffi. Pianti.

Entrammo in una stanza gigantesca.

Un vecchio giaceva su un letto a baldacchino.

Era nudo, con un pannolone.

Victor Gatling.

In lacrime.

Un pianto amaro, disperato. Mi guardò negli occhi e, per quanto non fossi un esperto, capii che doveva soffrire di demenza senile ormai da anni.

C'erano un uomo e una donna ai lati del letto, entrambi di un'obesità grottesca, con le braccia enormi e la pelle molle e cascante coperta di tatuaggi. Personaggi incongrui, in quella elegante residenza di campagna.

Il grassone alzò una mano, pronto a schiaffeggiare di nuovo Victor Gatling, ma gli bastò notare la mia espressione per trattenersi. La cicciona dimostrò meno scrupoli. Afferrò il vecchio per una ciocca di capelli e gli scosse con violenza la testa.

Poi fissò Whitestone con aria di sfida.

«Cazzo vuoi, troia quattrocchi?» disse, schizzando saliva dalla bocca.

L'ispettore capo sollevò la ricetrasmittente e richiese l'intervento immediato dei servizi sociali e degli agenti. Poi avanzò verso il letto.

«Signora» disse alla cicciona. «Questa troia quattrocchi è un ispettore capo della polizia di Londra.»

C'era una quantità incredibile di bagni nella villa.

Trovai Nils Gatling in quello della stanza da letto padronale, all'ultimo piano. Indossava solo un golfino di cashmere e un paio di boxer. Le gambe erano magre e pelose; vederlo seminudo mi diede il voltastomaco. Avevo sperato che morisse d'infarto alla vista dell'uomo risorto dalla tomba del cimitero di Highgate, invece mi osservò con il solito sguardo sprezzante.

«Non provare ad avvicinarti, maiale d'uno sbirro» disse. Tra pollice e indice stringeva la lametta di un rasoio dalla foggia antiquata. Se la premette sul polso. Senza tagliarsi.

Gli scoppiai a ridere in faccia. «Credi che voglia fermarti?» risposi. «Accomodati pure.»

Mi guardai alle spalle. Ero solo. Gli altri erano ben contenti di lasciarlo a me.

«Però devo avvertirti: in quel modo la morte sarà lenta.» Indicai la vasca con un cenno della testa. «Devi accelerare l'emorragia, amico, altrimenti il dolore sarà più forte di quanto tu possa sopportare. Fidati. L'acqua calda è quello che ci vuole. Un bel bagno bollente. E devi inci-

307

dere qualcosa di grosso, un'arteria o una vena, quindi la lametta va premuta con forza, mi spiego? E non in orizzontale. È un errore comune, ma funziona solo nei film. Il taglio va fatto in verticale, da circa due terzi dell'avambraccio, sotto il gomito, fino al polso. Altrimenti ti recidi un tendine e non potrai tagliarti l'altro polso. L'ideale è idratarti per bene. Bevi tutta l'acqua che puoi, così le vene si gonfiano e il sangue scorre come si deve. Almeno un paio di litri. Gasata o naturale, fa lo stesso. Quella che preferisci. Ma il taglio dev'essere lungo. È affilata, quella lametta? A me non sembra. Dovresti usarne una nuova. E poi – fa' attenzione, è un dettaglio importante – il taglio va eseguito in fretta, altrimenti rischi di svenire. La cosa migliore è tagliare entrambi i polsi. Tagli il primo, poi prendi il rasoio con l'altra mano e ripeti l'operazione sul secondo. Cominciando dal braccio più debole. Tu non sei mancino, giusto? Allora devi tagliarti il polso sinistro, tenendo il rasoio nella destra, e poi passi all'altro braccio. Resta un unico problema...»

Lui si passò la lingua sulle labbra.

«Non ho mai incontrato un verme della tua specie che non fosse un codardo» proseguii. Poi, con tutta calma, attraversai la stanza, gli incrociai le braccia sulla schiena e lo ammanettai. Mentre gli infilavo le manette, gli scrutai i polsi.

Bianchi come gigli. Nemmeno un graffio.

«C'è una cosa che non ho ancora capito» dissi. «Come mai hai lasciato in vita il bambino? Hai sguinzagliato Sean Nawkins, permettendogli di massacrare tua sorella, suo marito e i due figli adolescenti. Invece Bradley l'hai risparmiato e l'hai portato qui. Perché non hai ordinato al tuo sicario di ammazzare anche lui?»

Lo sentii tremare per la rabbia.

«Mi hai preso per un animale?» sbottò. «Non avrei mai fatto del male a quel bambino. Credi che...»

Voleva proseguire, ma io ne avevo abbastanza. Non esiste carogna al mondo che non abbia una scusa pronta per giustificare le proprie efferatezze. E la sua non volevo sentirla.

Lo sollevai di peso, scuotendolo come un fantoccio e guardandolo dritto negli occhi. Lui cercò di distogliere lo sguardo. Iniziò a singhiozzare, con gli occhi pieni di lacrime di autocommiserazione.

«Hai finito?» gli domandai. «Perché a me sembri finito eccome.»

Recuperò la spocchia quando fummo sull'autostrada.

Era sul sedile posteriore della X5, chinato in avanti per via delle braccia ammanettate dietro la schiena. Il segnale acustico proveniente dal cruscotto mi informava che non si era allacciato la cintura, ma io non intendevo liberargli i polsi. Gli vidi in faccia quel sorrisetto arrogante e superiore, e restai in attesa. Il resto del convoglio era sparito dallo specchietto retrovisore. Dovevo averli seminati.

Nils Gatling ridacchiò tra sé.

Adesso era buio e il traffico diretto a Londra era diminuito. Guardai salire la lancetta del tachimetro con una sorta di curiosità distaccata, come se in realtà non fossi io a premere l'acceleratore. Avevo oltrepassato il cartello con la scritta LONDRA e provavo un'intensa nostalgia di casa.

Gatling si agitò sul sedile, come se fosse al tempo stesso un po' scomodo e molto divertito.

«Non crederai che mia sorella possa interessarsi a uno come te, vero?» disse.

Non risposi.

«Vedi, quando le inizi da piccole, come ho fatto io con Charlotte e con Mary, dopo non sono più le stesse» proseguì. «Il danno è irreversibile. Io l'ho avuta prima di te, quindi sarò sempre in vantaggio. Ogni volta che la baci, sentirai il sapore del mio...»

C'era una chiazza di ghiaccio nero sull'autostrada.

Il ghiaccio nero è difficile da distinguere, perché in realtà non è nero affatto: è trasparente, una lastra perfettamente liscia e senza bolle d'aria, così sottile e cristallina che si vede l'asfalto sottostante. Ma non è invisibile.

Lo vedi, se sai dove cercarlo.

E io lo vidi. Ero addestrato apposta.

E sapevo che, passando sopra una lastra di ghiaccio nero, la BMW X5 avrebbe perso trazione, slittando fuori controllo, e con ogni probabilità Nils Gatling avrebbe sfondato il parabrezza con la testa e sarebbe rotolato per un centinaio di metri sull'autostrada. Si sarebbe spezzato l'osso del collo, mentre io me ne stavo ben protetto dietro un airbag comodo come un guanciale.

Tappagli per sempre quella fogna.

Passai sul ghiaccio di proposito e la BMW perse subito aderenza, scuotendo la coda come la mannaia di un boia.

Ci fu un momento in cui avrei potuto catapultare il bastardo fuori dal parabrezza. Ma lasciai che passasse.

I miei muscoli ricordavano la routine e inserirono il pilota automatico.

Niente panico.

Niente freni.

Niente sterzo.

Asseconda il movimento.

Ripresi il controllo dell'auto. La lastra era superata, sotto le gomme l'asfalto era tornato asciutto e le luci di Londra brillavano davanti a noi.

Mi sentivo calmo, lucido, distaccato.

Sul sedile posteriore, Nils Gatling ansimava terrorizzato, domandandosi cosa diamine fosse accaduto. Ma tenne la bocca chiusa per il resto del viaggio.

A West End Central lo consegnai al sergente di turno, che lo condusse nella cella del commissariato. Quanto a me, feci qualcosa che avevo più volte, in quei giorni, rischiato di non poter più fare.

Tornai a casa da Scout.

Wren mi telefonò mentre preparavo la colazione. Nils Gatling era morto. Durante la notte aveva fatto a brandelli il suo golfino di cashmere e si era impiccato alle sbarre della cella.

In fondo, non c'era da stupirsi.

Perché a certi codardi manca il fegato per uccidersi. Ma ad altri quello necessario per continuare a vivere.

36

Le giornate diventavano più calde.

L'ultima domenica del mese, fermo alla finestra del nostro loft affacciata sul grande mercato, deserto e silenzioso nel giorno di riposo, vedevo cambiare la stagione davanti ai miei occhi.

Sopra la cupola di Saint Paul, il cielo intero pareva muoversi sotto le sferzate impetuose dei venti di fine marzo. Anche la luce era cambiata. Il lungo inverno sembrava davvero finito. La sua cappa fredda e cupa si era dissipata, e improvvisamente la città era tornata a essere bellissima.

Mentre le campane della cattedrale annunciavano la preghiera mattutina, così vicine che i rintocchi sembravano provenire dalla nostra cucina, mi allungai sul pavimento per le mie cento flessioni. Quando arrivai a cinquanta mi fermai per bere un triplo espresso. Stan sollevò il muso dalla sua cesta, rivolgendomi uno sguardo di vaga sorpresa.

Era naturale che si stupisse. Tra le indagini e la ferita allo stomaco, mi ero lasciato un po' andare.

Avevo saltato troppi allenamenti, ma la palestra era ancora pronta ad accogliermi. Con il sacco pesante, quello veloce, il colpitore imbottito e gli incontri di allenamento. Il sudore costante e l'occasionale schizzo di sangue, e i Jam, i Clash e James Brown sempre in sottofondo sullo stereo. Non vedevo l'ora di tornare da Fred per rimettermi in forma.

Era stato lui a chiamarmi per riferirmi la brutta notizia. Le lesioni riportate da Rocky durante il tumulto a Oak Hill Farm gli avevano stroncato la carriera sul nascere. L'ultima volta che Fred gli aveva parlato, Rocky gli aveva detto che si era trasferito con Echo nella campagna dell'Essex. Seguendo l'esempio di generazioni di londinesi, aveva trovato un fazzoletto di terra in cui mettere radici.

Era un peccato che avesse dovuto rinunciare alla boxe. Però aveva la sua donna con sé. Un figlio in arrivo. Una nuova casa. La sua vita non era finita. Stava appena iniziando.

Non sarebbe più tornato in palestra. Quanto a me, il mio borsone era già pronto: Fred mi aveva insegnato che la prima cosa da fare al ritorno da un allenamento è preparare il necessario per quello successivo.

Avevo il corpo indolenzito, dolorante fin nel midollo, come capita sempre quando cerchi di riprenderti da un pestaggio come si deve. Ma non era un buon motivo per impigrirsi. Solo una scusa.

Con il sapore amaro dell'espresso ancora in bocca mi costrinsi a terminare le flessioni, sentendo l'acido lattico che si accumulava nelle braccia, lo sforzo di cuore e polmoni, e sapendo che quando sei quasi alla fine, quando non ne puoi più e vorresti fermarti, perché in fondo hai già fatto abbastanza, quello è il momento in cui testi davvero la tua resistenza.

Dovevo rimettermi in forze e prendermi cura di me stesso.

Perché Scout aveva ancora tanta strada davanti a sé, prima di diventare grande.

E io volevo esserle accanto a ogni passo.

Era tardo pomeriggio, ma il sole non accennava a tramontare; l'aria era tiepida e luminosa. Avevo portato Stan ai giardini di West Smithfield e, mentre lui annusava i cestini della spazzatura e decifrava i messaggi dei suoi simili prima di lasciare il suo – *Stan è stato qui* –, io mi ritrovai a leggere la citazione delle *Avventure di Oliver Twist* incisa sulle panchine di pietra, l'ode di Charles Dickens ai fantasmi del mercato della carne.

«Contadini, macellai, mandriani, venditori ambulanti, garzoni, ladri, sfaccendati e vagabondi di ogni risma erano lì riuniti in massa; le grida dei mercanti, gli urli, le bestemmie, le risse, che scoppiavano da ogni parte; lo squillo dei campanelli e lo strepito delle voci che uscivano da ogni bettola...»

Adesso, invece, il mercato era vuoto e silenzioso.

Gli scaricatori erano tornati nelle loro case di periferia. I macellai dormivano nei loro letti. E i turisti si radunavano nella cattedrale di Saint Paul, rispondendo al richiamo delle campane.

Era un momento bello e sereno; ci attardammo nei giardini, in attesa che la luce soffusa della primavera sbiadisse e fosse ora di andare a prendere Scout alla festa della sua amica.

La casa di Mia a Pimlico distava almeno cinque chilometri da Smithfield, ma il tragitto passava da alcuni dei miei posti preferiti in città, così decisi di andarci a piedi.

Il tempo era magnifico. Scendemmo sulla sponda del fiume e poi seguimmo l'Embankment fino al Big Ben, girammo intorno a Parliament Square e svoltammo a destra su Birdcage Walk, prima di imboccare la lunga circonvallazione come scusante per attraversare Saint James Park.

Fu al parco che li vidi.

Sulla riva opposta del lago.

Charlotte e Bradley, indistinguibili da una madre qualsiasi con il suo bambino, ridevano di gusto, tentando invano di varare il modellino di una barchetta a motore sull'acqua immobile come uno specchio.

Una donna bionda con un cappotto rosso, troppo pesante per la stagione, e un bambino che la guardava con adorazione.

Lei alzò gli occhi e mi vide.

Pronunciai il suo nome e mi diressi verso di lei.

Ma una voce femminile alle mie spalle mi fermò.

«Scusi? Mi *scusi*!»

L'accento aristocratico, abbastanza affilato da tagliare il vetro, apparteneva a una di quelle vedove che abitano da sempre a Chelsea e si sono rifiutate di vendere anche di fronte all'invasione di capitali stranieri, quando i russi, i cinesi e gli europei proprietari di jet privati hanno soppiantato quelli come lei, che si accontentavano di volare in prima classe.

Doveva essere prossima agli ottanta, con un foulard, stivali e un guinzaglio dotato di uno scomparto di plastica arancione, a forma di osso, con i sacchetti per i bisogni del cane. Mi fissò con educata ferocia e provai un moto di affetto per lei. Senz'altro aveva vissuto i bombardamenti a tappeto della Seconda guerra mondiale e conosceva per nome tutti i camerieri del Wilton. Era una parte integrante della vecchia Londra, che amavo quanto gli scaricatori di Smithfield.

«È suo il king charles?» domandò.

«Stan» risposi. «Sì, signora.»

«Ha visto cosa sta facendo alla mia Lulu?»

«Lulu?»

«La mia labradoodle!»

Con uno sguardo di abietta frustrazione negli occhi, Stan si affannava invano a montare un incrocio di labrador e barboncino che lo fissava con disprezzo. Poveretto, l'istinto era più forte di lui, e a me tornarono in mente le parole di quel saggio che aveva equiparato le pulsioni sessuali dei maschi a vivere incatenati a un maniaco.

«Le chiedo scusa» dissi. «È molto espansivo. Sta solo cercando di fare amicizia.»

«Amicizia? Le sembra *amicizia*, quella? Se non è in grado di controllarlo, dovrebbe tenerlo al guinzaglio.»

Aveva ragione. Riagganciai il guinzaglio al collare di Stan e, quando rialzai gli occhi verso il lago, la donna bionda con il bambino e la barchetta erano spariti.

Non li avevo neanche salutati.

Stan e io riprendemmo la nostra passeggiata. Tra i rami delle querce, dei platani e dei gelsi, coperti di nuovi germogli, intravedevo la Union Jack che sventolava sopra Buckingham Palace, e ne trassi due conclusioni.

La regina era nella sua residenza.

E Charlotte Gatling mi aveva insegnato i nomi degli alberi.

Arrivai alla festa in tempo per lo scambio dei regali.

Il salotto era gremito di bambine vestite da principesse: Belle addormentate, Sirenette, Cenerentole e altre che non conoscevo, in gran parte sovraeccitate dall'overdose di zuccheri. C'era anche un gruppetto di maschietti vestiti da pirati, cowboy e vichinghi.

«Scout è un po' agitata» disse la madre di Mia.

316

La trovai in un angolo appartato, con il mento che le tremava e gli occhi lucidi. L'abito dorato aveva una grossa macchia di torta sul petto. Mia le stava accanto, come per proteggerla, le mani piantate sui fianchi e un'espressione bellicosa in viso.

Presi mia figlia in braccio e mi sembrò accaldata sotto gli strati dell'abito da sera.

«L'avevo detto a Hector» disse Mia. «L'avevo avvertito di smetterla di trattarla male.»

Mi guardai intorno. Un piccolo pirata sogghignava, pungolando una mini-Pocahontas con la sua sciabola di plastica.

Era Hector, di sicuro.

La famiglia di Mia circondò Scout, cercando di consolarla. Erano brave persone, ma noi volevamo solo tornare a casa.

Prendemmo un taxi e nel giro di quindici minuti eravamo a Smithfield.

Prima di scendere dall'auto mi voltai a guardarla. Scout sospirò, si asciugò gli occhi e mi seguì. La crisi sembrava superata. Nel loft infilò jeans e maglietta e mi porse l'abito da sera dorato. Lo presi, pur non sapendo cosa farne di preciso. Solo molto più tardi, mentre la mettevo a letto, cedetti al dubbio che mi assillava da quando ero andato a prenderla.

«Cosa ti aveva detto quel bambino alla festa?»

«Niente.»

«Va bene, tesoro. Non ne parliamo, se non vuoi. Sogni d'oro.»

Mi alzai per spegnere la luce, ma la sua voce mi fermò.

«Siete falliti» mormorò.

«Cosa?»

«Hector ha detto che tu e la mamma siete due falliti e

317

che per questo sono l'unica della classe a vivere solo con il papà.»

Tornai a sedere sul letto.

«Parlava a vanvera» cercai di tranquillizzarla. «Avrà solo ripetuto qualche scemenza sentita in casa. Uno stupido moccioso con una sciabola di plastica. L'hai vista?»

«Sì.»

«Che razza di pirata se ne va in giro con una sciabola di plastica? Un dilettante, ecco chi. Non pensarci più, Scout. Ci sarà sempre qualcuno che cercherà di ferirti, ma tu non dovrai permetterglielo. Non permettere mai a nessuno di farti del male.»

La abbracciai e le dissi quanto la amavo. Poi spensi la luce e uscii dalla stanza. Sull'altro lato della via, il mercato si stava già risvegliando, preparandosi a un lunedì di lavoro. Rimasi alla finestra a guardare la strada per un po', poi tornai da Scout. Non accesi la luce.

«Scout? Sei sveglia?»

«Sì.»

«Non intendeva che la mamma e io siamo due falliti. Quel bambino, lo stupido pirata. È il nostro matrimonio che è fallito.»

«Okay.»

«Quando due persone divorziano, si dice così, che il matrimonio è fallito.»

«D'accordo.»

La sua voce era minuscola nel buio.

«Ma vuoi saperla una cosa, Scout?»

«Sì.»

«Il nostro matrimonio è fallito, ma non è stato un fallimento. Anche se ci siamo lasciati.»

Feci una pausa. Dovevo trovare un modo per spiegarglielo. Era importante.

Poi capii che era semplicissimo.

«Non siamo più sposati, ma non vuol dire che sia stato un fallimento. E il motivo sei tu. Dal nostro matrimonio sei nata tu, Scout. E tu sei la parte migliore di me, l'unica cosa davvero bella della mia vita. Rendi migliore questo pianeta, e nessun matrimonio che abbia generato una bambina come te può dirsi un fallimento. È fallito, ed è una cosa molto triste. Ma non è stato un fallimento. Grazie a te.» Le accarezzai i capelli. «Tu sei la mia vittoria, Scout.»

Ma a quel punto, ovviamente, si era già addormentata.

Nota dell'autore

Quando ero ancora molto giovane e indossavo una giacca di pelle nera a prescindere dalla stagione, andando al lavoro ogni mattina incrociavo sempre uno dei complici della Grande rapina al treno.

Ronald Christopher «Buster» Edwards era stato un membro della banda che l'8 agosto 1963, alle prime luci dell'alba, aveva assaltato il treno del servizio postale diretto da Glasgow a Londra. Al tempo in cui lo incontravo io, andando alla redazione del «New Musical Express» in Stamford Street, eravamo già a fine anni Settanta, e Buster aveva un banco da fiorista alla stazione di Waterloo.

Ma agli occhi di un ragazzo ingenuo con la sua giacca di pelle scadente, Buster Edwards restava l'eroe di una storica rapina al treno.

Si dice che il colpo gli avesse fruttato centocinquantamila sterline: quando i soldi finirono, tornò dal Messico dove si era rifugiato, si beccò una condanna a quindici anni, ne scontò nove e poi aprì il banco di fiori davanti alla stazione.

Ho ripensato spesso a lui mentre scrivevo la storia di Peter Nawkins, il Macellaio, perché la vita e la morte di Buster – che finì suicida come il mio personaggio fittizio – sono la prova che alcuni reati non vengono mai dimenticati, anche dopo che il responsabile ha pagato il suo debito. Non se sono abbastanza clamorosi. È questa la lezione che ho appreso da Buster Edwards, rapinatore di treni e fiorista.

Come dice Max Wolfe a Echo Nawkins: «La fama va e viene. L'infamia, invece, dura per sempre».

Tony Parsons
Londra, ottobre 2014